ROMANIAN

Romanian is a language which, because of its Latin origin and its direct and indirect loans from other Romance languages, is readily assimilated by an English speaker, especially if he knows French or Italian.

The student the authors have in mind is the non-specialist amateur and traveller. To this end, the material does not go far beyond the most elementary and the style varies between 'conversational' and 'near-formal'. Much of the vocabulary will be familiar to the student who knows other Romance languages; the major difficulties lie with the grammar, and this the authors have tried to grade as carefully as possible within the limits of a single volume.

The dialect covered in the book is Daco-Romanian, the national language of Romania, spoken by nearly ninety per cent of its inhabitants.

TEACH YOURSELF BOOKS

ROMANIAN

Virgiliu Ştefănescu-Drăgănești

Senior Lecturer at the Institute of Foreign Languages,
University of Bucharest

Martin Murrell

British Council Lecturer,
University of Thessaloniki

TEACH YOURSELF BOOKS
Hodder and Stoughton

First printed 1970
Fifth impression 1980

This volume is published in the U.S.A. by David McKay Company Inc., 750 Third Avenue, New York, N.Y. 10017.

ISBN 0 340 26384 9

Printed and bound in Great Britain for
Hodder and Stoughton Paperbacks, a division of
Hodder and Stoughton Ltd., Mill Road, Dunton Green,
Sevenoaks, Kent (Editorial Office: 47 Bedford Square,
London WC1 3DP)
by Richard Clay (The Chaucer Press) Ltd,
Bungay, Suffolk

CONTENTS

INTRODUCTION

The Romanian (Rumanian, Roumanian) language developed from the Roman *koine* of the lower Danube region from about the middle of the first millennium of our era. Of the languages spoken around that part of the Danube before this time we know very little. The Dacians, who occupied a large part of this territory, spoke a Thracian tongue. At the beginning of the second century Dacia was made a Roman province, and the *lingua franca* used among the colonists, who were drawn from many different parts of the Roman Empire, was a variety of Latin. Latin thus became, and remained, the official language of communication in the region.

Despite the influences from neighbouring tongues to which Romanian has been open throughout most of its history, the language has preserved its basic Latin character in much the same way as English has preserved its Germanic character. Slavonic (Bulgarian, Serbian, Polish, Ukrainian, Russian) elements are most apparent in the vocabulary, to a smaller extent in the syntax (sentence grammar) and phonology (the sound-system), and hardly at all in the morphology (word grammar). Romanian has also developed certain features that are found in its non-Slavonic Balkan neighbours, e.g. in Albanian and Greek. In addition, items have been adopted at various times from nearby Turkish, Hungarian and German, and these last two languages, especially Hungarian, are still spoken by important minorities ('co-inhabiting nationalities') living on what is politically Romanian soil. Much of the borrowed vocabulary, however, was replaced during the nineteenth century in a conscious attempt to 're-Romanize' the language, with French and Italian supplying, in part, the models. In more recent times even a handful of English loans have been accepted into the lexicon (e.g. *fotbal*, *meci* 'match', *bridge*, *whisky*).

There are four principal dialects of Romanian, the most important being Daco-Romanian, which is the

1

national language—spoken, with relatively small variations, by nearly ninety per cent of the inhabitants—of the Socialist Republic of Romania, whose total population now exceeds twenty million. This is the type of Romanian we present and describe in this book.[1] Other speakers of this dialect, i.e. inhabitants of the neighbouring countries, and speakers of the other main dialects are far less numerous.

Because of its Latin origin, and its direct and indirect loans from other Romance languages, a large part of the vocabulary of Romanian is readily assimilated by an English speaker, especially if he knows French or Italian. In working through the book you will find many familiar words, especially those conveying more abstract concepts, some identical in spelling with similar words used in English and others differing only slightly. This makes it fairly easy to read Romanian texts of a formal, non-literary nature. In addition, many words from the 'everyday' register and a number of grammatical items have a well-known appearance to a student who knows other Romance tongues (e.g. *pîine* 'bread', *casă* 'house', *da* 'give', *bun* 'good', *tu* 'you', *ce* 'what', *un* 'a', *de* 'of'). The major difficulties lie in the grammar, and this we have tried to grade as carefully as we could within the limits of a single volume. From about the middle of the course, the going is a little 'tough', but provided you have assimilated most of the material in the preceding Lessons, you will not have to slow your pace unduly. Each Reading Text can be worked through without referring to the new grammar, as translations are provided in the Vocabulary. After the reading of the Text, the Grammar and Exercises can be tackled piecemeal.

The variety of Daco-Romanian described in this book is the so-called present-day Standard—*limba română standard* (usually called, rather confusingly, *limbă*

---

[1] We have made no attempt to keep description (e.g. 'it occurs . . .', 'it may occur . . .') and prescription (e.g. 'you (may) use it . . .') distinct.

literară, because it forms the basis of the modern written language). We have not tried to separate the spoken and written mediums, for most learners require a little of both. The student we have in mind is the interested non-specialist amateur and traveller. The material used includes a few colloquialisms and spoken-medium patterns, especially at the level of discourse (i.e. in terms of utterance combinations), but does not go far beyond the most elementary. By 'elementary' we mean, of course, 'frequently occurring—and therefore useful—patterns'. The style of the Romanian in this work varies between 'conversational' and 'near-formal'.

And now a little advice on a possible method of using this book.

Each **Lesson** is divided into four or five parts. First comes the new **Vocabulary**: the new words and phrases, with the necessary grammatical labelling (you are told, for example, what 'part of speech' each item is, its gender if applicable, its plural form, and so on), and a separate list of **Phrases** which we have selected (from the Text) for translation, as they present various difficulties. The Phrases will help you to read the new **Text** without consulting the new **Grammar** section. Some of the Phrases are useful collocations, common expressions, which need careful memorizing. But do try to remember the context in which they are used. Ideally, you should learn as many of the Texts as you can by heart. This is far more useful, and even more enjoyable, than learning lists of isolated words.

Read through the Vocabulary and Phrases fairly quickly, noting those words which look familiar and spending a little longer on the rest. Then, after working through the Text with one eye on the Vocabulary, go back to the Vocabulary and study it hard. See if you can guess or remember the genders and plural forms of nouns, the four adjective forms, and so on. Continually test yourself, and before you begin a new Lesson check that you remember

*at least seventy per cent of the vocabulary in the preceding
Lesson. Read the Text again and try to give the gist of
it to yourself (in Romanian, of course), recalling at least
what you consider to be the more important Romanian
phrases. The next task is to read through the new Grammar,
picking out in the Text the points noted, and to work
through the Exercises—very carefully. Finally, recite
and/or write out as much of the material in the original
Text as you can from memory. It will not be necessary to
tackle every Lesson in this way, you can and should vary
your procedure, but working along lines similar to those
suggested here may bring the best results. It is a good idea
to keep a notebook for writing down the phrases (phrases,
rather than isolated words) which you find the most
difficult to memorize and to try out variations on them—
substitute some of the lexical items for others, turn state-
ments into questions or commands, combine some items
with others, change the tense and person, use a different
determiner, and so on.*

The first five Lessons and one other each contain a
section on **Pronunciation.** These sections should be looked
at before the Text is attempted. The description of the
various sounds should be studied closely and the sounds
practised aloud. The vowels and diphthongs are probably
harder to get right than the consonants, and they should,
moreover, be kept distinct from each other. A summary
of the sounds of Romanian, with their technical labels,
is given in **Appendix 1,** which may be useful for sporadic
reference. In the Lessons, rules describing formal changes
in terms of graphemes (i.e. letters, orthographic symbols)
are also to be interpreted in phonemic terms (i.e. in terms
of the sound system). Generally, this presents no problem.
A rule such as 'drop *-e*, add *-or*' readily yields the corre-
sponding sound-equivalent rule 'drop /-e/, add /-or/'
(sound representations are placed between slant-lines,
as in this example). Where differences arise, we have
noted them.

Each Grammar section presents its own problems.

Remember that this is a *course*, not a grammar book, and so the material is graded. The rules given are at first quite simple, but many are repeated and elaborated as the Lessons progress. This means that it may not always be easy to check up on a particular point at any given stage. However, the **Romanian Word List** and **Classified Index** will help you to locate all the more important uses and descriptions in the Lessons. Although in most cases you will be able to understand each Text without referring to the Grammar section, you should read the latter carefully as it frequently introduces several additional examples of a new structure and in so doing indicates the extent of its use—and thus its usefulness.

To help you to master the main words and patterns, a set of **Exercises** is appended to each Lesson. These should be worked through in conjunction with a re-reading of the Vocabulary and Grammar. Most of them can be done first orally, then in writing. The substitution tables are for giving more practice in the important structures; they produce isolated sentences, of course, and an additional exercise would be for you to contextualize some of the sentences (e.g. fit them into a two- or three-line dialogue of your own composing). Some of the Exercises are provided with specimen answers, which you will find in the **Key.** These answers may not correspond to your own in every case, but this does not mean that your answers are necessarily wrong! The models in the Key can only serve as a guide—to help you keep a check on your own progress. The answers to the translation exercises provide you with further Romanian texts; since the whole object is to learn and practise *correct* usage, it is a good idea to read the model answer carefully *before* you tackle the translation itself. If you find you can understand the Romanian translation answer fully and can memorize most of it, there is little need to do the actual translation exercise!

The Key is printed after the two Appendices. **Appendix 1** comprises a summary of the sound-system and the orthography. **Appendix 2** consists of a list of all the verbs used in the Lessons plus a few useful additions. At various points during the course you should look up the verbs whose infinitives you have learnt and check their conjugations in this List. The List will also help you when you do the Exercises.

Following the Key comes a list of all the Romanian words used in the Lessons, with references. You may like to add translations yourself, though it is usually more profitable to write up in your own notebook the more difficult words, giving each a full context. The following **English-Romanian Vocabulary** must be used with great care. Most of the translations apply specifically to the contexts in which the words were used, and meanings are not differentiated. It is a good idea to check the meaning of a given Romanian word against its use in one or more Texts. A few words appear in this Vocabulary for the first time; most of these—but only these— are provided with a few grammatical details to help you use them. For those used in the Lessons, the relevant grammatical information has to be sought in the Lessons. This Vocabulary is followed by a **Tourist Restaurant Aid** —a list of restaurant food items that you might find useful as a tourist, and the Classified Index.

One final tip: if you go to Romania knowing some Romanian, don't hesitate to try out what you have learnt! The Romanians are among the most friendly people on earth and will be delighted at your efforts to speak their language and very willing to help you. Those of you who would like to study the language with a native teacher can do so in Romania itself, where courses for foreigners are held every summer at the mountain resort of Sinaia. There are parallel sets of courses for beginners, for intermediate, and for advanced students, lasting one month and beginning in July (details and application forms from: Universitatea Bucureşti, Direcţia Cursurilor de vară, str. Pitar Moş 7–13, România). Information about travelling to and staying in Romania can be obtained from a Romanian embassy or consulate, or from a branch of the Romanian National Travel Office (O.N.T.) (e.g. at 98–99 Jermyn Street, London, S.W.1).

Acknowledgment The authors are indebted to Mrs Anna-Lisa Murrell and Miss Constance Milcoveano for their invaluable suggestions and their assistance in preparing the difficult typesheet. They also extend their sincere thanks to Mr E. D. Tappe, of the School of Slavonic and East European Studies, University of London, for reading through the manuscript and pointing out a number of errors and infelicities. For any inaccuracies or omissions remaining in the printed text the authors alone are responsible.

GLOSSARY OF GRAMMATICAL TERMS

Technical terms are labels that make it possible to dispense with repeated elaborate explanations. In this book we have used a minimum of technical terminology, but a glance at the Index will show that the number of terms is still quite large. Some of these are known to everyone, but others may be novel. A brief, and *very rough*, description of them, based on traditional grammar, appears below. Even the best known are included, as there are many cross-references, and we thought it better to include too many rather than too few. The items are listed alphabetically.

Adjective A word, phrase or clause that modifies a noun ('a *red* herring'). In English noun phrases, single-word adjectives usually precede the noun head and follow determiners. Many adjectives may function as complements after certain verbs ('it is *red*') and have a comparative and superlative degree ('redd*er*', 'redd*est*'). An adjective may be modified by certain adverbs ('*very* red'). In Romanian, adjectives agree with their head in gender, number and case. Phrases and clauses modifying nouns may be called adjectival ('the girl *you went out with*').

Adverb Any modifier that is not an adjective or determiner ('he writes *well*', 'he's *with the manager*', 'he went *straight* to the manager', '*of course* I did'). There are many different classes in both English and Romanian. The members of some classes may be used as answers to the questions 'why?', 'how?', 'where?', 'when?', etc., and some form small grammatical classes.

Article In English the word *a(n)* is the indefinite article and *the* the definite article as used as determiners with nouns. A noun modified by no article may be said to be modified by *zero* article. The Romanian definite article is a non-separable element which we will call a suffix

8

(unlike English *the*), the indefinite article a determiner (as in English).

Auxiliary This is a separable grammatical verbal item used with the infinitive or a participle of a lexical verb to indicate tense, mood, or some other special feature of the action or state ('I *will* sing', 'I *might* sing', 'I *have* sung'). In any language the number of auxiliaries is limited, and they can be exhaustively listed.

Case In Romanian, words functioning in noun phrases are subject to changes of form not only according to the nature of the head, with which they are made to 'agree' (see **Gender** and **Number**), but also according to the function of the noun phrase in a given clause. If we take the pronouns as an example, those used as subjects are said to be in the Nominative Case (*eu, el*); those used as direct objects in the Accusative (*mă, il*); those used as indirect objects in the Dative (*îmi, îi*). In discussing nouns, determiners and adjectives we shall merely speak of a *base-form* (= nominative and accusative) and a *case-form* (= genitive and dative), since (apart from this one contrast) the *exact* case function of such words is generally shown by word order and/or by special markers, not by changes of form or the addition of suffixes (see further 16.3/2 (a)). A Genitive construction is one that can be replaced by a possessive determiner or pronoun ('*that girl's* boyfriend' → '*her* boyfriend'). The referent of a noun in the genitive is 'possessed by' another noun's referent; the referent of a noun in the dative is the 'recipient' of the direct-object referent (of the subject referent if the verb is in the passive).

Clause A Clause comprises a subject and a predicate ('John + can't come today'), and one or more clauses forms or form a sentence. A 'complex' sentence may comprise a 'main' clause—i.e. a clause that may stand on its own as a complete sentence—('*I'll cry* if you do') and one or more 'subordinate' clauses ('I'll cry *if you do*'). Subordinate clauses modify, or enter into the structure of, phrases or other clauses. A 'compound' sentence comprises two or more 'co-ordinate' (main) clauses ('*he came in* and *sat down*'). Sentences may also be 'complex-compound'.

Conjunction This is a grammatical word or phrase that joins words, phrases and clauses ('red *and* white', 'I watched her *as* she went', 'I know *that* that's right'). Those that may join main clauses are called 'co-ordinating' (e.g. *and*, *but*, *or*, *so*, *zero* conjunction); others are 'subordinating' (*as*, *that*, *when*, *if*, *provided*).

Determiner This is a non-lexical modifier of nouns that in many noun phrases may replace an article; it is different from an adjective in that, *inter alia*, it has no comparative and superlative degree (cf. *all*, *every*, *this*, *some*). In Romanian, most determiners show gender, number and case to the same extent as adjectives. In this book, the term is sometimes an ellipsis for *non-pronominal determiner* or *determiner pronoun*. Determiners can be listed exhaustively.

Determiner Pronoun This is a determiner that may stand on its own without a noun head (cf. *all*, *both*, *this*, *each*, as in '*both* have left', 'I like *this*').

Finite The infinitive and participles of a verb are non-finite forms. Other verb forms—those that change their form to show person and number—are called finite.

Gender Gender is like 'sex'. We say a noun denoting a male being is 'masculine', one denoting a female 'feminine', while a thing such as a table is of neither sex, and the noun denoting it is 'neuter'. The vast majority of nouns in English are neuter, with few exceptions: we call a thing 'it', not 'he' or 'she'. In Romanian, even inanimate nouns may be masculine or feminine according to convention. For convenience we shall talk of M-nouns, F-nouns and N-nouns. N-nouns operate either as M-nouns or as F-nouns according to their number form. Romanian has thus a two-term system of gender (M and F), made complicated by the existence of a class of nouns (N-nouns) that alternate between the two terms. It is important to remember the gender of a noun in order to know, for instance, which of the two forms, M or F, a modifying determiner or adjective should take; these 'agree' with their head (the noun to which they are joined) or with the noun to which they refer.

Head The centre of a noun phrase is the Head of that noun phrase, while the remaining elements are its Modifiers. The head of 'the King of England's son' is *son*; that of 'the King of England' is *King*; that of 'the powerful king' is *king*.

Infinitive This is the central non-finite form of the verb we give in the Vocabularies (*a merge*). In both languages it may—or may not—be preceded by a marker (English *to*, Romanian *a*).

Interjection This is a word or phrase used frequently in exclamations or parenthetically in clauses. It does not function structurally within a phrase or clause ('*oh!*', '*really!*', '*really*, John!', '*why*, it's you!').

Interrogative (see **Relative**).

Marker A marker is a separable element that resembles a preposition, but a unit preceded by a marker does not function as an adverb. It is used to 'mark', for example, the passive agent (in Romanian and English), the infinitive (in English and Romanian), certain types of direct object (in Romanian), and so on.

Mood For our purposes in this book, we regard Romanian verbs as having four Mood forms: the *Conditional* (*ar merge* 'he'd go'), which indicates 'unreal' conditions; the *Imperative* (*mergi* 'go!'), which is used in giving commands; the *Subjunctive* (*să meargă*)—in most cases simply the indicative preceded by the conjunction *să*—which suggests the possibility of an action or state; and the *Indicative* (*merge* 'he goes'), which is 'neutral' in relation to the other moods.

Non-determiner Pronoun This is a grammatical item that may replace or be replaced by a noun phrase, but which cannot take noun modifiers such as determiners, or function as a determiner itself (Eng. *I, who, me, myself*, Rom. *cine, unul, îmi*).

Non-pronominal Determiner This is a determiner that can only be used as a modifier, that is, it cannot stand as a pronoun (English *a, the, every, my*, Romanian *un, nişte, meu*).

Noun (adj.: *nominal*) A lexical item that, in English, may be modified by a determiner, an article such as *the*, an adjective, a phrase or a clause ('that red *book* over there'). A noun forms the head of a noun phrase. Many nouns in both languages have two number forms, singular (*book*) and plural (*books*). Every Romanian noun has a specific gender and may take a definite article suffix.

Noun Phrase A noun, with or without modifiers, constituting an element in the structure of a phrase or clause. A noun phrase may be replaced by a pronoun. It may function as (part of) the subject or complement of a clause ('*that girl*'s pretty'), or as the object of a transitive verb ('I like *that girl*'). In both languages a noun phrase becomes a possessive determiner on taking a genitive marker ('*that girl's* mother').

Number This is a two-term system in both languages. In Romanian, most noun-phrase elements and finite-verb forms have different *singular* and *plural* forms.

Object The direct object of a clause is a noun phrase or pronoun that completes the sense of a transitive verb. Many verbs require 'fulfilling' in this sense ('he took *his hat*', 'he broke *it*'); others may be optionally fulfilled ('he read (*the book*)', 'he painted (*it*)'). The indirect object indicates the 'recipient' or 'beneficiary' of the direct object referent ('he gave it *to John*', 'he painted *me* a picture') or of the subject referent ('it was given *to John*'). The word *complement* is sometimes used to indicate the noun phrase or adjectival or adverbial phrase that follows a copulative verb, that is, a verb of state ('he's *a man*', 'she looks *funny*'), and sometimes it covers both this meaning and that of 'direct object'. In Romanian, a pronoun functioning as direct object is in the Accusative Case and as indirect object in the Dative Case, while the noun complement of a copulative verb is in the Nominative Case.

Participle Present and Past Participles are non-finite forms of verbs. In English only, present participles (*laughing*, *breaking*) may be used as noun modifiers ('the *laughing* girl'), and in both languages as clause modifiers ('she approached me, *laughing*'). Past participles (*laughed*, *broken*) are used in both languages in the formation of certain tenses ('he hadn't *broken* it') and as noun modifiers ('a *broken* marriage').

Particle This is a useful label for those words which formally resemble prepositions and markers but whose status as one or the other or as something else has not been established or it is convenient to leave vague because of their multiple class membership.

Phoneme This is not a grammatical but a phonological

term (included here for convenience). A Phoneme is the smallest distinctive unit of significant speech sound in a given dialect. For example, we may talk of the **p**-phoneme of Standard British, writing it /p/, which is an abstraction of all the different **p**-sounds an English speaker uses, no two or more of which he uses repeatedly in a *regular* way with other sounds to produce *different words*. Likewise, there are a number of different, though regularly recurring, **l**-sounds in English (cf. the three different **l**'s in the phrase 'a little plum'), but if we interchange them we do not produce a different or nonsensical phrase, even though it sounds rather un-English. Thus, while we have a number of different **l**-*sounds* in English, we only have *one* **l**-*phoneme*.

Phrase One or more words that may form a complete unit of clause structure: subjects and objects consist of noun phrases, verbs of verb phrases, adverbs of adverb phrases, etc. It is also used loosely in this book to cover one or more words that it is useful to *translate* as a unit.

Possessive This is a determiner ('it's *my* book', '*John's* place') or pronoun ('it's *mine*') that specifies the 'possessor' of a noun. Genitive noun phrases may be replaced by grammatical possessive determiners ('*that girl's* husband' → '*her* husband') or by possessive pronouns ('it's *Jane's* → 'it's *hers*'). In Romanian, the form of a possessive agrees in gender, number and case with the noun whose referent (whatever the noun denotes) constitutes the 'property' (whatever it is that is possessed).

Predicate The Predicate of a clause is what remains after we have removed the subject. It consists of a verb phrase, with or without objects, complements and/or adverbs ('I *picked up my pen*', 'the girl over there *won't*').

Preposition A Preposition (e.g. *in, on, for*) precedes a noun phrase to form an adverb phrase—a unit which may be replaced by a single adverb ('he sat *on the bench*' → 'he sat *there*'). Prepositions can be exhaustively listed. Note that, by extension, the term can be applied to certain other, formally similar words such as markers and particles. We have made a distinction only in a few essential cases.

Referent The non-linguistic entity in our experience (person, abstract concept, material thing, etc.) which a lexical item refers to or denotes.

Reflexive A Reflexive Verb is one that, by means of a special set of pronouns, indicates that the action performed is performed *by* the subject *on* or *for* the subject ('he cut *himself*', 'she gave *herself* a treat'). In Romanian, the reflexive pronouns are used in more functions than in English; their presence may fulfil the conditions of transitivity or they may indicate that the subject 'possesses' the object.

Relative and Interrogative Relative and Interrogative words such as *who, which, where, what, how, that* operate as pronouns ('*which* is right?'), determiners ('*which* word is right?'), or adverbs ('*where* are the answers?'). Most words used in the one function are also used in the other ('the girl *who*'s looking at you', '*who*'s looking at you?'). Some are used in only one of the two functions (Romanian *cine*: interrogative only, pronoun only; English *that*: relative only, pronoun only); others are used in other functions besides (Romanian *cît*); and some introduce exclamations ('*how* lovely!'). English has a *zero* relative pronoun ('the girl *zero* you met'), which is always replaceable by *that*. Relative clauses modify nouns ('the boy *you met*') and are used as nominalizations ('give it to *whoever you like*', 'I don't like *what you wrote*').

Sentence A sentence may be thought of as a minimal utterance comprising one clause, or two or more clauses having a definable relationship to one another. In writing, a distinction is traditionally made between 'complex', 'compound', and 'complex-compound' sentences (see also **Clause**).

Subject The subject of a clause is a noun phrase whose referent—if the predicate contains an active-voice verb—performs the action or exists in the particular state asserted by the predicate ('*I* picked up my pen', '*the girl over there* won't'). In Standard British English a singular human-noun subject may be replaced by *he* or *she* but not by *him* or *her*. In Romanian the subject and predicate are frequently conflated (*venim* 'we come').

Tense Verb forms change to indicate temporal features of the action in question in relation to other actions—for example, the present, the past, the future, simultaneity, continuity, sequence, etc. This *kind* of feature of the verb is called Tense (but not necessarily all those features listed: some of these may not occur or may go under other labels, depending on the language under discussion).

Transitive The verb in a clause containing a direct object is said to be Transitive. Many verbs may be used either intransitively ('he *grew*', 'the door *opened*') or transitively ('he *grew it*', 'he *opened it*'). There are more restrictions on the occurrence of the former in Romanian than in English, Romanian uses of reflexive verbs often corresponding to intransitive uses in English. There is a relationship in both languages between transitivity and voice.

Verb This is a word or phrase that may form a minimal predicate, describing an action or state. It varies its forms to indicate (for instance) tense ('it *was* red', 'it'*s been* red', 'it *will be* red') and mood ('it *would be* red', *were* it red', '*be* a man'). In Romanian most finite verb forms vary for person, that is, the choice of form is in part conditioned by the subject of the clause (cf. Eng. 'I *sing*', 'he *sings*', 'I *am*', 'you *are*', Rom. *dăm* 'we give', *dai* 'you give').

Verb Phrase This consists of a verb (a main verb with or without auxiliaries) and any verb modifiers, especially adverbs of manner ('he *died*', 'he *might die*', 'he *has died*', 'he *died quickly*'). It is used by some linguists also in the sense of 'predicate'.

Voice In English when the verb phrase of a clause comprises a form of the auxiliary verb *to be* plus the past participle of a main (lexical) verb, we say that the verb is in the Passive Voice ('the teacher *was shot* at', 'he *will be granted* leave'), which contrasts with the Active Voice ('he *shot* at the teacher', 'the officer *will grant* him leave'). The passive indicates that the action expressed by the verb is performed not *by* the subject (= active voice) but *on* or *for* the subject—by an *agent* stated or unknown ('the teacher was shot at (*by one of his students*)', 'she was shocked (*by his behaviour*)').

ABBREVIATIONS

In the Lesson Vocabularies each item is given an abbreviated label. For fuller details of an item's uses it is necessary to consult the Grammar sections.

acc.	accusative case
adj.	adjective, adjectival
adv.	adverb, adverbial (phrase)
art.	article (definite or indefinite)
B-form	base-form (nominative-accusative)
C-form	case-form (genitive-dative)
conj.	conjunction
dat.	dative case
det.	determiner, non-pronominal determiner
det. pron.	determiner pronoun (i.e. a form that may be used either as a det. or as a pron.)
Eng.	English
F	F-gender (noun), F-form
fut.	future (tense)
imp.	imperative mood
int.	interjection
inv.	invariable (form) (i.e. a form that does not change for gender, number and case, or for person and number, etc.)
lit.	literally, more literally
M	M-gender (noun), M-form
mark.	marker
N	N-gender (noun), N-form
num.	numeral
part.	participle
past	past (tense)
pl.	plural (form)
poss.	possessive
prep.	preposition, preposition-like phrase, particle
pres.	present (tense)
pron.	pronoun, non-determiner pronoun
Rom.	Romanian
sing., sg.	singular (form)
vb.	verb (form)

Lesson 1

1.1 Vocabulary

am *vb.* I have, I've got	măr *N* apple
apă *F* water	o *det. F* a, an
cană *F* jug	om *M* man
carte *F* book	pahar *N* glass
casă *F* house	pe *prep.* on
clasă *F* classroom, class	pom *M* tree
cu *prep.* with, of	pun *vb.* I put, I am putting
de *prep.* of, made of	ras *N* shave
fată *F* girl	sală *F* hall
ladă *F* box, chest	sub *prep.* under
lamă *F* blade, razor-blade	text *N* text
lampă *F* lamp	toc *N* pen
lapte *M* milk	tren *N* train
lemn *N* wood	un *det. M/N* a, an
masă *F* table	văd *vb.* I see

Phrases

o cană cu apă	a jug of water
o lamă de ras	a razor-blade
o sală de clasă	a classroom
de lemn	made of wood, wooden

1.2 Text

Note: stressed vowels are italicized.

O cană cu apă. O cană cu lapte. Un pahar cu apă.
Un pahar cu lapte. O masă de lemn. O ladă de lemn.
O lamă de ras. O carte pe masă. Un toc pe masă. O ladă
sub masă. Un om sub un pom. Văd o casă. Văd o clasă.
Văd o sală. Văd o sală de clasă. Văd o cană cu lapte pe
masă. Văd un pahar cu apă pe masă. Văd o fată sub un
pom. Văd un măr sub masă. Văd un toc. Văd o carte.
Am o casă. Am o carte. Am un toc. Am un pahar cu apă.
Am o lampă. Am un măr. Pun un măr pe masă. Pun o
ladă sub masă. Pun o cană cu lapte pe masă. Pun un
toc pe masă. Pun o carte pe masă.

o casă

o clasă

o sală

o masă

o cană

o lamă

o lampă

o carte

o fată

un om

un pom

o ladă

un măr

un pahar

un toc

un tren

1.3 Pronunciation

Romanian uses the same alphabetic letters as English, plus a few additions; many of the letters have a similar range of phonetic value to those in many other modern European languages that use the Latin alphabet.

The spelling of Romanian is largely phonemic, that is, with very few exceptions, the same letter represents the same sound-type in all positions and in all words of the same (standard) dialect. For this reason, it is not necessary to provide phonetic transcriptions throughout. In this and the next four Lessons the letters and sounds will be explained. Sound symbols are printed between slant-lines and stressed vowels are italicized; hyphens are occasionally used to show syllable-boundaries, thus /lam-pă/ (two syllables).

1.3/1 Vowels

a /a/ resembles the Standard British English vowel-sound in words like *come, some, cut*. The Romanian sound is a little longer but not as long or as far back as in the English words *palm, card*. Practise:

am, pah*a*r, ras

Romanian c*a*m 'about' is pronounced like English
        come

      c*a*d 'I fall' is pronounced like English *cud*
      c*a*t 'storey' is pronounced like English *cut*
      l*a*mpă 'lamp' is pronounced like English
        lumper

ă /ă/ represents a sound similar to the English vowel-sound in words like *hurt, jerk*; it is shorter than the vowel in *fur, sir*. The mark ˇ placed above the letter *a* is thus not used in Romanian to show a difference in length; *ă* stands for a vowel-sound different in quality from *a*, the centre of the tongue being raised higher for *ă* than for the more open *a*.

Practise:

v*ă*d, c*a*să, cl*a*să, m*a*să, c*a*nă, l*a*mă, l*a*mpă, f*a*tă

e /e/ is almost the same as the English vowel-sound in
words like *pen, ten, said.* (See also 3.3/1.)
Practise:

de, lemn, carte, text

o /o/ resembles the English vowel-sound in words like
bought, caught, pork, but it is a little shorter and
closer, i.e. the back of the tongue is raised somewhat
higher. Avoid making the Romanian vowel as long as
the vowel in the English words *cord, lord,* or as open
as the vowel in *cod, John.*
Practise:

pom, toc, o

u /u/ is shorter than the long English *oo* of *boot* and
longer than the short English *oo* of *wood.* It is a high
rounded back vowel of medium length.
Practise:

un, cu, pun, sub

None of these five vowels should be diphthongized,
but initial *o* and *u* are sometimes preceded by a very
short *w*-sound.

1.3/2 Consonants

b /b/, *m* /m/, *f* /f/, *v* /v/, *s* /s/ are very similar to
English *b, m, f, v, s,* in *bat, mat, fat, vat, sat.*

p /p/, *t* /t/, *c* /k/ are like English *p, t, c* in *spar, star,
scar.* Try to avoid aspirating these sounds. (Aspiration
generally accompanies the pronunciation of English
p, t, c, when they are not preceded by *s,* as in *par, tar,
car.*) For *c,* see also 2.3/3.

t /t/, *d* /d/, *n* /n/, *l* /l/, *r* /r/, *s* /s/ are dentals, that is,
they are pronounced with the tip of the tongue against
the upper teeth, and not against the teeth-*ridge* as in
English. (Eng. *t,* for example, is a dental only when
followed immediately by a regular dental sound as in
eighth (= *eight* + *th*).)

l /l/ is always 'clear' in Romanian, as in the English
words *live, like, along*—that is, like English *l* before

a vowel. (It is never like the 'dark' English *l* in *tell*, *all*, *almost*.)

r /r/ is strongly trilled with the tip of the tongue, like Scots *r*, and pronounced in all positions (also before consonants and at the end of words).

h /h/ is pronounced in a similar way to English *h* in *head*, *behave*, but with more audible friction. The sound occurs both before a vowel and after a vowel, and even at the end of words, when it approaches *ch* in Scottish *loch*.

x in the prefix *ex-* is pronounced like English *x* in *extreme* before consonants (=/ks/), and like English *x* in *exact* before vowels (=/gz/).

Romanian has the same two words: *extrem* /ekstrem/, *exact* /egzakt/. In other occurrences *x* is usually /ks/ in all positions: *text* /tekst/, *taxi* /taksi/.

1.3/3 Stress

We mark stress in this book by printing the vowel of the stressed syllable in italics. There is no special mark for it in the Romanian orthography.

One syllable of a word of two or more syllables is more strongly accented or stressed than the other syllable(s). The position of the stressed syllable is largely unpredictable, as in English, and has to be learnt for each new word.

The contrast between stressed and unstressed syllables in Romanian is not so marked as in English. On the other hand, unstressed vowels are not generally reduced or elided; they retain their quality whatever the degree of stress associated with them. Notes on syllable changes appear in other Lessons. As in English, grammatical words (determiners, prepositions, markers, conjunctions, auxiliaries, etc.) are frequently unstressed or more weakly stressed than are lexical words (nouns, verbs, adjectives, adverbs), though, as you will notice, this is not always the case.

1.3/4 Intonation (Speech Melody)

Statements are spoken with a falling intonation or tune, as in English. However, the last accented syllable in a Romanian phrase may not always have as high a fall in pitch as in English. Practise the following phrases (the sign ↓ indicates that the fall in pitch should begin on the stressed syllable of the following word):

o cană cu ↓ apă
un pahar cu ↓ lapte
un om sub un ↓ pom
am un ↓ toc
văd o ↓ casă
văd un pahar cu apă pe ↓ masă
pun o carte pe ↓ masă

Now practise reading the Text of the Lesson. Read it aloud several times.

1.4 Grammar

1.4/1 Nouns: Gender

There are three genders in Romanian, traditionally called Masculine (M), Feminine (F), and either Neuter or Mixed (N). Male beings are generally M, and female beings are generally F, but objects and abstract concepts are variously M, F, or N.

1.4/2 The Indefinite Article (Eng. *a, an*)

M- and N-nouns take the indefinite article *un* and F-nouns *o*:

M un om	a man
N un măr	an apple
F o fată	a girl
F o carte	a book

Note the omission of the *definite* article after a preposition:

| o cană pe masă | a jug on the table |
| un măr sub masă | an apple under the table |

In English, of course, the article *the* is required. On the other hand, the indefinite article is not omitted in such phrases:

un măr sub o masă   an apple under a table

1.4/3 Verbs

Verbs take different endings for person, and subject pronouns (like *I*, *we*, *you*, etc.) are often omitted:

am   I have
pun   I put

1.5 Exercises

Note: Exercises for which a key is provided are asterisked.

1. Copy out the Text of the Lesson and read it aloud once again. Note that every letter has a sound-value.

2. Make a dozen or so different sentences with the help of the following table.

Method: Read across from left to right, selecting one word from each column, taking care not to cross any horizontal lines (e.g. if you choose *un*, you cannot choose *cană*, and so on). This substitution table yields 42 sentences in all.

am văd pun	un	măr pahar toc	pe sub	masă
	o	cană carte lampă lamă		

*3. Translate:

I have a glass of milk. I have a jug of water. I see a man under a tree. I see a box under the table. I see a book on the table. I'm putting a wooden box under the table.

4. Having checked your translation of the sentences in Exercise 3, practise reading the Romanian sentences aloud. Note where the stress falls.

Lesson 2

2.1 Vocabulary

Ana *F* Ann
are *vb.* (he, she, it) has (got)
bere *F* beer
bun *M/N*, bună *F adj.* good
cameră *F* room
camere *F pl.* rooms
case *F pl.* houses
cîine *M* dog
cîinĭ *M pl.* dogs
clase *F pl.* classes
copii /kopiĭ/ *M pl.* children
copil *M* child
curte *F* (court)yard
dar *conj.* but
din *prep.* from
doi *M*, două *N/F num.* two
Elena *F* Helen
grădină *F* garden
în *prep.* in, into
lîngă *prep.* by, near
mare *M/N/F sg. adj.* big
marĭ *M/N/F pl. adj.* big

mic *M/N*, mică *F adj. sg.* small
micĭ *adj. pl.* small
mînă *F* hand
Nicu *M* Nick
pahare *N pl.* glasses
Petre *M* Peter
pisică *F sg.* cat
pisicĭ /pisiči/ *F pl.* cats
pîine *F* (loaf of) bread
pîinĭ *F pl.* loaves of bread
pomĭ *M pl.* trees
sifon *N* syphon, soda water
sticlă *F sg.* bottle
sticle *F pl.* bottles
stradă *F* street
texte *N pl.* texts
tocurĭ *N pl.* pens
Toma *M* Tom
vin *N* wine
vine *vb.* (he, she, it) comes, is coming

Phrases

am un toc în mînă

I have a pen in my hand (*lit.* in hand)

vine un tren

A train comes, is coming

2.2 Text

Am un pahar cu bere. Am o sticlă cu bere. Văd un pahar cu bere pe masă. Văd pe masă un pahar cu vin. Văd pe masă un pahar cu sifon. Văd pe masă o sticlă cu vin lîngă o sticlă cu bere. Am o carte în mînă. Am un toc în mînă. Văd un om în curte. Văd doi pomĭ în grădină. Văd un cîine în stradă. Văd doi cîinĭ în curte. Văd o

o cameră

o sticlă

o curte

o stradă

un sifon

o pîine

un cîine mic

o mînă

doi cîini mari

31

două mere

o casă mică

**un copil
sub un pom**

**un cîine
sub masă**

două case mari

pîine pe masă. Văd două pîinĭ pe masă lîngă două sticle
cu bere. Văd două paharе cu vin. Văd o fată lîngă un
copil în grădină. Văd doi copii în clasă. Nicu are un
cîine mic. Toma are un cîine mare. Petre are o pisică
mică. Elena are două pisicĭ micĭ. Ana are o casă mică
dar are o grădină mare. Elena are două case marĭ. Am
două camere marĭ. Ana are doi copii. Am doi cîinĭ marĭ.
Nicu are doi cîinĭ micĭ.

Un om vine din stradă. O fată vine din casă. Un copil
vine din curte. O pisică vine din grădină. Vine un tren.
Pun o pîine pe masă. Pun un sifon sub masă. Pun
o carte pe masă, lîngă lampă.

2.3 Pronunciation

2.3/1 Vowels

î /î/ has no near-equivalent in Standard English.[1] It lies
between the vowel sounds of the English words *reed*
and *rude*, and is pronounced with spread lips. Practise
it by putting the lips in position for Rom. *i* /i/ (like
Eng. *ee* in *reed*), and, keeping them spread, raise the
centre (not the front or back!) of the tongue as high
as you can and try to say /i/. The resulting sound
should be similar to Rom. *î*, as in the word *rîd*
'I laugh'. For *i* you raise the front of the tongue, for *î*
the centre of the tongue, for *u* the back of the tongue
(and round the lips). Now practise all the three central
vowels, *a, ă, î* (centre of tongue low, centre half-raised,
centre high), as in *var, văr, vîr* and *par, păr, pîrr*.

The sound /î/ also used to be represented by the
letter *â*, but this symbol is used today only in the
name of the country, *România*, and all words con-
taining the root *român-*, such as *român, românesc,
romîncă*, etc. Do not confuse this *â* (= *î*) with *ă*.

---

[1] It does occur as the first part of a diphthong in the local
dialects of Birmingham and Liverpool in the pronunciation of
reed [rı̈i̦d] (cf. Rom. /ı̈i̦/).

The letter *i* stands for three sounds:

i /i/ resembles the Standard British English *ee* or *i* sound in words like *feet*, *sleep*, *machine*. The Romanian sound, however, is somewhat shorter and 'purer', that is, there is no tendency to diphthongization as with the similar English sound. Practise:

din, vin, v*i*ne, mic, cop*i*l, sif*o*n, N*i*cu

i /ĭ/ is sometimes called a pseudo-vowel. It has no syllabic value, but its presence or absence following a consonant is clearly audible. It is like an extremely short, voiceless /i/-sound, like a brief, whispered /i/, which accompanies or completes the release of a final consonant. In the Lesson Vocabularies and throughout the earlier Lessons it will be printed *ĭ* instead of *i*. Practise using it in the following words:

pom*ĭ*, mar*ĭ*, tocur*ĭ* 'pens', Bucureşt*ĭ* /bukureshtĭ/ 'Bucharest'

i /i̯/ is a semi-vowel very similar to Eng. *y* in *yard*. It occurs only in combination with other vowels, i.e. in diphthongs and triphthongs. In certain cases this sound is conditioned by other sounds and may have no separate orthographic symbol.

Thus, in Romanian texts, the letter *i* represents /i/ or /ĭ/ or /i̯/. These sounds in turn must be distinguished from /î/ (*î*, *â*).

2.3/2 Diphthongs

Diphthongs and triphthongs are vocalic glides, i.e. the tongue moves from one special position to another or to others within one and the same syllable (as *oi* in Eng. *noise*). Diphthongs may be falling, that is, the first element is accented, or rising, in which case the second element is accented. (In English *rest-cure* the diphthong (in the second syllable) is falling; in *rescuer* it is rising.) The unstressed elements in vowel glides are shown in the phonemic script by means of the sign ͜ .

ii /iị/ (falling), which occurs in the plural form *copii* /ko-piị/, is rather like a lengthened /i/. Try to make a clear distinction between /i/, /iị/ (both single syllables) and /ii/ (=/i-i/, two syllables).

îi /îị/ (falling) comprises a glide from the position of the vowel /î/ to that of the vowel /i/. Practise: pîine, cîine /kîị-ne/

oi /oị/ (falling) is very much like the English diphthong *oi* in *noise*, *voice*. It occurs in the word *doi* 'two'.

uă /u̯ă/ (rising) is similar to the diphthong in the English word *influence*. It consists of a glide from a very short /u/ (like Eng. *w*) to an /ă/. It occurs in *două* /do-u̯ă/.

2.3/3 Consonants

c /č/: It was stated in 1.3/2 that Rom. *c* was pronounced as in Eng. *scar*. However, it has a different sound when followed by the letter *i* or *e*, viz. like Eng. *ch* in *cheese*, *much*. Practise:
mici /mičĭ/ (one syllable), pisici /pi-sičĭ/ (two syllables), ciocolată /čocolată/ 'chocolate', ceai /čaị/ 'tea'

g /g/: Except when followed by -*e* or -*i*, *g* is pronounced as Eng. *g* in *game*. Examples:

lîngă /lîn-gă/, grădină, gară 'station'

ch /k/, *gh* /g/: The diagraphs *ch*, *gh* are used before -*e* and -*i* only. The sounds are similar to the /k, g/ represented by simple *c* or *k* and *g*, though the contact between the tongue and the roof of the mouth is a little more forward. Practise:
chiflă /kiflă/ 'roll', chelner /kelner/ 'waiter', înghețată /în-ge-tsa-tă/ 'ice-cream', ghid 'guide'

2.4 Grammar
2.4/1 Nouns: Plural

Nouns take various ends to mark the plural. Generally speaking, M-nouns take the ending -*i*; F-nouns take the ending -*e* or -*i*; N-nouns either -*e* or -*urĭ*.

Examples:

Singular	Plural
M pom 'tree'	pomĭ 'trees'
M cîine	cîinĭ
F casă	case
F cameră	camere
F pîine	pîinĭ
F pisică	pisicĭ
N pahar	pahare
N toc	tocurĭ

An irregular plural:

M copil 'child'	copii /kopiį/ 'children'

2.4/2 Adjectives

Unlike English usage, Romanian adjectives frequently follow the nouns they qualify. At the same time they are made to 'agree' with their head-nouns in gender, number and case.

With nouns in the singular, adjectives can have one form for M/N-nouns and one form for F-nouns. With nouns in the plural, adjectives may have an M-form and an F/N-form. Examples:

> *Msg.* un cîine bun
> *Mpl.* doi cîinĭ bunĭ
> *Fsg.* o casă bună
> *Fpl.* două case bune
> *Nsg.* un toc bun
> *Npl.* două tocurĭ bune

Most Romanian adjectives therefore have four forms, e.g. *bun, bună, bunĭ, bune*:

	M	N	F
sg.	bun		bună
pl.	bunĭ	bune	

Some adjectives have only three forms, e.g. *mic, mică, mici*:

	M/N	F
sg.	mic	mică
pl.	mici	

Others again have only two forms, e.g. *mare, mari*:

	M/N/F
sg.	mare
pl.	mari

Examples:

M: un pom mare   doi pomi mari
F: o casă mare   două case mari
N: un pahar mare   două pahare mari

So that there is no confusion, every adjective in the Lesson Vocabularies is given four forms, even if two or more of these are identical.

2.4/3 Numerals

The numeral *doi* 'two' is used with M-nouns. The form *două* is used with F- and N-nouns.

A useful way of memorizing the gender of Romanian nouns is to learn them together with the indefinite article in the singular and the numeral *doi, două* in the plural, e.g.:

M: un copil   doi copii
F: o masă   două mese
N: un text   două texte

It will by now be clear why N-nouns are called
'mixed': they take M-forms in the singular and F-forms
in the plural.

2.4/4 Verbs

The verbal form *are* /a-re/ means 'he has', 'she has' or
'it has', depending on the context. Similarly, *vine* /vi-ne/
means 'he, she, it comes'; it is the third person singular
of the present tense of the verb *a veni* /a ve-ni/ 'to come'.

2.5 Exercises

1. Copy out the Text of this lesson and then read it
aloud.

2. Read off and write out at least a dozen sentences
from each of the following tables:

(*a*)

Nicu Ana Petre Elena Toma	are	un	cîine pahar măr toc	mare mic
		o	curte carte masă cameră casă cană grădină	mare mică

(*b*)

		doi	copii cîini	mici
Nicu Elena Ana Toma Petre	are	două	pîini case camere pisici pahare sticle	mari

(c)

Nicu Elena Ana Toma Petre	vine	din în	casă curte cameră grădină stradă

*3. Translate into Romanian: I have a book. I've got a pen. I've got a cat. I have a dog. I have a bottle of wine.

I see a man in the street. I see a girl in the yard. I see two trees in the yard. I see a jug of water on the table. I see two cats under the table. I see two children in the garden.

Nick has a glass of milk. Helen has two loaves of bread. Peter's got a big apple. Ann has a little lamp on the table. I'm putting a book on the table. I put a bottle of wine and two bottles of beer under the table. I put two loaves of bread by a jug of water on the table.

4. Having checked your translation of the sentences in Exercise 3, practise reading the Romanian sentences aloud. Notice where the stress falls.

Lesson 3

3.1 Vocabulary

From this Lesson on, both the singular form and the plural form of nouns are given. In the case of adjectives, the four forms given are: M/N sg., F sg., M pl., N/F pl.

aceasta /ačasta/ *det. pron. F* this, that
acesta /ačesta/ *det. pron. M/N* this, that
Anglia /an-gli-ịa/ England
Bucureşti Bucharest
ce /če/ *det. pron.* what
cine /čine/ *pron.* who
de unde *adv.* from where, where . . . from
dicţionar — dicţionare *N* dictionary
doctor — doctorĭ *M* doctor (male)
doctoriţă — doctoriţe *F* doctor (female)
doamna (*abbreviated* d-na *or* dna.) *title* Mrs
doamnă — doamne *F* lady
domnişoara (d-şoara) *title* Miss
domnul (dl.) *title* Mr
dumneaei /dum-nẹa-ịẹị/ *pron.* she (*polite*)
dumnealor /dum-nẹa-lor/ (d-lor) *pron.* they (*polite*)
dumnealui /dum-nẹa-luị/ *pron.* he (*polite*)
dumneavoastră /dum-nẹa-vọa-stră/ (dvs.) *pron.* you (*polite*)
e /ịe/, este /ịeste/ *vb.* (he, she, it, there) is
ea /ịa/ *pron. F* she
ei /ịeị/ *pron. M* they
el /ịel/ *pron. M* he
ele /ịele/ *pron. F* they
eu /ịeụ/ *pron.* I
englez, engleză, englezĭ, engleze *adj.* English
englez — englezĭ *M* Englishman
a fi *vb.* to be
Londra London
Maria /marịịa/ Mary
profesoară — profesoare *F* teacher (female)
profesor — profesorĭ *M* teacher (male)

rom*â*n, rom*â*nă, rom*â*nĭ, rom*â*ne *adj.* Romanian
rom*â*n — rom*â*nĭ *M* Romanian (male)
rom*â*ncă /rom*î*nkă/ — rom*â*nce /rom*î*nče/ *F* Romanian
(female)
Rom*â*nia /rom*î*nịịa/ Romania
sau /sau̯/ *conj.* or
sînt *vb.* (I) am, (they) are
sînteţĭ *vb.* (you) are
student — studenţĭ *M* student (male)
studentă — studente *F* student (female)
şi *conj.* also, and, too
*u*nde *adv.* where

Phrases

*e*u sînt stud*e*nt	I am a student
d*vs.*[1] sînteţĭ profes*o*r	you are a teacher
c*i*ne e /čine ịe/ c*i*ne-i /čineị/ }	who is
c*e* e /če ịe/ ce-i /čeị/ }	what is
dar *e*u c*e* sînt?	but what am *I*? (i.e. what is my nationality, profession, etc.)
do*a*mna	the lady
do*a*mna So*a*re *d*-na Soare }	Mrs Soare

3.2 Text

C*i*ne sînteţĭ d*vs.*?	*E*u sînt T*o*ma So*a*re.
C*e* sînteţĭ d*vs.*?	Eu sînt profes*o*r.
C*i*ne e do*a*mna?	Do*a*mna e *d*-na Br*a*tu.
C*e* e *d*-na Bratu?	Şi dumnea*e*i e profeso*a*ră.
C*e* sînt *e*u?	Şi d*vs.* sînteţĭ profes*o*r.
C*i*ne-i în gr*ă*d*i*nă?	D-ş*o*ara Mar*i*a So*a*re.
Ce e d-ş*o*ara So*a*re?	Dumnea*e*i e stud*e*ntă.

---

[1] Such abbreviated forms may be used in writing. To show that the *-voa*-syllable is stressed we italicize the *-vs.* (and similarly the *d*- of *d-na*, etc.).

Ci*ne* sînt în grădi*nă*?	Mar*i*a şi R*a*du So*a*re.
Ce-i R*a*du So*a*re?	R*a*du So*a*re e student.
Ce sînt Mar*i*a şi R*a*du?	*E*i sînt studen*ţ*i.
De *u*nde sînte*ţ*i d*v*s.?	*E*u sînt din Român*i*a, din Bucure*ş*t*i*.
Ce sînte*ţ*i d*v*s.?	Sînt rom*â*n.
Ce este *d*-na So*a*re?	Şi dumnea*e*i e rom*â*ncă.
Ce sînt *d*l. şi *d*-na So*a*re?	*E*i sînt rom*â*n*i*.
Dar *e*u ce sînt?	D*v*s. sînte*ţ*i engl*e*z.
De *u*nde sînte*ţ*i?	Sînt din Londra.
De *u*nde e *d*l. Br*o*wn?	*D*l. Br*o*wn e din *A*nglia.
Ce este *d*l. Br*o*wn?	Şi dumnea*lu*i e engl*e*z. Dumnea*lu*i e d*o*ctor.
Cu ci*ne* e *d*l. Br*o*wn?	*D*l. Br*o*wn e cu *d*-na Br*o*wn.
Şi ce e *d*-na Br*o*wn?	Şi dumnea*e*i e doctor*i*ţă.
Ce sînt ei?	*E*i sînt doctor*i*. Ei sînt engl*e*z*i*.
Ce e ac*e*sta?	Ac*e*sta e un dic*ţ*ionar.
Ce e ace*a*sta?	Ace*a*sta e o c*a*rte.
Ce-i ac*e*sta?	Ac*e*sta e un pah*a*r.
Ce-i ace*a*sta?	Ace*a*sta e o m*a*să.
*U*nde sînt Mar*i*a şi T*o*ma?	E*a* e în c*a*să şi *e*l e în grădi*nă*.
*U*nde sînt *d*-na şi *d*l. So*a*re?	Dumnea*lo*r sînt în c*a*să sau în grădi*nă*.
*U*nde sînt Mar*i*a şi Elena?	*E*le sînt în c*u*rte.

3.3 Pronunciation

3.3/1 Vowel Glides

au /a*u̯*/ (falling) is very much like the English diphthong in *out*, *now*. Avoid any tendency to monophthongize the sound: the /u̯/ should not be completely absorbed by the /a/. (The Romanian word *sau* 'or' is not pronounced 'sah', as modern Standard British *sow* ('pig') tends to be.)

ui /u*i̯*/ (falling) resembles the English glide in the first syllable of the word *ruinous*. The /i/-element in the

Romanian diphthong, however, keeps its Romanian-/i/ quality. Example:

dumneal*u*i /dumnealui̯/.

ei /ei̯/ (falling) resembles the English diphthong in words like *day*, *beige*. Examples:

ce-i /čei̯/, lei 'lei' (pl. of *leu*, monetary unit), 'lions'.

ei, iei /i̯ei̯/ resembles archaic English *yea*. After a vowel, and in one pronoun, it is spelt simply *ei*:

ei, dumnea*ei* /dumnęai̯ei̯/.

ia /i̯a/ (rising) sounds rather like *you-* in English *young*. The sequence /i̯i̯a/ is also written *ia*:

*A*nglia /an-gli-i̯a/, Român*ia* /ro-mî-ni-i̯a/, Mar*ia* /ma-ri-i̯a/.

The pronoun *ea* 'she' is also pronounced /i̯a/.

oa /o̯a/ (rising) resembles the *wo-* in English *wonder*. The Romanian semivowel /o̯/ is a little more open than English *w*. Examples:

S*oa*re /so̯are/, do*a*mna, profes*oa*ră.

ea /ęa/ (rising) is similar to the diphthong /i̯a/ described above, but the semivowel /ę/ is more open than /i̯/. Examples:

dumneav*oa*stră   /dum-nęa-vo̯a-stră/,   dumneal*u*i, dumnea*l*or.

ie /i̯e/ (rising) sounds very much like the English glide *ye-* in *yes*. The sequence /i̯i̯e/ is also written *ie*:

pri*e*ten /pri-i̯e-ten/ 'friend'.

Initially in older words /i̯e/ may appear also simply as *e*:

el /i̯el/, e /i̯e/, este /i̯este/.

io /i̯o/ (rising) resembles the English glide *yo-* in *York*. Example:

dicționar /dic-tsi̯o-nar/ 'dictionary'.

3.3/2 Consonants

ş /sh/, *z* /z/ are very similar to the initial consonants in English *shed* and *zed* respectively. Romanian *şi* sounds very much like the English pronoun *she*. Romanian /z/

(like /t, d, ts, s, n, l, r/) is a dental sound. Practise:
englez, zero 'zero', 'nil', zece /zeče/ 'ten'.

ţ /ts/ is similar to the *ts* at the end of English *hats*, but
the Romanian sound is a dental, not an alveolar.
Romanian ţ can stand at the beginning of a word as
well as in the middle and at the end. Practise:

sînteţi /sîn-tetsĭ/, studenţi, doctoriţa, ţară 'country'.

3.3/3 Intonation

Questions beginning with an interrogative word are
generally said with a falling intonation, as in English.
Practise the following, allowing the main accent to fall
on the stressed syllable of the first stressed word in each:

      ↓Cine sînteţi dumneavoastră?
      ↓Ce e doamna Bratu?
    De ↓unde e domnul Brown?
     ↓ Unde sînt domnul şi doamna Soare?

3.4 Grammar
3.4/1 Nouns

F-nouns denoting occupation or nationality are derived
by various means from the corresponding M-nouns,
e.g. un român/o româncă, un profesor/o profesoară,
un doctor/o doctoriţă, un student/o studentă. With
nouns denoting occupation or nationality, the indefinite
article is generally omitted after the verb *a fi*:

eu sînt student   I am a student

3.4/2 Nouns: Plural

M-nouns ending in a consonant form their plural by
adding -ĭ to the form of the singular:

      englez 'Englishman', englezĭ 'Englishmen'
      român 'Romanian', românĭ 'Romanians'

When forming the plural many nouns undergo various
changes in their phonological structure. These are con-
ditioned by the addition of the suffix. Thus M-nouns

ending in -*t* change this *t* into *ţ* when the ending -*i* is added:

>student 'student', studenţi 'students'.

Nouns like *englez* optionally change the final -*z* into -*j* (=/zh/; see 4.3/3):

>englez — englezĭ *or* englejĭ

M-nouns ending in a vowel substitute -*i* for their final vowel. This -*i* may be /i/, /i̯/ or /ĭ/. After two consonants, the second of which is *l* or *r*, -*i* is pronounced /i/:

>metru 'metre', metri /me-tri/ 'metres'

After a vowel, it is pronounced /i̯/:

>leu /leu̯/ 'lion', lei /lei̯/ 'lions'

Otherwise it is pronounced /ĭ/:

>frate 'brother', fraţi 'brothers'
>perete 'wall', pereţi 'walls'.

3.4/3 Pronouns

The demonstrative determiner pronoun denoting proximity ('this one') has the forms:

>M/N acesta, F aceasta.

Some subject personal pronouns:

>eu /i̯eu̯/ 'I'
>M el /i̯el/ 'he'
>F ea /i̯a/ 'she'
>M ei /i̯ei̯/ 'they'
>F ele /i̯ele/ 'they'.

As a rule, the subject personal pronouns are not used to refer to animals and things; either the noun is not replaced but simply repeated or the subject entirely omitted (unlike Eng. *it, they*).

There are several pronouns for the second and third persons in Romanian. *Dumneavoastră* (*dvs.*) is the polite form of address for the second person (Eng. *you*, both sg. and pl.). For the third person we may use:

M dumneal*ui*   he
F dumnea*ei*   she
M/F pl. dumnealor   they

The interrogative pronoun *cine* 'who' generally refers
to human beings, while *ce* 'what' refers to non-humans:

*ci*ne e în grǎd*i*nǎ?   who is (that) in the garden?
ce e pe m*a*sǎ?   what is (there) on the table?

Note:

ce e *d*l. So*a*re?   what is Mr Soare's occupation?

3.4/4 Verbs

Infinitives are frequently preceded by the marker *a*, like
Eng. *to*, e.g. *a fi* 'to be'.

The verb *a fi* has various forms for the different
persons. *Sînt* means both 'I am' and 'they are'. *Sînteţi*
means 'you are' (one person or several). The third person
singular has two alternative forms, *e* and *este* '(he, she, it)
is'. *E* is more common in speech and may be reduced
to /i̯/ if there is a preceding grammatical word that
ends in a vowel. Thus we may say *ce este*, *ce e*, or
ce-i /cei̯/ for 'what is' (similarly, *cine-i* for 'who is').

3.5 Exercises

1. Copy out the Text of the Lesson and then read it
aloud several times.

2. Make sentences with the help of the following
tables:

(*a*)

*ci*ne	*e* *este* *sî*nt	în	c*a*sǎ? cl*a*sǎ? c*u*rte? grǎd*i*nǎ? str*a*dǎ?

(b)

de *u*nde *u*nde *ce* *ci*ne	*e* *e*ste	*e*l? *e*a? dumnea*e*i? dumnea*lu*i? domni*șoa*ra? *d*l. So*a*re?
	s*î*nt	*e*i? *e*le? *d*l. și *d*na. So*a*re? Mar*i*a și T*o*ma? dumnea*lo*r?

(*domnișoara* 'the young lady')

(c)

ce	*e* *e*ste	ac*e*sta? ac*e*sta	*e* *e*ste	un	c*î*ne p*o*m m*ă*r dic*ț*ionar si*fo*n pah*a*r t*o*c
		ac*ea*sta? ac*ea*sta		o	c*a*să m*a*să c*a*rte pis*i*că l*a*mpă c*a*nă st*i*clă

*3. Translate into Romanian:

Mr Smith is English. He comes from England. He is
a teacher. Mrs Smith is a teacher too. You are teachers.
Mary and Helen are doctors. Tom and Mary are students
(*M plural*). You are students too. Mr Soare is Romanian.
He (*polite form*) comes from Romania. He (*polite form*)
is a teacher. Mrs Soare is Romanian. She (*polite form*)
comes from Romania. She (*polite form*) is a teacher too.

4. Having checked your translation of the sentences in Exercise 3, practise reading the Romanian sentences aloud. Pay careful attention to the placing of the stress.

*5. Answer the following questions:

(1) Ce e dl. Soare?   (6) De unde e dumnealui?
(2) Unde e dumnealui?   (7) Ce sînteţi dvs.?
(3) Ce e dna. Soare?   (8) De unde sînteţi dvs.?
(4) De unde e dumneaei?   (9) Cine sînt în clasă?
(5) De unde vine dl. Smith?   (10) Cu cine e dl. Soare?

6. Do Exercise 5 in reverse, that is, reconstruct the questions on a basis of the specimen answers in the Key.

Lesson 4

4.1 Vocabulary

cafea /kafea/ — cafele F coffee

ceai /čai̯/ — ceaiurĭ /čai̯urĭ/ N tea

ceva *inv. pron.* something, anything

chiar /ki̯ar/ *adv.* even, indeed

chiflă /kiflă/ — chifle F roll

cincĭ /činčĭ/ *num.* five

ciocolată — ciocolate F chocolate

cît /kît/ *adv.* how much

cofetărie /kofetări̯e/ — cofetărĭi /kofetărĭĭ/ F confec-
tioner's, café

costă *vb.* (it) costs

da yes

de ajuns *adv.* enough

decĭ *conj.* so, therefore

dumneata (d-ta) *pron.* you

George /ğor-ğe/ George

ia /i̯a/ *vb.* (he, she, it) takes, has

iau /i̯au̯/ *vb.* (I, they) take, have

iei /i̯ei̯/ *vb.* (you) take, have

înghețată — înghețate F ice-cream

într- *prep.* in, into

la *prep.* at, to

leu /leu̯/ — lei /lei̯/ M lion, leu (monetary unit)

a lua /lua̯/ *vb.* to take, to have

luațĭ *vb.* (you) take, have

mai *adv.* more, else

mulțumesc *vb.* (I, they) thank (you)

nimic *inv. pron.* nothing

nu no, not

numai *adv.* only

prăjitură — prăjiturĭ F cake

rog *vb.* (I) ask

stau /stau̯/ *vb.* (I, they) sit, stand, stop

stă *vb.* (he, she, it) sits, stands, stops

trei *num.* three

tu *pron.* you

una *num.* *F* one
unu *num.* *M/N* one
vă *acc. pron.* you
vocabular — *vocabulare* *N* vocabulary
zece *num.* ten

Phrases

cît costă?	how much does it cost, do they cost?
da, o *chiflă iau*	yes, a roll I *will* have
dl. So*are ce* ia?	what will you have, Mr Soare? (*lit.* what will Mr Soare have?)
*ia pa*tru	take four
mai (...) *ceva*	something else, anything else
(*nu*) *mai* (...) *nimic*	nothing else
mulţumesc	thank you
şi eu	I also, me too
vă rog	please (*lit.* I ask you)

4.2 Într-o cofetărie

D-na şi *d*l. Stănescu şi *d*-na, *d*l. şi d-şoara Soare *stau* la o *masă într*-o cofetăr*ie.* D-şoara Soare *stă lîngă d*-na Soare.

D-na St. Dvs. *ce* luaţ*ĭ,* doamna Soare?
D-na S. Eu *iau* o înghe*ţată.* Dvs. *ce* luaţ*ĭ?*
D-na St. Eu *iau* un *ceai* cu o *chiflă.* Dl. Soare *ce* ia?
Dl. S. E*u iau* o cafe*a.*
D-na St. Dar d-şoara Mar*ia ce* ia?
D-na S. Mar*ia nu* ia *nimic.*
D-na St. Luaţ*ĭ, vă rog,* o prăjitură, *d*-na Soare.
D-na S. Mulţum*esc.*
D-na St. Luaţ*ĭ, vă rog* şi d*vs.* o prăjitură, d-şoara Mar*ia.*
Maria. N*u,* mulţum*esc.* N*u iau.*
D-na St. Mai luaţ*ĭ ceva, d*l. Soare?
Dl. S. N*u,* mulţum*esc.* N*u mai iau nimic.*
D-na S. Cît co*stă două* prăjitur*ĭ?*

D-na St. O prăjitură mare de ciocolată costă cincĭ lei.
   Decĭ două prăjiturĭ costă zece lei.
D-na S. Cît costă două chifle?
D-na St. Două chifle costă un leu.
   La cofetărie vine şi George Stănescu.
D-na St. Tu, George, ce iei?
G. Eu iau o ciocolată cu lapte.
D-na St. Pîine iei?
G. Nu, pîine nu iau.
D-na St. Chifle iei?
G. Da, o chiflă iau; dar numai una.
D-na St. Iei una sau două prăjiturĭ?
G. Iau chiar trei prăjiturĭ.
D-na St. Ia patru.
G. Nu, mulţumesc. Trei sînt de ajuns!

4.3 Pronunciation

4.3/1 Vowel Glides

ai /aĭ/ (falling) resembles English *ai* in *Cairo*, *Shanghai*.
   Practise:
   mai, ceai /čaĭ/

eu /eṷ/ (falling) is a glide from Rom. /e/ towards /u/,
   as in *leu* /leṷ/.

ua /ṷa/ (rising), as in *luaţĭ*, pronounced /lu-ṷatsĭ/ or
   /lṷatsĭ/, resembles *wo-* in Eng. *won*. The two
   diphthongs, /ọa/ (see 3.3/1) and /ṷa/, are similar, if
   not identical.

iau /ĭaṷ/ (triphthong), as in *iau* 'I take', is similar to the
   -*iaow* in Eng. *miaow*.

4.3/2 Consonants

g /ǧ/: When followed by *e* or *i*, *g* is pronounced like the
   English *g*'s in *George*. The name 'George' also occurs
   in Romanian, but in Romanian it has two syllables:
   /ǧor-ǧe/.

j /zh/, as in *de ajuns*, is almost the same as the English consonant sound represented by the letter *s* in *pleasure*, *vision* (cf. French *j* in *jardin*).

The relation between the letters *c*, *g* and the various sounds associated with them may be summarized in five (simplified) rules:

1. *c*, *g* + *e*, *i* + vowel (in the same word) = /č, ğ/ (+ /e, i/) + vowel.

2. *c*, *g* + *e*, *i* + consonant (in the same word) =/če, ğe, či, ği/+ consonant.

3. *c*, *g* + final *e*, *i* =/če, ğe, čĭ, ğĭ/.

4. *ch*, *gh* + *e*, *i* =/k, g/+ *e*, *i*.

Otherwise:

5. *c*, *g* =/k, g/.

Note that (1) *j* is always pronounced /zh/, never /ğ/; (2) *c*, *g* + *î* =/kî, gî/ (in accordance with Rule 5); (3) *i* represents /i/, /i̦/, /ĭ/ or *zero*, and *e* represents /e/, /e̦/ or *zero*.

Examples:

ceas /čas/ 'clock'
geam /ğam/ 'window-pane' } Rule 1

Tu*r*cia /tu*r*-či-i̦a/ 'Turkey'
Belgia /bel-ği-i̦a/ 'Belgium' } Rule 1

cer /čer/ 'sky'
ger /ğer/ 'frost' } Rule 2

adu*ce* /adu*če*/ 'he brings'
me*r*ge /me*r*ğe/ 'he goes' } Rule 3

adu*cĭ* /adu*čĭ*/ 'you bring'
me*r*gĭ /me*r*ğĭ/ 'you go' } Rule 3

chem /kem/ 'I call'
ghem /gem/ 'ball' } Rule 4

unchi /unkĭ/ 'uncle'
unghi /ungĭ/ 'angle' } Rule 4

caz /kaz/ 'case'
gaz /gaz/ 'gas' } Rule 5

cît /kît/ 'how much' } Rule 5
gît /gît/ 'neck' } Rule 5

arunc /arunk/ 'I throw' } Rule 5
merg /merg/ 'I go' } Rule 5

4.4 Grammar
4.4/1 Nouns: Plural

(a) N-nouns ending in a consonant form their plural by adding the vowel -e to the form of the singular:

vocabular — vocabulare
pahar — pahare
text — texte

Or by adding the ending -urĭ:

tren — trenurĭ
vin — vinurĭ
also: ceai — ceaiurĭ

(b) F-nouns in -ă replace this -ă by -e:

chiflă — chifle
îngheţată — îngheţate
apă — ape
clasă — clase
lamă — lame

Or by -ĭ:

pisică — pisicĭ
grădină — grădinĭ

Those in -e take -ĭ and those in -ură take -urĭ:

bere — berĭ
carte — cărţĭ
prăjitură — prăjiturĭ
băutură /bă-u-tu-ră/ — băuturĭ 'drink'

Those in -ie take -ii:

cofetărie — cofetării

From the point of view of pronunciation, we can say that the final /-e/ is dropped, /-ie/ becoming /-iĭ/.

Those in -*ea* /ęa/ take -*ele* /ele/:

cafęa — cafele

Other, less common, endings are possible, for nouns of all genders, so note carefully the plural forms of new nouns as they appear in the Vocabularies.

4.4/2 Numerals

The first five cardinal numbers are:

unu, doi, trei, patru, cincĭ

The first two vary according to gender:

unu *M/N*, una *F*
doi *M*, două *N/F*
o chiflă iau, dar numai una
cît costă două chifle?

The forms *unu*, *una* are used only when the noun does not *immediately* follow. Otherwise, use *un*, *o*:

iei una sau două prăjiturĭ?	will you have one cake or two?

But:

o prăjitură costă patru lei	a/one cake costs four lei
două chifle costă un leu	two rolls cost a/one leu

Un and *o* in the sense of 'one' may be stressed:

iau numai o prăjitură	I'll just have a cake
iau numai o prăjitură	I'll only have *one* cake

4.4/3 Translation of the Subject Pronoun 'You'

Romanian has a number of different second person pronouns, while modern English has only one — *you*. Which one we use depends on the number of people we are addressing and on our relationship to them. The uses of these pronouns are best exemplified in a table:

No. of addressees	Pronoun	Name used (if any)	Relationship between speaker and addressee(s)	Attitude of speaker	Verb form
one	tu	Christian name(s)	Close family relation(s) or friend(s)	(any)	2nd pers. sg.
more than one	voi				2nd pers. pl.
one	tu	(none in particular)	stranger	insulting	2nd pers. sg.
more than one	voi				2nd pers. pl.
one	d-ta	Christian name or surname	colleague, subordinate, servant	commanding, friendly, semi-polite	2nd pers. sg.
one or more than one	dvs.	title and surname	superior or (more remote) equal	respectful, polite	2nd pers. pl.

Note that a sg. 'you' takes a sg. verb form, a pl. 'you' a pl. verb form, except *dvs.*, which always takes the second person pl. verb form, whether the number of addressees is only one or more than one.

One may also use the third person form of the verb, together with a person's title and name:

dl. Soare ce ia?   what will *you* have, Mr Soare?

The attitude is not necessarily facetious, condescending or patronizing, as it may be when we say in English to John, 'And what will John have then?'. The 'safest' form of address to use is *dvs.* with the verb in the second person pl.

4.4/4 The Conjugation of Verbs

(*a*) Verbs take different endings for person, number, tense, etc. The irregular verb *a lua* 'to take' is conjugated as follows:

iau /i̯au̯/	I take
iei /i̯ei̯/	you take
ia /i̯a/	he, she, it takes
luăm /l(u)u̯ăm/	we take
luaţi /l(u)u̯atsĭ/	you take
iau /i̯au̯/	they take

(b) The Imperative

The imperative is used for commands and requests. It
has two forms, one for the second person sg. and one
for the second person pl. The form used for the pl. is
the same as that of the present tense. But the form for
the sg. is often identical with that of the *third* person sg.
of the present indicative:

sg. ia!⎫
pl. luați!⎭ take!

(c) The notion of intention is conveyed in English by
the use of certain auxiliaries, e.g. 'I shall/will/am going
to . . .', etc., and there are various forms for this purpose
in Romanian. On the other hand, imminent intentions
and decisions can be expressed by the present tense:

d*vs.* ce luați?	what will *you* have?
tu ce iei?	what are *you* going to have?
eu i*au* o înghețată	I'll have, am going to have an ice-cream

(d) Tense and Aspect

There is no progressive or continuous form for verbs in
Romanian. This means that (*eu*) *iau*, besides meaning
'I take', 'I'll take', 'I'm going to take', may also mean
'I'm taking', 'I'll be taking'.

4.4/5 The Negative

To express the negative the particle *nu* is placed before
the verb:

Affirmative	Negative
eu i*au*	eu n*u* iau 'I'm not taking', 'I won't have', etc.

Similarly:

ea i*a*	ea n*u* ia
el *este*	el n*u* este
ei sînt	ei n*u* sînt

'Nothing' is translated by *nimic*. When *nimic* is used

as the subject or object of a verb, however, the negative particle *nu* is also required:

Maria nu ia nimic	Mary won't have anything
nu mai iau nimic	I won't have anything else
nu e nimic pe masă	there is nothing on the table

Nu is also used as the opposite of *da*:

— iei o cafea?	will you have a coffee?
— nu, mulţumesc, nu iau	no, thank you (, I won't)

4.4/6 Prepositions

(*a*) The preposition *în* 'in' is replaced by *într-* when followed by an indefinite article:

într-o cofetărie	in(to) a café
într-un tren	in(to) a train

But:

în casă	in(to) the house

(*b*) The preposition *la* translates both 'at' and 'to':

ei stau la o masă	they are standing, sitting at a table
el vine la cofetărie	he is coming to the café

4.4/7 Clause Word-Order

In Romanian the direct object need not necessarily follow the verb:

o chiflă iau	I'll have a roll, a roll I *will* have

The order of elements may be the complete opposite of the order in English:

la cofetărie vine şi George Stănescu	G.S. also comes to the café

When the subject is accented it may follow the verb:

iau şi eu unu	I'll have one too (*lit.* take also I one)

But it may also precede all other elements:

dvs. ce luați, dna. Soare?   what will *you* have, Mrs
                                          Soare?

Note the position of *mai* in the following:

mai luați ceva?   will you have anything,
                                          something else?

Note the distinction between a declarative clause
(a statement) and an interrogative clause (a question)
does not depend on the order of elements but on
accentuation and context.

4.4/8 Noun-Phrase Word-Order

In the following examples the adjective modifies the head
noun (here, the first noun), the phrase following:

o prăjitură mare de   a big chocolate cake
   ciocolată
o masă mică, de lemn   a small wooden table
   Compare:
o cană mare cu lapte   a large jug of milk

4.5 Exercises.

1. Copy out the Text of the Lesson, translate it, and
read it aloud several times.

2. Make sentences with the help of the following
tables:

(*a*)

(eu, ei) iau (el, ea) ia	un	ceai măr pahar cu apă pahar cu vin
	o	cafea înghețată chiflă cană cu lapte sticlă cu bere

(b)

eu	nu	iau	nimic	
			un	ceai măr pahar cu vin
			o	cafea înghețată prăjitură
dvs.		luați	nimic	
			un	ceai măr pahar cu vin
			o	cafea înghețată prăjitură

(c)

cît costă	două trei patru cinci zece	prăjituri? chifle? pîini? înghețate? pahare? sticle cu bere?

(d)

mai	luați (dvs.) iei (tu)	ceva? — nu mai	iau	nimic
	ia (el, ea)		ia	

3. Add to each of the following nouns the numeral *un* or *o*, as the case may be, and then write the noun in its plural form. Examples:

casă — o casă — două case, pom — un pom — doi pomĭ, pahar — un pahar — două pahare.

Check your genders and pl. forms against those given in the Vocabularies.

cameră, casă, chiflă, cîine, clasă, cofetărie, dicţionar, doctor, îngheţată, pahar, pisică, pîine, pom, prăjitură, profesor, român, sticlă, text.

*4. Translate into Romanian.

Who comes to the café? George Stănescu comes to the café. Where are Mr and Mrs Soare sitting? They are sitting at a table in a café. What are they going to have? They are going to have tea. What is Miss Soare having? She isn't having anything. What will you have? I'll have a coffee. What will George have? He'll have a chocolate with milk. How much do two cakes cost? Two cakes cost ten lei. And how much are five big rolls? Five big rolls are three lei. How much is a cup of coffee? A cup of coffee is four lei. Where are Mr and Mrs Stănescu sitting? They are sitting at a table in a café.

Lesson 5

5.1 Vocabulary

acolo *adv.* (over) there

acum(a) *adv.* now

ai /aĭ/ *vb.* (you) have

aicĭ /a-ičĭ/ *adv.* here

a avea /avẹa/ *vb.* to have, to get

avem *vb.* (we) have, (we)'ve got

aveţĭ *vb.* (you) have

au /aŭ/ *vb.* (they) have

azĭ *adv.* today

băiat /bă-ĭat/ — băieţĭ /bă-ĭetsĭ/ *M* boy, son

birou /biroŭ/ — birourĭ /bi-ro-urĭ/ *N* study, office, desk

caiet /kaĭet/ — caiete *N* exercise-book

carte — cărţĭ *F* book

cît *M/N*, cîtă *F det. pron. sg.* how much

cîţĭ *M*, cîte *N/F det. pron. pl*, how many, both, all, each

creion — creioane /kre-ĭọa-ne/ *N* pencil

conversaţie /konversatsiĭe/ — conversaţii /konversatsiĭ/
    F conversation

de *prep.* of, from

eştĭ /ĭeshtĭ/ *vb.* (you) are

fată — fete *F* girl

fotoliu /fotoliŭ/ — fotolii /fotoliĭ/ *N* armchair

gram — grame *N* gramme

gramatică — gramaticĭ *F* grammar

greu /greŭ/, grea /grẹa/, grei /greĭ/, grele *adj.* heavy,
    difficult

lecţie /lektsiĭe/ — lecţii /lektsiĭ/ *F* lesson

masă — mese *F* table

măr — mere *N* apple

mînă — mîinĭ /mîĭnĭ/ *F* hand

noi *pron.* we

om — oamenĭ /ọa-menĭ/ *M* man

scaun — scaune *N* chair

sîntem *vb.* (we) are

stilou /stiloŭ/ — stilourĭ /sti-lo-urĭ/ *N* fountain-pen

sută — sute *num. F* hundred

61

şi . . . şi *conj.* both . . . and
voi *pron.* you

Phrases

ce lecţie aveţi *az*ĭ?	what lesson do you have today?
este /ĭeste/	there is
sînt	there are
sîntem *p*atru	there are four of us (*lit.* we are four)

5.2 Conversaţie[1]

*C*e am a*i*cĭ?	Aveţi un caiet.
*C*e aveţi d*vs.* în m*î*nă?	*A*m un stilou.
C*î*te m*î*inĭ are un *o*m?	Un *o*m are două m*î*inĭ.
C*î*te m*î*inĭ au d*o*i *o*amenĭ?	*D*oi o*a*menĭ au *p*atru m*î*inĭ.
C*î*te mere are N*i*cu?	N*i*cu are tr*e*i mere.
C*î*te cărţĭ aveţi pe m*a*să?	Am *p*atru cărţĭ.
*C*e lecţie aveţi *az*ĭ?	*Az*ĭ avem o lecţie gr*e*a, avem o lecţie de grama-tică.
Au *d*-na şi *d*l. S*o*are cop*i*ĭ?	*D*a, au d*o*i cop*i*ĭ: o f*a*tă şi un b*ă*i*a*t.
C*î*ţĭ cop*i*ĭ are *d*l. Sm*i*th?	Dumneal*u*ĭ are d*o*i băieţĭ şi două fete.
Aveţi un dicţion*a*r?	*D*a, *a*m.
Aveţi un c*a*iet?	N*u*, n*u* am (n-*a*m).
*A*re Petre un stil*o*u?	*D*a, *a*re.
*A*re Elena un cre*i*on?	N*u*, n*u* are (n-*a*re); dar *a*re un stil*o*u.
Aveţi un profes*o*r sau o profeso*a*ră de rom*â*nă?[2]	Avem o profeso*a*ră.
*C*e este ac*o*lo?	Ac*o*lo este un bir*o*u.

---

[1] Note that the vowel of the stressed syllable of the more prominent words is italicized. The words selected in this connection are naturally not the only possibilities.

[2] 'Is your Romanian teacher (= person who teaches you Romanian) a man or a woman?'

Ce e lîngă bir*ou*?	Lîngă bir*ou* e un fot*o*liu, un fotoliu gr*eu*.
Şi lîngă fot*o*liu?	Lîngă fot*o*liu e un sc*au*n.
*Cî*te sc*au*ne sînt a*ic*ĭ?	A*ic*ĭ sînt *c*in*c*ĭ sc*au*ne.
Şi *cî*te fot*o*lii?	Şi d*o*uă fot*o*lii.
*Cî*te ca*ie*te şi *cî*te cre*io*ane sînt pe m*a*să?	Pe m*a*să sînt z*e*ce ca*ie*te şi tr*e*i cre*io*ane.
*U*nde sîntem ac*u*m?	Sîntem în cl*a*să.
*Cî*ţĭ sîntem a*ic*ĭ?	Sîntem p*a*tru.
Sînt şi T*o*ma şi Mar*i*a a*ic*ĭ?	N*u*, ei n*u* sînt a*ic*ĭ, *e*i sînt în grăd*i*nă.
Sîntem în c*u*rte ac*u*m?	N*u*, sîntem în c*a*să.
Ce sînt*e*ţĭ v*o*i?	Noi sîntem stud*e*nţĭ.
E*ş*tĭ ac*o*lo, T*o*ma?	D*a*, d*a*. Sînt a*ic*ĭ.
E şi N*i*cu ac*o*lo?	N*u*, n*u* e.

5.3 Pronunciation

5.3/1 Vowel Glides

iu /iu̯/ (falling), as in *fotoliu*, is a glide from Rom. /i/ to Rom. /u/.

ou /ou̯/ (falling) is a glide from /o/ towards /u/. Avoid any tendency to centralize the first element towards /ă/ (as in Eng. *low, bureau*); the first element is a fully rounded back vowel. Practise:

   stil*ou*, bir*ou*, *ou* 'egg', *ou*ă 'eggs'.

ioa /io̯a/, as in *creioane*, is a triphthong: diphthong /o̯a/ preceded by the semi-vowel /i̯/.

5.3/2 Intonation

As already suggested, in 4.4/4, questions requiring the answer *da* 'yes' or *nu* 'no' are said with a rising intonation, as often is the case in English. Practise:

av*e*ţĭ un ↓dic*ţ*ion*a*r	you have a dictionary
av*e*ţĭ un ↑dic*ţ*ion*a*r?	have you got a dictionary?
e*ş*tĭ ↑ ac*o*lo, ↑T*o*ma?	are you there, Tom?

In the case of alternative questions, the first part of the
question is spoken with a rising tone and the second with
a fall, as in English:

aveți un ↑profesor sau o ↓profesoară?

5.4 Grammar

5.4/1 Nouns: Plural

(*a*) On taking a final plural suffix many nouns simul-
taneously undergo changes in the form of their root.
Examples:

Singular	*Plural*
băiat	băieți
cană	cănĭ
carte	cărțĭ
creion	creioane
curte	curțĭ
fată	fete
ladă	lăzĭ
masă	mese
măr	mere
mînă	mîinĭ
om	oamenĭ
româncă /-kă/	românce /-če/
student	studențĭ
lampă	lămpĭ
sală	sălĭ
sifon	sifoane
stradă	strazĭ

(*b*) Neuter nouns ending in -*ou* add -*rĭ* to form the
plural:

stilou — stilourĭ
birou — birourĭ

Those in -*iu* /-iu̯/ take -*ii* /-iĭ/:
fotoliu — fotolii

5.4/2 Determiner Pronouns: *cît*

The determiner pronoun *cît* agrees in gender and number with the noun it modifies or replaces. Its forms are as follows:

	M	N	F
sg.	cît		cítă
pl.	cîţĭ	cíte	

Examples:

cítă cafe*a*?	how much coffee?
cíţĭ sînt*em*?	how many of us are there?
cíte cărţĭ?	how many books?

Cît remains invariable in a phrase like *cît costă?* 'how much is it?'.

5.4/3 Pronouns: *noi, voi*

The plural of *eu* is *noi* 'we'; the plural of *tu* is *voi* 'you' (for the use of *voi* see 4.4/3).

5.4/4 Verbs

— (*a*) The Present Tense of the verb *a avea* 'to have' is:

(eu)	am	I have
(tu, d-ta)	ai	you have
(el, ea, dumnealui, dumneaei)	*a*re	he, she, it has
(noi)	av*em*	we have
(voi, dvs.)	av*eţĭ*	you have
(ei, ele, dumnealor)	au	they have

In the negative:

n*u* am	I have not
n*u* ai	you have not
n*u* *a*re	he, she, it has not

nu avem   we have not
nu aveţĭ   you have not
nu au   they have not

It will be seen that the pl. of *dumnealui* (M) and *dumneaei* (F) is *dumnealor* (M/F) (see 3.4/3). Instead of using these pronouns one often repeats the person's name; thus we may say either:

dl. Soare e român; dumnealui e profesor

or:

dl. Soare e român; dl. Soare e profesor

In conversational style the following contracted forms of the negative of *a avea* are used:

n-am, n-ai, n-are, n-avem, n-aveţĭ, n-au

In writing a hyphen is preferred to an apostrophe to mark the omission.

5.4/5 Word-Order

Clauses in which the verb precedes the subject are often interrogative (i.e. they require an answer):

are Petre un stilou?   has Peter a pen?
sînt şi Toma şi Maria aici?   are both Tom and Mary
                                here?

   Compare:

are un ↓ stilou   he has a pen

with:

are un ↑ stilou?   has he a pen?

5.5 Exercises

1. Copy out the Text of the Lesson, translate it orally, read it aloud several times, and learn by heart as many of the questions and answers as you can. When reading the Text out aloud, try to give those questions which elicit the response *da* or *nu* a rising tone.

2. Make sentences with the help of the following tables:

(a)

(eu) *a*m		ca*s*ă
(noi) av*e*m	o	ca*m*eră
		c*u*rte
		gră*di*nă
		ma*s*ă
		profeso*a*ră
		le*c*ţie
		pi*si*că

(b)

*e*l			profes*o*r
*e*a			dicţio*n*ar
dumneal*u*i	are	un	c*î*ine
dumnea*e*i			bir*o*u
P*e*tre			
*A*na			
*e*i	au		
*e*le			
dumneal*o*r			
*A*na şi P*e*tre			

(c)

d-t*a*	ai		pi*si*că
t*u*			ca*s*ă
d*v*s.	av*e*ţi	o	gră*di*nă
v*o*i			profeso*a*ră

(d)

n-*a*m	ni*mi*c
n-*a*re	dicţio*n*are
n-av*e*ţi	că*r*ţi
n-*a*u	crei*o*ane

(e)

el ea dumnealui dumneaei Ana	este e	în	birou casă clasă curte cameră grădină
eu ei ele dumnealor Maria şi Toma	sînt		stradă cofetărie Anglia România

(f)

noi sîntem		studenţi studente profesori profesoare
dvs. voi	sînteţi	doctori doctoriţe englezi români

*3. Translate:

Have you got an exercise-book? No, I haven't. Have you got a pen? No, I haven't, but I do have a pencil. Is their teacher a man or a woman? She's a woman. What have you got in (your) hand? I've got a dictionary. How many books has he got on (his) desk? He has five books. How many boys and girls are there in the garden? There are ten. What lesson do you have today? Today we have a grammar lesson. What's your occupation (*trans.* what are you), Mr Soare? I am a teacher. Where are you now? I am in the classroom. How many students are there in the classroom? There are five. Is Ann here? No, she isn't; she is over there. How much does this book cost? It costs ten lei.

4. *Supplementary Text*. Read and try to learn by heart the following text:

Sînt student. Sînt în clasă. Clasa ('the class') nu e mare. În clasă sîntem numai zece studenţi. Avem cărţi, caiete, stilourĭ şi creioane. Avem un profesor, nu o profesoară. Avem un profesor din România, din Bucureştĭ.

Stăm ('we sit') la o masă. Stăm pe scaune. Tom stă lîngă Peter. Tom şi Peter sînt englezĭ. Ei sînt din Londra. Ei au două dicţionare marĭ.

Lesson 6

6.1 Vocabulary

Note: From this Lesson on, the sound /ĭ/ will generally only appear as *i* in the Vocabularies. Elsewhere, *i* will be used, in accordance with the orthography.

alt, altă, alţi, alte *det.* another, other
bine *adv.* well, good, fine, all right
ca *prep., conj.* than, as
că *conj.* that
decît *prep., conj.* than
englezeşte *adv.* (in) English
a face *vb.* to do, to make
face *vb.* (he, she, it) does, makes
facem *vb.* (we) do, make
foarte *adv.* very
franţuzeşte *adv.* (in) French
învaţă *vb.* (he, she, it) learns, (they) learn
învăţ *vb.* (I) learn
a învăţa *vb.* to learn
învăţaţi *vb.* (you) learn
învăţăm *vb.* (we) learn
limbă — limbi *F* language, tongue
mai *adv.* also, more, else
nemţeşte *adv.* (in) German
nişte *inv. det. pl.* some
prieten /pri-ie-ten/ — prieteni *M* friend
puţin *adv.* (a) little
puţin, puţină, puţini, puţine *det.* little, few
româneşte *adv.* (in) Romanian
ruseşte *adv.* (in) Russian
timp — timpuri *N* time
uşor, uşoară, uşori, uşoare *adj.* easy, light
vorbesc *vb.* (I, they) speak
vorbeşte *vb.* (he, she, it) speaks
a vorbi *vb.* to speak
vorbim *vb.* (we) speak
vorbiţi *vb.* (you) speak

Phrases

de mult	for a long time (now)
de puțin timp	for a short time, not very long
din Anglia	from England
din Londra	from London
limba română	Romanian, the Romanian language
mai . . . și nemțește	also . . . German
învățați de mult?	have you been learning for a long time?

6.2 Conversație

Unde sînteți?	Sîntem într-o clasă.
Și ce faceți?	Învățăm românește.
Dvs. învățați de mult românește?	Nu, învăț românește numai de puțin timp.
E grea limba română?	Este și nu este.
E mai ușoară ca alte limbi?	Da și nu.
Văd că sînteți cu niște prieteni?	Da, învață și ei românește.[1]
Unde sînt ei acum?	Sînt în clasă, cu noi.
Dvs. vorbiți românește?	Da, vorbesc puțin.
Dar dl. și d-na Smith?	Da, și ei vorbesc.[2]
Cu cine vorbiți dvs. românește?	Cu dl. Soare.
Ann și Jane vorbesc bine românește?	Da, ele vorbesc bine românește.
Ce altă limbă mai învață ele?	Ele mai învață și nemțește.
Ce limbă vorbesc ele mai bine?	Ele vorbesc mai bine românește.
Dl. Smith vorbește franțuzește?	Nu, dumnealui nu vorbește franțuzește, dar vorbește nemțește și rusește.

[1] 'Yes, they're also learning Romanian.'
[2] 'Yes, they do too.'

Dvs. sînteți român?   Nu, sînt englez, dar vorbesc
                                 bine românește.

De unde sînteți?   Sînt din Anglia, din
                                 Londra.

Mai sînt și alți englezi aici?   Nu, nu sînt.
Ce învață Elena?   Ea învață englezește.
E grea limba engleză?   Nu, nu e grea. Nu e mai
                                 grea decît limba română.

Ce face Elena acum?   Ea vorbește.
Și ce facem noi?   Și noi vorbim.
Ce limbă vorbiți dvs. acum?   Acum vorbim românește.
Foarte bine, vorbiți numai
   românește, vă rog.

6.3 Grammar

6.3/1 The Definite Article

The definite article in Romanian is a suffix. Its form
varies according to the gender and number of the noun
with which it is used.

(a) The definite article for F-nouns in the singular
is -a, which is either added to the end of the noun or is
used in place of the last vowel:

limbă   language
limba   the language
limba română   the Romanian language

(Note that the -ă ending of the adjective does not
change.)

(b) The definite article for M-nouns in the plural is -i;
more accurately, the plural suffix -i /-ĭ, -i̯/ is replaced by
-ii /-i/:

prieteni /pri-i̯e-tenĭ/ 'friends'
prietenii /pri-i̯e-te-ni/ 'the friends'
lei /leĭ/ 'lei', 'lions'
leii /le-i/ 'the lei', 'the lions'

Note that in this case -ii is pronounced /i/ (and not
/i̯i/).

Note the following:

un copil 'a child', *copilul* 'the child'
copii /ko-piį/ 'children', *copiii* /ko-pi-(i̯)i/ 'the children'.

6.3/2 Adjective-Endings

We saw in 2.4/2 that most Romanian adjectives have
four forms: M/N singular, F singular, M plural, N/F
plural. In other words, used with N-nouns adjectives
take the M-form in the singular and the F-form in the
plural. This is also the case with many determiners.

Thus the determiner *alt* 'other' has the following forms:

	M	N	F
sg.	alt		*a*ltă
pl.	alţi	*a*lte	

Singular   *Plural*
M un alt om 'another man'   alţi oameni 'other men'
F o altă limbă 'another   alte limbi 'other languages'
   language'
N un alt stilou 'another pen' alte stilouri 'other pens'

Note how a final *-t* becomes *-ţ* with the addition of *-i*.
With other modifiers, the changes may be more drastic,
as with *greu*:

greu /greu̯/, grea /grea/, grei, grele

Cf. also: uşor, uşoară, uşorĭ, uşoare

Some adjectives have only three different forms:
mic, m*i*că, micĭ, micĭ

Others again have only two:
m*a*re, m*a*re, marĭ, marĭ

6.3/3 Adjectives and Adverbs: Comparative Degree

Romanian uses the adverb *mai* in comparative constructions:

Adjectives

mai uşor	easier, more easy
mai greu	harder, more difficult
mai bun	better

Adverbs

mai uşor	more easily
mai greu	with greater difficulty
mai bine	better

Note that the M/N singular form of an adjective can generally be used as an adverb, in which function it remains invariable. *Bun* constitutes an exception: the corresponding adverb is *bine*.

6.3/4 Verbs: The Present Tense

The following present indicative forms of the verb *a învăţa* 'to learn' and of *a vorbi* 'to speak' occur in the Text:

(eu) învăţ	I learn
(el, ea, ei, ele) învaţă	he, she learns, they learn
(noi) învăţăm	we learn
(voi, dvs.) învăţaţi	you learn
(eu, ei, ele) vorbesc	I, they speak
(el, ea) vorbeşte	he, she speaks
(noi) vorbim	we speak
(voi, dvs.) vorbiţi	you speak

With verbs ending in *-a* in the infinitive, the third person singular and plural have the same ending (e.g. *învaţă*). With verbs ending in *-i* in the infinitive, the first person singular and the third person plural have the same ending (e.g. *vorbesc*).

The present tense may be translated, for example, 'I learn', 'I am learning' or 'I'll learn'. It is also used in some cases where in English we use the perfect, e.g. 'I have learnt', 'I have been learning', especially in the presence of certain temporal adverbs such as *de mult* and *de puţin timp*:

învăţaţi de mult românește?	have you been learning Romanian (for a) long (time)?
învăţ românește numai de puţin timp	I've only been learning Romanian for a short time

6.3/5 Adverbs

The forms *românește, englezește, franţuzește, nemţește, rusește* are adverbs of manner. They are invariable and cannot be used as adjectives or nouns (as can the English equivalents):

Patricia vorbește românește mai bine decît William	Patricia speaks better Romanian than William (does)

6.4 Exercises

1. Copy out the Text of the Lesson, translate it, read it aloud several times and learn by heart as many of the questions and answers as you can.

2. Make sentences with the help of the following tables:

(a)

el ea ei ele dumnealui dumneaei dumnealor	învaţă	românește franţuzește nemţește rusește englezește bine
dvs. învăţaţi		

(b)

eu ei ele *d*l. şi *d*-na R*o*berts	vorb*e*sc	b*i*ne fo*a*rte b*i*ne	româneşte englezeşte franţuzeşte nemţeşte ruseşte
d*v*s. vorb*i*ţi			

(c)

eu
ei
ele
*d*l. şi *d*-na
  [R*o*berts
	vorb*e*sc	m*a*i b*i*ne	rom*â*neşte
			franţuzeşte
			nemţeşte
			englezeşte
			ruseşte
				dec*î*t
				
				ca
					e*a*
					el
					*d*l.
					  [Sm*i*th
					*A*na

d*v*s. vorb*i*ţi					

3. Answer the following questions, first orally, then in writing. Try to do the exercise without consulting the Text.

*U*nde sîntem?
C*e* f*a*cem?
E uşo*a*ră l*i*mba rom*â*nă?
C*e* l*i*mbă înv*a*ţă *d*l. şi *d*-na Sm*i*th?
C*e* l*i*mbă vorb*e*sc *A*nn şi J*a*ne?
Cu c*i*ne sînt*e*ţi a*i*ci?
C*e* l*i*mbă vorb*e*şte m*a*i b*i*ne *d*l. Sm*i*th?
C*e* l*i*mbă înv*a*ţă ac*u*m J*a*ne?
C*e* vorb*e*şte *d*l. Br*o*wn mai b*i*ne, româneşte sau
   franţuzeşte?

4. Do Exercise 3 in reverse, that is, compose the questions on a basis of your answers.

*5. Translate into Romanian and underline the stressed vowels:

I see five students in a café. They are sitting at a table.

They are sitting on chairs. Three (of them) are boys and two are girls. There are (*trans*. they have) five coffees on the table. There is also a bottle of wine and five glasses on the table. They are speaking Romanian. They are English. They are learning Romanian and they are speaking a little Romanian. They also speak a little French and German. They speak four languages.

Lesson 7

7.1 Vocabulary

citesc *vb.* (I, they) read
să citesc *vb.* (to) read
a citi *vb.* to read
citiţi *vb.* (you) read
exerciţiu — exerciţii *N* exercise
fac *vb.* (I, they) do
îmĭ *pron. dat.* (to) me, for me
-le *art. N/F pl.* the
mai mult *adv.* more, better
meu /meu̯/, mea /mea̯/, mei, mele *poss. det.* my
mult *adv.* much, a lot
mult, multă, mulţĭ, multe *det.* much, many, a lot
nuvelă — nuvele *F* short story, novella
îmĭ place *vb.* I like (it)
vă plac *vb.* you like (them)
vă place *vb,* you like (it)
a plăcea *vb.* to like
roman — romane *N* novel
românesc *N sg.*, românească *F sg.*, româneştĭ *N/F pl. adj.*
   Romanian
a scrie /skrie̯/ *vb.* to write
scrieţĭ *vb.* (you) write
să scrieţĭ *vb.* (to) write
scrisoare — scrisorĭ *F* letter
scriu /skriu̯/ *vb.* (I, they) write
să scriu *vb.* (to) write
a şti *vb.* to know
ştiţĭ *vb.* (you) know
ştiu /shtiu̯/ *vb.* (I, they) know
tot *adv.* also, likewise
-ul *art. M/N sg.* the
vă *pron. acc./dat.* (to) you, for you
volum — volume *N* volume
să vorbesc *vb.* (to) speak

Phrases

ce fel de . . .?	what kind of . . .?
cel mai bine	best (of all)
mai multe cărţi	several books (*lit.* more books)
îmi place mai mult	I prefer (*lit.* to me (it) pleases more)
lîngă ele	next to them
nu-mi place	I don't like (it)
studenţii mei	my students (*lit.* my the students)
ştiţi să scrieţi?	do you know how to write, can you write?
vă plac romanele?	do you like novels (*lit.* the novels)?
vorbiţi româneşte?	do you speak Romanian?

7.2 Conversaţie

Ce citiţi dvs.?	Citesc o carte.
Ce fel de carte?	O carte românească.
Ştiţi româneşte?	Da, ştiu puţin.
Văd că şi vorbiţi româneşte.	Da, dar tot puţin.
Văd că citiţi un roman.	Nu, nu e un roman. E o carte cu texte uşoare.
Ce scrieţi acolo, vă rog?	Scriu o scrisoare.
Ştiţi şi să scrieţi româneşte?	Da, dar foarte puţin.
Ce ştiţi mai bine: să vorbiţi, să citiţi, sau să scrieţi româneşte?	Cel mai bine ştiu să citesc româneşte.
Văd că aveţi mai multe cărţi pe masă. Ce fel de cărţi sînt?	Sînt cărţi româneşti şi englezeşti. Trei sînt romane, şi lîngă ele sînt două volume de nuvele.
Vă plac romanele?	Da, dar mai mult îmi plac nuvelele.
Dar romanul acesta vă place?	Da, îmi place.

De unde aveţi romanul acesta?	De la profesorul meu.
Şi cartea aceasta?	Am cartea aceasta de la profesoara mea.
Unde sînt cărţile mele?	Cărţile dvs. sînt acolo pe masă.
Unde sînt studenţii mei?	Studenţii dvs. sînt în clasă.
Ce fac ei?	Ei scriu şi citesc.
Ce limbă ştiu studenţii dvs.?	Studenţii mei ştiu româneşte.
Vă place să scrieţi?	Nu, nu-mi place să scriu, îmi place mai mult să citesc şi să vorbesc.

7.3 Grammar

7.3/1 The Definite Article

(a) The definite article for M/N-nouns in the singular whose root ends in a consonant is the suffix -ul, which is generally pronounced /u/.

M-nouns

un profesor 'a teacher'	profesorul 'the teacher'
un om 'a man'	omul 'the man'
un băiat 'a boy'	băiatul 'the boy'
un pom 'a tree'	pomul 'the tree'
un student 'a student'	studentul 'the student'
un român 'a Romanian'	românul 'the Romanian'
un englez 'an Englishman'	englezul 'the Englishman'

N-nouns

un roman 'a novel'	romanul 'the novel'
un volum 'a volume'	volumul 'the novel'
un pahar 'a glass'	paharul 'the glass'
un caiet 'an exercise-book'	caietul 'the exercise-book'
un scaun 'a chair'	scaunul 'the chair'
un tren 'a train'	trenul 'the train'
un măr 'an apple'	mărul 'the apple'

Also:

un ceai 'a tea'	ceaiul 'the tea'

If the noun already ends in *-u*, then only *-l* is added; a final /u̯/ becomes /u/:

un l*e*u (*M*) 'a leu'	l*e*ul /le-u(l)/ 'the leu'
un exerci*ţ*iu (*N*) 'an exercise'	exerci*ţ*iul 'the exercise'
un stil*o*u (*N*) 'a pen'	stil*o*ul 'the pen'
un fot*o*liu (*N*) 'an armchair'	fot*o*liul 'the armchair'

M/N-nouns ending in *-e* take *-le*:

un c*î*ine 'a dog'	c*î*inele 'the dog'

F-nouns ending in *-e* take *-a*; the resulting *-ea* is pronounced /ęa/:

o c*a*rte 'a book'	c*a*rtea 'the book'
o c*u*rte 'a courtyard'	c*u*rtea 'the courtyard'
o p*î*ine 'a loaf of bread'	p*î*inea 'the (loaf of) bread'

Note: o cafe*a* /kafęa/ 'a coffee', cafe*a*ua /kafęau̯a/ 'the coffee'.

F-nouns ending in *-ie* substitute *-a* for the final *-e*:

o cofetăr*ie* 'a café'	cofetăr*ia* 'the café'

(*b*) The definite article for N/F-nouns in the plural is *-le*. The pronunciation of a final plural *-i* changes from /ĭ/ or /i̯/ to a syllabic /i/:

F căr*ţ*i /kărtsĭ/ 'books'	căr*ţ*ile /kăr-tsi-le/ 'the books'
N rom*a*ne 'novels'	rom*a*nele 'the novels'
N tr*e*nuri /tre-nurĭ/ 'trains'	tr*e*nurile /tre-nu-ri-le/ 'the trains'
N fot*o*lii /fo-to-lii̯/ 'armchairs'	fot*o*liile /fo-to-li-i-le/ 'the armchairs'

(*c*) The article suffixes may be summarized thus:

	M	N	F
sg. noun	-(u)l, -le		-a
pl. noun	-i	-le	

Note that *-le* is used both for some M/N-singular nouns and for all the N/F-plural nouns. While *cîinele* (M) is 'the dog', *romanele* (N) is 'the novels'. The N-noun *nume* is invariable as to number, and means 'name' or 'names'; the form *numele* means 'the name' or 'the names'.

(*d*) The definite article may be used with plural nouns in a generic sense:

vă plac romanele? do you like the novels? (*specific items*)
  or: do you like novels? (*the genre*)

7.3/2 Possessive Determiners

Possessive determiners, like adjectives, have four forms, e.g. *meu* M/N, *mea* F, *mei* M pl., *mele* N/F pl. 'my'. The gender and number agreement is with the noun they modify. The noun takes the definite article in addition. The order of elements is generally: Noun + Article Suffix — Possessive:

M profesorul meu	my teacher
N romanul meu	my novel
F profesoara mea	my teacher
M studenţii mei	my students
N romanele mele	my novels
F cărţile mele	my books

	M	N	F
sg. noun	meu		mea
pl. noun	mei	mele	

Dumneavoastră 'you' may be used as a possessive in the sense of 'your'. Its form is invariable:

profesorul ⎫
romanul ⎬ dumneavoastră 'your teacher, novel, books'
cărţile ⎭

7.3/3 Adjectives

Adjectives ending in *-esc*, like *românesc*, *englezesc*, *franţuzesc*, etc., have only three forms:

românesc *N sg.*, românească *F sg.*, româneştĭ *N/F pl.* 'Romanian'

Adjectives of this type are used only with N/F-nouns denoting inanimate objects:

o carte românească   a Romanian book
un roman românesc   a Romanian novel

	N	F
sg.	-esc	-ească
pl.	-eştĭ	

With M-nouns the forms *român*, *englez*, *francez* are used. Examples with human nouns:

un profesor român
un student român

A phrase may be preferred: *un băiat din România* 'a Romanian boy'.

7.3/4 Verb Forms

(*a*) In the Text of the Lesson we had the following verbs:

a scrie   to write
a face   to do
a citi   to read
a şti   to know

With these verbs and with all verbs ending in the infinitive in *-e* or *-i*, the first person singular and the third person plural take the same ending:

(eu, ei, ele) scriu   I, they write
(eu, ei, ele) fac   I, they do
(eu, ei, ele) citesc   I, they read
(eu, ei, ele) ştiu   I, they know

(b) *să*-clauses:

Clauses introduced by *să* are similar to those introduced by *că* 'that'. However, preceded by *să*, the verb (1) has a different form for the third person (the so-called Subjunctive), and (2) often corresponds to an English infinitive construction (rather than to a *that*-clause). Examples:

ştiţi să citiţi?	do you know how to read, can you read?
ştiţi să scrieţi?	can you write?
ştiţi să vorbiţi?	can you speak?

(c) *A plăcea*.

This verb is used in a special construction with the dative case of the personal pronoun:

îmi place	I like (it) (*lit.* to me (it) pleases)
vă place	you like (it)
îmi place cartea aceasta	I like this book
vă place cartea aceasta?	do you like this book?
vă plac romanele?	do you like novels?

Note that the form *place* is the third person singular and *plac* the third person plural of the verb. The subject may be a *să*-clause:

îmi place să citesc	I like to read, I like reading
vă place să vorbiţi	you like to speak

Preceded by *nu*, *îmĭ* is reduced to *-mĭ*, which forms a single syllable with *nu*:

nu-mĭ place să vorbesc	I don't like speaking

7.3/5 Comparison of Adverbs

The superlative degree of adverbs is formed by means of the adverbial phrase *cel mai* 'most':

bine — mai bine — cel mai bine	well — better — best

mult — mai mult — cel mai   (very) much, a lot, well —
   mult   more,   better — most,
                                 best

îmi place mai mult să citesc   I like reading better, more,
                                 I prefer reading

In the Text, however, *ce ştiţi mai bine?* is equivalent to
'what can you do best?'.

7.4 Exercises

1. Copy out the Text of the Lesson and read it aloud
several times.

*2. Write out the four basic forms of the following ten
nouns:

cafea, cîine, cofetărie, copil, ladă, masă, om, pahar,
sifon, stradă

Example:

o carte ('a book'), cartea ('the book'), cărţi ('books),
cărţile ('the books')

3. Make sentences with the help of the following
tables:

(a)

văd că (dvs.)	vorbiţi citiţi scrieţi	bine	româneşte englezeşte franţuzeşte

(b)

eu ei ele Nicu şi Ana dl. şi dna. Smith	citesc	cărţi romane nuvele	englezeşti româneşti franţuzeşti nemţeşti ruseşti

(c)

îmi	place să	vorbesc	româneşte englezeşte
vă		vorbiţi	franţuzeşte

(d)	unde e	casa cartea scrisoarea	mea?
		stiloul paharul cîinele	meu?

(e)	unde sînt	studenţii prietenii	mei?
		caietele cărţile	mele?

4. Answer the following questions orally:

Ce limbi vorbiţi?
Ce citiţi?
Ce scrieţi?
Ce carte aveţi în mînă?
Ce ştiţi mai bine[1]: să citiţi sau să vorbiţi româneşte?
Unde e caietul meu?
Unde sînt prietenii dvs.?
Unde sînt studenţii dvs.?
Ce fac studenţii dvs.?
Ce citesc prietenii dvs.?

5. Write down a set of answers to the questions in
Exercise 4, then reconstruct the questions.

*6. Translate into Romanian:

I see a Romanian book on the table. It is a novel and
I like reading novels. It is my book. It is next to an
exercise-book. It is my exercise-book. I like to write and
to read a lot. I like writing letters. Do you like writing
letters? Do you like to read short stories? Do you like
speaking French? Do you know Romanian? Can you
write Romanian? Do you read much?

[1] 'What can you do better?' or 'What are you better at?'

Lesson 8

8.1 Vocabulary

acasă *adv.* (at) home
apartament — apartamente *N* flat
baie — băi *F* bathroom, bath
bloc — blocuri *N* block of flats, apartment house
bucătărie — bucătării *F* kitchen
cămară — cămări *F* pantry, larder
convorbire — convorbiri *F* talk
de asemeni *adv.* also, too
desigur *adv.* certainly
dormitor — dormitoare *N* bedroom
ei /iei/ *inv. poss. det.* her
familie — familii *F* family
geografie /ğeografiie/ — geografii *F* geography
hol — holuri *N* (entrance-)hall
iar /iar/ *conj.* but, and
iată /iată/ *adv.* here is, here are, look!
încearcă /încĭarcă/ *vb.* (he, she, it) tries, (they) try
a încerca (să) *vb.* to try (to)
între *prep.* between
a locui *vb.* to live, to dwell, to reside
locuiesc /lokuiesk/ *vb.* (I, they) live
locuim *vb.* (we) live
lui /luĭ/ *inv. poss. det.* his
matematică — matematici *F* mathematics
nevoie /ne-vo-ĭe/ — nevoi *F* need
notă — note *F* mark
nostru, noastră, noştri /noshtri/, noastre *poss. det.* our
nouă *num.* nine
opt *num.* eight
pentru *prep.* for
salon — saloane *N* sitting-room, drawing-room
soţ — soţi *M* husband
soţie — soţii *F* wife
sufragerie — sufragerii *F* dining-room
şase *num.* six
şapte *num.* seven

să vorbească *vb.* (to) speak
toaletă /to-a-le-tă/ — toalete *F* toilet, lavatory
*u*nii /*u*ni/ *M*, *u*nele *N/F det. pron. pl.* some

Phrases

a ave*a* nev*o*ie de	to need, to have need of
într-un bl*o*c	in a block (of flats)
m*a*i avem	we also have
n*o*ta z*e*ce	ten out of ten (*lit.* the mark ten)
so*ţ*ii R*o*berts	the Robertses
şi mai m*u*lte	even more

8.2 Fam*i*lia Roberts

W*i*lliam şi Patr*i*cia R*o*berts locu*i*esc la L*o*ndra. Ei
locu*i*esc într-un apartam*e*nt într-un bl*o*c. W*i*lliam e
profes*o*r de geograf*i*e iar so*ţ*ia lui e profeso*a*ră de
matem*a*tică. Ei înva*ţ*ă ac*u*m român*e*şte. Ei înce*a*rcă să
vorbe*a*scă român*e*şte ac*a*să.

    I*a*tă o convorb*i*re între Patr*i*cia şi so*ţ*ul *e*i.

W: *U*nde locu*i*m noi, Patr*i*cia?

P: Noi locu*i*m într-un apartam*e*nt.

W: *U*nde e apartam*e*ntul n*o*stru?

P: Apartam*e*ntul n*o*stru e într-un bl*o*c.

W: Şi c*î*te c*a*mere avem?

P: Avem c*i*nci c*a*mere.

W: Au *a*lţi o*a*meni mai m*u*lte c*a*mere?

P: *Da.* *U*nii au ş*a*se, ş*a*pte, *o*pt sau no*u*ă c*a*mere, sau ş*i*
    mai m*u*lte.

W: Des*i*gur. O fam*i*lie mai m*a*re are nev*o*ie de mai m*u*lte
    c*a*mere. O fam*i*lie mai m*i*că are nev*o*ie de mai pu*ţ*ine
    c*a*mere.

P: Ce c*a*mere avem noi?

W: Avem un h*o*l, un dormit*o*r, o sufrager*i*e, un sal*o*n şi
    un bir*o*u. M*a*i avem şi o buc*ă*tăr*i*e, o căm*a*ră, o b*a*ie
    şi o toal*e*tă.

P: Cum sînt sufrageria şi bucătăria noastră?

W: Sufrageria noastră e mare dar bucătăria noastră e mică.

P: Foarte bine. Nota zece pentru lecţia de azi.

8.3 Grammar

8.3/1 Possessive Determiners

The possessives used for third-person singular reference are:

M/N-referent: *lui* 'his', 'its'
F-referent: *ei* 'her'

The forms do not change for gender or number:

apartamentul lui	his flat
soţia lui	his wife
prietenii lui	his friends
cărţile lui	his books
casa ei	her house
soţul ei	her husband
copiii ei	her children
lecţiile ei	her lessons

8.3/2 Prepositions

The preposition *în* 'in' is used with place names when both speaker and listener are in the same locality as the one they refer to. When they are not, the preposition *la* is used.

ei locuiesc în Londra (you and I are in London, and so are they)

ei locuiesc la Londra (you and I are not in London, but they are)

There is thus a relation between *în* and *aici*, and between *la* and *acolo*.

The preposition *într-* is used with nouns preceded by the indefinite article *un* or *o*:

ei locuiesc într-un bloc

Do not confuse *întt-* 'in' with *între* 'between':

o convorbire între Patricia şi William

8.4 Exercises

1. Copy out the Text of the Lesson and read it aloud several times.

2. Make sentences with the help of the following tables:

(a)

(eu) *a*m (noi) av*e*m (dvs.) av*e*ţi (ei, ele) *a*u	un	apartament bir*o*u sal*o*n dormit*o*r h*o*l	mare
	o	*ca*să *ca*meră sufrager*i*e bucătăr*i*e	

(b)

(eu) încerc	să	citesc înv*ă*ţ vorb*e*sc scr*i*u	român*e*şte englez*e*şte

(c)

(eu, ei, ele) locu*ie*sc (noi) locu*i*m	în la	L*o*ndra Bucur*e*ştĭ
	într-o	*ca*să *ca*meră
	într-un	apartam*e*nt bl*o*c

(d)

(eu) am (dvs.) aveți (noi) avem (el, ea) are (ei, ele) au	nevoie de	un	profesor dicționar stilou caiet apartament
		o	carte casă
		niște	cărți dicționare lecții

(e)

care unde	e este	dormitorul salonul biroul apartamentul	nostru?
		camera sufrageria masa	noastră?
	sînt	profesorii studenții	noștri?
		camerele cărțile	noastre?

3. Pick out the seven F-nouns in this Lesson ending in *-ie* and write them out with the definite-article suffix (on the model of *o cofetărie* in 7.3/1). Underline the stressed vowel.

4. Practise using the first ten cardinal numbers (*un/o, doi/două, trei, patru, cinci, șase, șapte, opt, nouă, zece*) with different nouns from this Lesson (e.g. *două familii, opt soți*).

5. Translate the following and then substitute five other nouns each for *pen* and *house*:

Do I need anything? Yes, you need a pen.
Does she need anything? Yes, she needs a house.

*6. Translate into Romanian:

We live in London. We have a small flat. It is in a
block of flats. It comprises (*trans.* has) four rooms and
a hall. The rooms are: a bedroom, a dining-room, a
drawing-room and a study. There is (*trans.* it has) also
a bathroom, a kitchen, a pantry and a toilet. My friend
Tom has a big house. I like his house. He is at home
now with his wife and they are trying to speak Romanian.
They speak a little Romanian and they need an English-
Romanian dictionary.

Lesson 9

9.1 Vocabulary

acest, această /ačastă/, aceşti, aceste *det.* this, that, these, those

acesta, aceasta, aceştia /ačeshtịa/, acestea /ačestẹa/ *det. pron.* this, that, these, those

al *cui*, a *cui*, ai *cui*, *a*le *cui* /kuị/ *det. pron.* whose

ar*a*tă *vb.* (he, she, it) shows

a arăt*a* *vb.* to show

at*u*ncĭ *adv.* then

ban*i* *M pl.* money

a continu*a* *vb.* to continue

să continu*ă*m *vb.* let's continue

a cr*e*de *vb.* to believe, to think

cred *vb.* (I, they) think

cred*e*ţĭ *vb.* (you) think

cr*e*zĭ *vb.* (you) think

de l*o*c *adv.* not at all

do*a*mnă — do*a*mne *F* lady

domn — domn*ĭ* *M* gentleman

feti*ţ*ă — feti*ţ*e *F* little girl

fotograf*i*e — fotograf*i*i *F* photograph

fr*a*te — fra*ţ*ĭ *M* brother

îi /îị/ *pron. dat.* (to, for) him, her

a întreb*a* *vb.* to ask

întreabă *vb.* (he, she) asks, (they) ask

întreabă (t*u*) *vb. imp.* (*you*) ask

nepo*a*tă — nepo*a*te *F* niece, granddaughter

nep*o*t — nep*o*ţĭ *M* nephew, grandson

a răsp*u*nde *vb.* to answer

răsp*u*nde *vb.* (he, she) answers

so*r*ă — sur*o*rĭ *F* sister

a z*i*ce *vb.* (he, she) says

9.2 O lecţie de gramatică

William şi Patr*i*cia f*a*c *a*zi o lecţie de gram*a*tică.

W: Ce este acesta?

P: Acesta este un c*î*ine.

93

W: Ce sînt aceştia?
P: Aceştia sînt nişte cîini.
W: Ce este aceasta?
P: Aceasta este o pisică.
W: Ce sînt acestea?
P: Acestea sînt nişte pisici.
W: Ce este acesta?
P: Acesta este un stilou.
W: Ce sînt acestea?
P: Acestea sînt nişte stilouri.
    — Ce crezi? întreabă William. E greu?
    — Cred că nu e greu, de loc, răspunde Patricia.
    — Atunci să continuăm, zice el.
    — Să continuăm, răspunde ea.

Patricia îi arată o fotografie.

P: Cine e domnul acesta?
W: Domnul acesta e fratele meu.
P: Şi cine e doamna aceasta?
W: Doamna aceasta e sora mea.
P: Cine e acest băiat?
W: Acest băiat e nepotul meu.
P: Cine sînt aceşti băieţi?
W: Aceşti băieţi sînt nepoţii mei.
P: Şi cine sînt aceste fetiţe?
W: Aceste fetiţe sînt nepoatele mele.
    — Acum întreabă tu, zice Patricia.
W: Al cui e apartamentul acesta?
P: Acesta e apartamentul nostru.
W: Ai cui sînt aceşti cîini?
P: Aceştia sînt cîinii noştri.
W: A cui e această casă?
P: Aceasta e casa noastră.
W: Ale cui sînt aceste pisici?
P: Acestea sînt pisicile noastre.
W: Al cui frate e Nicu?
P: Nicu e fratele meu.
W: A cui soră e Ana?

P: Ana e sora mea.
W: Ai cui sînt aceşti bani?
P: Aceştia sînt banii mei.
W: Ale cui sînt aceste cărţi?
P: Acestea sînt cărţile mele.
W: Foarte bine. Nota zece pentru lecţia de azi.

9.3 Grammar

9.3/1 Demonstrative Determiners

The demonstrative determiner has two forms in Romanian.

(1) When placed before the noun, the noun then carrying greater emphasis, the forms used are similar to those of adjectives:

M	N	F	
acest		această	+ sg. noun
aceşti	aceste		+ pl. noun

M acest băiat	this boy
N acest birou	this desk
F această fetiţă	this little girl
M aceşti băieţi	these boys
N aceste birouri	these desks
F aceste fetiţe	these little girls

Note that, as in English, the noun is used in its base form, i.e. without the definite article suffix.

(2) When placed after the noun so that the determiner itself carries the emphasis, the four forms end in *-a*:

	M	N	F
sg. noun +	acesta		aceasta
pl. noun +	aceştia	acestea	

M omul acesta	this man
oamenii aceştia	these men
N apartamentul acesta	this flat
apartamentele acestea	these flats
F casa aceasta	this house
casele acestea	these houses

Note that when the demonstrative follows the noun, the noun takes the definite article.

The second set of demonstratives are also used as pronouns. They agree in number and gender with their noun-referents:

acesta e prietenul meu	this is my friend
acesta e un vin bun	this is a good wine
aceasta e o casă nouă	this is a new house
aceştia sînt studenţii mei	these are my students
acestea sînt nepoatele mele	these are my nieces (grand-daughters)
acestea sînt scaune de lemn	these are wooden chairs

In colloquial speech the forms *ăsta*, *asta*, *ăştia*, *astea* are often used in place of the above forms in *-a*:

de unde aveţi asta?	where did you get this (*lit.* from where do you have this)?
studenţii ăştia nu ştiu nimic	these students don't know anything
fetiţele astea vorbesc bine româneşte	these little girls speak good Romanian

In cases where the gender is unknown, the F-forms *a(cea)sta*, *a(ce)stea* are used (note such examples in subsequent Lessons). All these forms may be translated 'this', 'these' or 'that', 'those'.

9.3/2 Nouns

(a) Diminutives

There is a large number of diminutives in Romanian, formed by means of various suffixes. For example, from the word *fată* (pl. *fete*) the diminutive *fetiţă* is formed using the suffix -*iţă*. But the same suffix may have other uses: -*iţă* is also used to change masculines into feminines:

| un doctor | a (male) doctor |
| o doctoriţă | a (female) doctor |

(b) Bani

The word *ban* means 'centime', a hundredth part of one *leu*. The plural *banĭ* is used in the sense of 'money'. Being in the plural, it imposes plural forms in determiners, adjectives and verbs:

| aceştia sînt banii mei | this is my money |

9.3/3 Pronouns

(a) Al cui

The genitive form of the interrogative *cine* 'who' is *cui* preceded by the possessive marker[1] *al, a, ai, ale*, which agrees in gender and number with the noun denoting the person or thing possessed (not with the possessor). The whole unit functions as a determiner pronoun.

	M	N	F
sg.	al cui		a cui
pl.	ai cui	ale cui	

Examples:

al *cui* frate e N*i*cu?	whose brother is Nick?
al *cui* e băi*a*tul?	whose boy, son is he (*lit.* whose is the boy)?
a *cui* e feti*ţ*a?	whose daughter is the girl?
ai *cui* sînt b*a*nii?	who does the money belong to?

[1] Usually called 'possessive article'.

ale *cui* sînt *cărțile?*   who do the books belong
                                       to?

  (b) *Îi*

This pronoun is the dative (indirect-object) form of
el, ea:

William îi ar*ată* o fotograf*ie*   William shows a photo to
                                       her, shows her a photo

Patr*i*cia îi ar*ată* o fotograf*ie*   Patricia shows him a photo-
                                       graph

W*i*lliam îi răsp*u*nde   William answers, replies to,
                                       responds to him, her

9.3/4 *Să*-Clauses

Verb forms preceded by *să* used as independent clauses
function as imperatives. They frequently correspond to
English constructions with *let*:

să continu*ă*m   let's continue
să învăț*ă*m   let's learn
să vorb*i*m român*e*ște   let's speak Romanian
să cite*a*scă   let him, her, them read
să scri*e*ți   write!, why not write?

9.3/5 Word Order

  (*a*) After a quotation, the verb of saying, replying, etc.,
comes before the subject:

— Atunci să continuăm,   'Let's continue then,' he
   zice el   says

— Să continuăm, răspunde   'Let's continue,' she replies
   ea

  (*b*) The conjunction *că* 'that' is not generally replaced
by zero:

cred că nu e greu   I don't think (that) it's hard

  Note the position of *nu* in this sentence: it (more
logically) negates the phrase *e greu* rather than the
verb *cred.*

9.4 Exercises

1. Copy out the Text of the Lesson and read it aloud several times.

2. Make sentences with the help of the following tables:

(a)

acesta	este e	un băiat un student un profesor
aceasta		o fetiță o studentă o profesoară

(b)

acest	băiat student profesor om	este e	prietenul fratele nepotul	meu nostru

(c)

cine	e este	băiatul studentul profesorul omul	acesta?
		fetița studenta profesoara	aceasta?

(d)

al cui	e este	biroul stiloul apartamentul dicționarul	acesta?
a cui		casa cartea camera fetița	aceasta?

(e)	ai cui	sînt	copiii cîinii	aceştia?
	ale cui		fotografiile casele	acestea?

3. Convert the following statements into questions, replacing the subject by the interrogative *cine* or *ce*:

Patricia vorbeşte româneşte.
Fratele meu stă la birou şi scrie.
Nicu ştie englezeşte.
William învaţă româneşte.
Ana scrie o scrisoare.
Dl. Soare e în salon.
D-na Soare e în sufragerie.
Ceaiul e pe masă.
Masa e sub un pom în grădină.
Stiloul e pe birou.
Paharul e lîngă sticlă.

*4. Translate into Romanian (use *dvs.* for 'you'):

Patricia shows him a book. Let us read this text. I don't think it is difficult at all. What do you think? I think this text is easy. I like this text. Do you like it too (*vă place şi dvs.*)? Yes, I do. Do you like these books? Yes, I do. Whose are these books? They are my books. Do you have Romanian books too? Yes, I do. What other books do you read (*mai citiţi*)? I also read English and French books. What other languages do you know? I also know German and Russian.

5. Supplementary Reading Text:

Sînt cu soţia mea la o masă într-o cofetărie. Cu noi la masă mai sînt: fratele meu, sora ei şi prietenii noştri, William şi Patricia. Ei sînt acum în Bucureşti, în România.

Patricia şi soţia mea iau cîte ('each', 'both') un ceai şi chifle. William ia o cafea. Eu iau tot o cafea. Fratele şi sora mea iau prăjituri. Vorbim între noi ('among ourselves', 'together') româneşte. Prietenii noştri din Anglia ştiu puţin româneşte. Noi ştim puţin englezeşte.

Lesson 10

10.1 Vocabulary

bineînţeles (că) *adv.* of course, certainly
bomboană — bomboane *F* sweet
a costa *vb.* to cost
a costat *vb.* (it) (has) cost
a cumpăra *vb.* to buy
ai cumpărat *vb.* (you) (have) bought
am cumpărat *vb.* (I, we) (have) bought
de *mark.* by
deoarece /deoareče/ *conj.* as, because
despre *prep.* about
destul *det. pron.* enough
dialog /di-a-log/ — dialoguri *N* dialogue
drum — drumuri *N* way, road
după *prep.* after
exact *adv.* precisely, correct, that's right, that's it
au făcut *vb.* (they) (have) made
fără *prep.* without
fel — feluri *N* kind, sort, way
folositor, folositoare, folositori, folositoare *adj.* useful
a ghici /giči/ *vb.* to guess
ghici *vb. imp.* guess!
ai ghicit *vb.* (you) (have) guessed
ghid — ghiduri *N* guide
greşeală — greşeli *F* mistake
ieftin /ieftin/, ieftină, ieftini, ieftine *adj.* cheap
a invita *vb.* to invite
a fi invitat *vb.* to be invited
au fost invitaţi *vb.* (they) have been invited, were invited
invitaţie — invitaţii *F* invitation
a începe (să) *vb.* to begin, to start (to)
ai început *vb.* (you) have begun, began
lor *poss. det.* their
oraş — oraşe *N* town
plăcere — plăceri *F* pleasure
pleacă *vb.* (he, she) leaves, (they) leave
a pleca (la, în) *vb.* to go (to), to leave (for)

a pleca*t* *vb.* (he, she) has gone, went, (has) left
a prim*i* *vb.* to receive, to get, to accept
au prim*it* *vb.* (they) (have) received, accepted
privitor la *prep.* regarding, concerning
au scr*is* *vb.* (they) have written, wrote
a sp*u*ne *vb.* to say, to tell
n-am spus *vb.* (I, we) haven't said, didn't say
totuşi *adv.* however, nevertheless, yet
a ven*i* *vb.* to come
vez*i* *vb.* (you) see
vin *vb.* (I, they) come

Phrases

ai ghic*i*t	you've guessed it
ce-ai /čaĭ/ . . .?	what have you . . .?
c*e* f*e*l de c*a*rte?	what kind of book?
cu plă*ce*re	with pleasure
d*u*pă-m*a*să[1]	(in the) afternoon, evening, after lunch, dinner
ei au f*o*st invita*ţ*i în România	they have· been invited to Romania
eşt*i* pe dr*u*mul cel b*u*n	you're on the right track, you're getting warm

10.2 Patr*i*cia şi W*i*lliam pleac*ă* în Român*i*a

Patr*i*cia şi W*i*lliam au f*o*st invita*ţ*i de prietenii lor S*a*ndu
si *A*na Tom*e*scu în Român*i*a. Ei au prim*i*t cu plă*ce*re
invita*ţ*ia şi au scr*is* c*ă* v*i*n la Bucureşti. După-m*a*să
W*i*lliam a pleca*t* în or*a*ş şi a cump*ă*rat un gh*i*d privit*o*r la
Român*i*a. Deoarece învaţă român*e*şte ei au încerca*t* să
vorb*ea*scă puţ*i*n în ac*ea*stă l*i*mbă. B*i*neînţel*e*s că au făc*u*t
şi greşeli dar au făc*u*t totuşi un exerci*ţ*iu fo*a*rte folosit*o*r.
    I*a*tă dial*o*gul lor. (A*i*ci f*ă*ră greşeli!)

[1] This is used to refer to that part of the day following the main
meal, which may be taken quite late in the afternoon.

P: Unde ai fost?

W: Am fost în oraş.

P: Şi ce-ai făcut?

W: Am cumpărat ceva.

P: Ce-ai cumpărat?

W: Ghici!

P: Bomboane?

W: Nu.

P: O carte?

W: Da. Dar ce fel de carte?

P: Un roman.

W: Nu.

P: Un dicţionar.

W: Nu. Dar eşti pe drum bun.

P: Ceva despre România.

W: Da. Ai ghicit.

P: Un ghid privitor la România.

W: Exact.

P: A costat mult?

W: Nu. Am cumpărat un ghid ieftin şi bun.

P: Ai făcut foarte bine. Vezi, n-am spus 'dumneavoastră aţi făcut foarte bine', fiindcă eşti soţul meu.

W: Văd că ai început o lecţie de gramatică. Mulţumesc, dar pentru azi e destul.

10.3 Grammar

10.3/1 Adjectives

Adjectives ending in *-or* have only three forms. The F-plural is identical with the F-singular:

	M	N	F
sg.	folositor		
pl.	folositori	folositoare	

N un exerci*ț*iu folosit*or*	a useful exercise
exerci*ț*ii folosito*are*	useful exercises
F o c*a*rte folosito*are*	a useful book
c*ă*r*ț*i folosito*are*	useful books

10.3/2 Verbs

(*a*) *The Present Perfect*

This tense is formed in a similar way to the English present perfect. In Romanian you use reduced forms of the verb *a avea* 'to have' together with the past participle of the selected verb. The verb *a spune* 'to say' goes like this:

(eu) am spus	I (have) said
(tu) ai spus	you (have) said
(el, ea) a spus	he, she (has) said
(noi) am spus	we (have) said
(voi, dvs.) a*ț*i spus	you (have) said
(ei, ele) au spus	they (have) said

Note that the full forms *are, avem, aveți*, are not used in this compound tense. Instead we use the reduced or contracted forms *a, am, ați*. Do not confuse this *a* (as in *a spus* 'he (has) said') with the infinitive marker *a* (as in *a spune* 'to say'). The other parts of *a avea* are not reduced or contracted.

The use of the perfect tense in Romanian is not so restricted as in English. You may use it as a *past tense*, so that *am spus* often translates 'I said' as well as 'I have said', 'I have been saying'.

To form the past participle you add -*t* to infinitives ending in -*a*, -*i*, and -*î*, while you replace the infinitive ending -*ea* by -*ut*. Some infinitives in -*e* replace this -*e* by -*ut*, others replace the final consonant (if there is one) plus the -*e* by -*s*.

Examples:

| a cumpăr*a*: am cumpăr*at* | I, we (have) bought |
| a încerc*a*: a încerc*at* | he, she (has) tried |

a citi: ați citit	you (have) read
a veni: au venit	they have come, came
a avea: a avut	he, she (has) had
a începe: am început	you have begun, began
a scrie: ați scris	you have written, wrote
a răspunde: ai răspuns	you (have) answered

Sometimes there are changes in the root:

| a face: am făcut | I, we (have) made |
| a crede: a crezut | he, she (has) believed, thought |

And there are a few irregulars:

| a fi: ați fost | you have been, were |
| a ști: au știut | they have known, knew |

Check the past participles of other verbs you know in Appendix 2.

(b) Contracted Forms

We often use contracted forms in English as in 'where's he go, going, gone', where the 's stands for *does*, *is* or *has*, as the case may be. There are a number of comparable forms in Romanian. Instead of an apostrophe, a hyphen is used to denote the contraction in writing:

ce + *ai*, pronounced /čai/, is written *ce-ai*.

Similarly we write:

ce-ați /čatsĭ/, *ce-a* /ča/, *ce-au* /čau/

The vowel of *nu* 'not' regularly drops with the perfect:

n-am spus 'I, we didn't say, haven't said', n-ai spus, n-a spus, n-ați spus, n-au spus.

(c) The Passive Voice

Like English *to be*, *a fi* is used in passive constructions. These are formed by using *a fi* in an appropriate tense together with the past participle of the verb selected. In this use the past participle is treated as an adjective, with four forms:

invitat, invitată, invitați,   invited
  invitate

Which form we use depends on the gender and number of the subject:

el a fost invitat   he ⎫
ea a fost invitată   she⎬ was, has been invited

ei au fost invitați ⎫
ele au fost invitate⎭   they were, have been invited

The agent of passive constructions is introduced by the marker *de* 'by':

Patricia și William au fost   P. and W. have been in-
  invitați de prietenii lor   vited by their friends

(With a mixed subject, the male has dominance over the female.)

With *dvs.* the past participle of the main verb agrees in number and gender with the referent:

dvs. ați fost invitat în   you (one male) have been
  România   invited to R.
dvs. ați fost invitată în R.   you (one female) . . .
dvs. ați fost invitați în R.   you (more than one male
                                  or mixed group) . . .
dvs. ați fost invitate în R.   you (more than one female)
                                  . . .

10.4 Exercises

1. Copy out the Text of the Lesson and read it aloud several times.

2. Make sentences with the help of the following tables:

| (a) | (dvs.) ați
(el, ea) a
(ei, ele) au | primit
cumpărat | cartea?
romanul?
nuvela? |

(b)

unde	ați a am	fost	invitat? invitată?
	ați am au		invitați? invitate?

(c)

ați am a au	cumpărat	o	carte casă lampă masă	ieftină
		un	dicționar apartament roman birou stilou	ieftin

(d)

cît costă	cartea masa lampa casa fotografia	aceasta?
	dicționarul romanul apartamentul stiloul	acesta?

(e)

ce-ați ce-a ce-au	spus? primit? cumpărat? făcut?

(f)	aţi a au	sp*u*s prim*i*t cumpăr*a*t făc*u*t	ce*v*a?

(g)	n-*a*m n-*a*u n-*a*ţi n-*a*	sp*u*s prim*i*t cumpăr*a*t făc*u*t	nim*i*c

*3. Insert the correct form of the perfect tense in the blanks, using the following verbs: *a fi, a face, a cumpăra, a costa, a fi invitat.*

Unde —— soţul dvs.? —— în oraş. Ce —— el? —— o carte. Ce fel de carte ——? —— un ghid. Cît —— ghidul? Ghidul —— zece lei. Unde ——? —— în România. De cine ——? —— de prietenii noştri din România.

*4. Translate into Romanian:

Mr and Mrs Tomescu live in Bucharest. They live in a very big house. It is a block (of flats) and they live in a flat with five rooms. They have two children: a boy and a little girl. Their son is learning English and their little girl is learning French. The boy reads English well but he does not speak English so well. The little girl has many French books and she tries to write letters in French (*trans.* in the French language).

Lesson 11

Revision

11.1 Dialog

Ce aveţi acolo pe masă?	Aici, pe masă, am un dicţionar.
Şi ce e lîngă dicţionar?	Lîngă dicţionar e o carte.
Ce aveţi în mînă?	Am un creion.
Cît a costat creionul?	A costat doi lei.
Asta e mult?	Nu, nu e mult de loc.
Văd că aveţi şi un stilou. E stiloul dvs.?	Da, e stiloul meu.
Cît a costat stiloul?	A costat o sută de lei (= 100 lei).
E mult o sută de lei?	Este şi nu este.
Ce e mai ieftin, un stilou sau un creion?	Un creion, desigur.
Văd că ştiţi româneşte.	Da, ştiu puţin.
Cred că ştiţi mult, deoarece vorbiţi foarte bine.	Mulţumesc, dar nu vorbesc aşa ('so') bine. Ştiu ceva româneşte dar nu foarte bine.
De unde ştiţi româneşte?	Am învăţat cu un profesor român şi am fost şi în România.
Cu cine aţi fost în România?	Am fost cu soţia mea.
La cine aţi fost?	Am fost la nişte prieteni.
Unde locuiesc prietenii dvs.?	Ei locuiesc în Bucureşti.
Locuiesc ei de mult în Bucureşti?	Da, de mult.
Ce fel de casă au ei?	Ei au un apartament într-un bloc.
Au multe camere?	Da, au cinci camere.
Vă place limba română?	Da, îmi place foarte mult.
Învăţaţi de mult româneşte?	Nu, nu de mult.
Şi citiţi acum cărţi româneşti?	Da, citesc.
Ce fel de cărţi?	Romane şi nuvele.

Ce este pe biroul meu?	Pe biroul dvs. e o foto-grafie.
Ştiţi a cui e fotografia?	Da. E fotografia dvs.
Cine sînt în fotografie?	În fotografie sînt: soţia dvs., dvs., surorile mele, fratele meu şi nepoţii şi nepoatele mele.
Unde sîntem în fotografie?	Sînteţi după-masă în sufra-gerie.
Vă place fotografia?	Da, îmi place. E o foto-grafie bună.
Cîţi copii are sora dvs.?	Are trei copii: doi băieţi şi o fetiţă.
Şi fratele dvs.?	El are doi: o fată şi un băiat.
Ce limbă învaţă fetiţa?	Ea învaţă franţuzeşte.
Şi băiatul?	El învaţă nemţeşte.
Vă place lecţia asta?	Da, îmi place.
Nu e grea?	Desigur că e grea, dar e bine că e grea.
Are dl. Tomescu un cîine?	Da, are. Are un cîine mare.
Dar dna. Stănescu?	Nu, dna. Stănescu nu are un cîine, dumneaei are o pisică.
Vă plac cîinii şi pisicile?	Da, îmi plac, dar mai mult îmi plac cîinii.

11.2 Notes on the Text

1. Note the use of *a şti* and *ceva*:

ştiu ceva româneşte	I know some Romanian

Ceva, like *puţin*, contrasts with *mult*. The verb may be modified by *bine*:

ştiu ceva româneşte dar nu foarte bine	I know a little Romanian but not much, but I don't know it very well
de unde ştiţi româneşte?	how and/or where did you learn Romanian?

2. Clauses modified by such words as *desigur*, *bine* and *bineînţeles* are introduced by the conjunction *că* 'that':

desigur că e grea   certainly it's difficult

3. The phrase *de mult* means 'for a long time (now)', and where it is used with the present tense we would have the perfect in English:

locuiesc ei de mult in   have they been living, lived
    Bucureşti?   in Bucharest long?

11.3 Exercises

1. Read aloud the following lists of words, which present special pronunciation difficulties:

A. Words ending in -*i*:

(a) Plural of Nouns

M: băieţi, cîini, doctori, englezi, nepoţi, oameni, pomi, prieteni, profesori, romậni, soţi, studenţi

N: blocuri, dialoguri, drumuri, ghiduri, stilouri, trenuri

F: cărţi, convorbiri, curţi, greşeli, grădini, lămpi, lăzi, limbi, mîini, pisici, prăjituri, săli, scrisori, străzi, surori

(b) Verb Forms

aveţi	învăţaţi
citiţi	luaţi
credeţi	scrieţi
crezi	sînteţi
eşti	ştiţi
ghici	vezi
invitaţi	vorbiţi

(c) Other Words

aceşti	cinci
aici	englezeşti
alţi	ieftini
atunci	franţuzeşti
azi	îmi

mici   românești
mulți   rusești
nu-mi   totuși
nemțești ușori
puțini

B. Endings incorporating -*i*-:

(*a*) *Feminine Singular Nouns* with the ending -*ie* /-iịe/:

o bucătăr*i*e /bu-kă-tă-r*i*-ịe/
o cofetăr*i*e
o conversa*ț*ie /kon-ver-sa-tsi-ịe/
o fotograf*i*e
o geograf*i*e
o invita*ț*ie
o lec*ț*ie
o so*ț*ie
o sufrager*i*e

(*b*) *The above nouns with the suffixed article*: -*ia* pronounced /-iịa/.

bucătăr*i*a /bukătăr*i*ịa/
cofetăr*i*a
conversa*ț*ia /konversatsiịa/
fotograf*i*a
geograf*i*a
invita*ț*ia
lec*ț*ia
so*ț*ia
sufrager*i*a
Also: Român*i*a
   Anglia

(*c*) *The same nouns in the plural*: -*ii* pronounced /-iị/.

bucătăr*i*i /bukătăr*i*ị/
cofetăr*i*i
conversa*ț*ii /konversatsiị/
fotograf*i*i
geograf*i*i

invita*ţ*ii
lec*ţ*ii
so*ţ*ii
sufrager*i*i

(*d*) *M-nouns in the plural with the definite article*: -*ii*
pronounced /-i/.

b*a*nii /bani/
băie*ţ*ii
cop*i*ii /kop*i*(*ị*)i/
engl*e*zii
leii /le-i/
o*a*menii
prietenii
rom*â*nii
so*ţ*ii
studen*ţ*ii

C. Certain words with an initial *e-*:

e /*ịe*/, ei /*ịeị*/, el /*ịe*l/, *e*le /*ịe*le/, *e*ste /*ịe*ste/, e*ş*ti
/*ịe*sht*ĭ*/, eu /*ịeụ*/

D. Other words:

crei*o*n /kre-*ị*on/
creio*a*ne /kre-*ịọa*-ne/
deoarec*e* /de-*ọa*-re-c*e*/
no*ş*tri /n*o*-shtri/

*2. Recite the singular forms, first with, then without,
the definite article, of the nouns in 1. A. (*a*) above.
   Example:

M băie*ţ*i: băi*a*t, băi*a*tul

3. Recite the F-plural nouns in 1. B. (*c*) above with
the definite article. This means adding *two* syllables.
   Example:

bucătăr*i*i /bu-kă-tă-r*iị*/: bucătăr*i*ile /bu-kă-tă-r*i*-i-le/

4. Make sentences with the help of the following tables:

(a)

ştiu vorbesc citesc scriu	(foarte)	bine puţin	româneşte englezeşte franţuzeşte nemţeşte ruseşte

(b)

îmi	place să	citesc vorbesc scriu	româneşte englezeşte franţuzeşte nemţeşte ruseşte
vă		citiţi vorbiţi scrieţi	

5. Turn to the Verb List (Appendix 2) and pick out all the verbs we have introduced so far (over two dozen), and try to learn all the forms listed. Note the similarities and differences in the forms of the endings and any vowel and/or consonant changes in the roots. Use some of them in sentences.

Lesson 12

12.1 Vocabulary

așa, *adv.* so, in this way, that's the way, like this
ca să *conj.* so that, so as to, in order that
am citit *vb.* (I, we) (have) read
corect *adv.* correctly
să fac *vb.* (to) do, (to) make
să faceți *vb.* (to) do, (to) make
începeți *vb.* (you) begin
să începem *vb.* let's begin
întrebare — întrebări *F* question
să învăț *vb.* (to) learn
să învățați *vb.* (to) learn
să învețe *vb.* (to) learn
nici *conj.* nor, neither, not . . . either
prea /preа/ *adv.* too, very, so
a pune *vb.* to put, to put on
răspundeți *vb.* you answer
a repara *vb.* to repair, to mend
repede *adv.* quickly
a ruga *vb.* to ask
să rugați *vb.* (to) ask
am scris *vb.* (I, we) wrote, have written
spuneți *vb.* (you) tell, say
străin /stră-in/, străină, străini, străine *adj.* foreign
a trebui *vb.* to have (to), must
trebuie *vb.* must (*all persons*)
să vorbim *vb.* (to) speak
să vorbiți *vb.* (to) speak
am vorbit *vb.* (I, we) spoke, have spoken
a vrea /vreа/ *vb.* to want, to like
vreau /vreаu/ *vb.* (I) want
vreți *vb.* (you) want

Phrases

cît mai multe exerciții	as many exercises as possible
a pune o întrebare	to ask a question

ca să vorbi*ţi*	so as to speak, in order to speak
*a*sta şi *f*ac	that's just what I do do (*lit.* 'that I also do' *or* 'that I already do')
să ved*e*ţi d*vs.*	you see

12.2 Un dialog între un român şi un englez[1]

— Vreţi să vorbiţi româneşte?

— Da, vreau.

— Să începem atunci. Eu vă pun întrebări şi dvs. îmi răspundeţi.

— Foarte bine. Începeţi, vă rog.

— Vreţi să învăţaţi mai repede şi mai bine româneşte?

— Desigur că vreau. Ce trebuie să fac pentru asta?

— Trebuie să faceţi cît mai multe exerciţii ca să vorbiţi corect. Trebuie să vorbiţi mult româneşte, să citiţi şi chiar să scrieţi.

— Asta şi fac. Dar dvs. cum aţi învăţat englezeşte?

— Eu aşa am învăţat: am vorbit, am citit şi am scris foarte mult în această limbă.

— Ştiu că ştiţi să vorbiţi foarte bine limba engleză.

— Da. Dar să vedeţi dvs., am avut nevoie de mult timp ca să învăţ englezeşte.

— Vă cred. Nu e uşor pentru un român să înveţe englezeşte.

— Dar pentru dvs. a fost greu să învăţaţi româneşte?

— Nu, nu a fost prea greu; dar nici uşor.

12.3 Grammar

12.3/1 Pronouns: *îmi* and *vă*

These pronouns (see also Lesson 7) are used with verbs of saying, replying, giving, etc. They come immediately before all parts of the verb:

---

[1] From this point on, stress will not normally be shown in the Texts.

dvs. îmi răspundeți   you reply to me, answer me
eu vă pun întrebări   I'll ask you some questions

12.3/2 Verbs

(a) The Subjunctive

After the conjunction *să* the form of the verb (the
subjunctive form) for the third person is different from
the verb form used in the absence of *să*. In addition,
after *să* the form of the verb for the third person singular
and third person plural are always identical:

Indicative		Subjunctive
Sg.	*Pl.*	*Sg./pl.*
pleacă	pleacă	să plece
învață	învață	să învețe
citește	citesc	să citească
vorbește	vorbesc	să vorbească
face	fac	să facă

When we want to say 'he is learning Romanian', we
say:

învață românește

But for 'he wants to learn Romanian' we say:

vrea să învețe românește

Learn the following:

învăț franțuzește	I'm learning French
trebuie să învăț franțuzește	I must learn French
scrieți o scrisoare	you're writing a letter
vă place să scrieți scrisori	you like writing letters
el citește o carte	he is reading a book
el vrea să citească o carte	he wants to read a book

The third person subjunctive form of the verbs used in
this book is given in Appendix 2.

(b) A vrea

— Cînd pleacă?   — When is he leaving?
— Pleacă mîine.   — He leaves tomorrow.

— Cînd pleacă?   — When is he leaving?
— Vrea să plece acum.   — He wants to leave now.
— Vreți să plecați acum?   — Do you want to leave
                                     now?
— Da, vreau.   — Yes, I do.

Note, especially, the last example. The verb in the
question is repeated in the answer, without the *să*. There
is no equivalent in Romanian to this particular use of *do*
in English.

(c) *A trebui*

This verb is invariable in the present indicative:

(eu, tu, el, noi, voi, ei) trebuie /tre-bu-ie/

Examples:

eu trebuie să plec	I must leave
el trebuie să plece	he has got to leave
dvs. trebuie să plecați	you have to leave
ei trebuie să plece	they must leave
a trebuit să vorbesc	I had to speak

This verb is also used impersonally, with a dative
pronoun such as *îmi* or *vă*. In this use it indicates need,
rather than obligation, and is generally only followed by
a noun or pronoun (not a clause):

îmi trebuie ceva	I need something
(*Cf.* am nevoie de ceva.)	
îmi trebuie un stilou să scriu asta	I need a pen for writing this

Note also:

asta trebuie reparată	this needs mending (*lit.* this needs (to be) mended)

See also 25.3/3.

12.4 Exercises

1. Copy out the Text of the Lesson and read it aloud.

2. Make sentences with the help of the following tables:

(a)

învăţ	să	citesc	repede	româneşte
am învăţat		vorbesc	bine	englezeşte
vreau		scriu	corect	franţuzeşte
trebuie				nemţeşte
încerc				ruseşte
ştiu				
încep				
îmi place				

(b)

ştiu	că	aţi	scris	o	carte
ştim		a	citit		nuvelă
cred		au	primit		scrisoare
desigur		ai			
				un	roman

(c)

trebuie	să	vorbiţi	mai	mult	româneşte
încercaţi		citiţi		bine	englezeşte
vă rog		învăţaţi		repede	franţuzeşte
		scrieţi		corect	

(d)

trebuie	să	cumpere		o	carte
vrea		primească			nuvelă
vor		ia			
		citească		un	roman
		scrie			

*3. Complete the second clause of each sentence with the verb given in brackets. The subject of both clauses is the same.

Vreţi să . . . acum româneşte? (a vorbi)
Vreau să vă . . . ceva. (a ruga)
Vreau să vă . . . o scrisoare. (a scrie)

(Eu) am început să . . . românește. (a învăța)
(Noi) am început să . . . un roman românesc. (a citi)
A vrut să . . . o nuvelă. (a scrie)
(Eu) am vrut să . . . acasă. (a sta)

*4. Translate into Romanian (English items in brackets
may be omitted):

I went to the café and bought eight cakes. I like
chocolate very much, so (*aşa că*) I bought six chocolate
cakes. There I had a (cup of) coffee, as I also like coffee.
I was with my friend Tom. He had a (cup of) milk
chocolate. It did not cost (very) much. I think it cost
nine lei.

In the afternoon I was invited to my friends(' home)
with my brother. We spoke about Romanian books and
dictionaries. My friend Peter has learnt several foreign
languages, and he knows enough English, French and
German to (*ca să*) read easy short stories in these
languages. He likes to read books and write letters in
foreign languages.

Do you like to read books in Romanian or other
foreign languages? I think you like to buy and read
foreign books. If you want to learn a foreign language,
you must read a lot in that (*acea*/ačá/) language.

Lesson 13

13.1 Vocabulary

aeroport /a-e-ro-port/ — aeroporturĭ *N* airport
a anunṭa *vb.* to inform, to tell, to announce
anunṭaṭĭ *vb.* (you) inform, tell
a aştepta *vb.* to wait, to wait for
avion — avioane /a-vi-ǫa-ne/ *N* aeroplane
bagaj — bagaje *N* luggage
bilet — bilete *N* ticket
a călători *vb.* to travel
călătorie — călătorii *F* journey, trip
cînd *adv.* when
dimineaṭă — dimineṭĭ *F* morning
dintre *prep.* between
fiindcă /fi-ind-kă/ *conj.* because, for
înainte /î-na-in-te/ de *prep.* before
încă *adv.* still, yet
înseamnă *vb.* (he, she, it) means
a însemna *vb.* to mean, to signify
lui /luĭ/ *mark.* to
mîine *adv.* tomorrow
ne *pron. acc./dat.* us, to us, for us
oră — ore *F* hour, time
plecare — plecărĭ *F* departure, leaving
poimîine *adv.* the day after tomorrow
a putea *vb.* to be able, can, may
a sosi *vb.* to arrive
sosiṭĭ *vb.* (you) arrive
a sta *vb.* to stay
telegramă — telegrame *F* telegram, cable
a termina *vb.* to finish (doing)
a trimite *vb.* to send
a uita /uĭta/ (de) *vb.* to forget (about)
ai uitat *vb.* (you) forgot, have forgotten
va, veṭĭ, voi, vor *vb.* will, shall
zi — zile *F* day

122

Phrases

bine că nu plecăm	it's good we're not leaving
cu avionul	by air, by plane
cu trenul	by train
dimineața	in the morning
a face bagajele	to pack, do the packing
a face drumul	to get there, do the journey
ne veți face mare plăcere	we shall be very glad (*lit.* you will do us great pleasure)
în felul acesta	in this way, that way, by these means
în patru ore	in four hours
încă n-am terminat bagajele	I, we haven't finished (the) packing yet
poimîine dimineață	on the morning of the day after tomorrow

13.2 Înainte de plecare

William a cumpărat biletele de avion iar Patricia a început să facă bagajele. Ei vor călători cu avionul și nu cu trenul, fiindcă în felul acesta vor face drumul mai repede și deci vor putea sta mai multe zile în România. Avionul va pleca dimineața din Londra și în patru ore va fi la București.

Iată dialogul dintre ei privitor la călătoria lor:

P: Cînd plecăm?

W: Poimîine dimineață.

P: Bine că nu plecăm mîine, fiindcă încă n-am terminat bagajele.

W: Mîine voi trimite o telegramă lui Sandu și Ana.

P: Crezi că ne vor aștepta la aeroport?

W: Desigur. Ai uitat ce ne scrie Sandu? 'Ne veți face mare plăcere dacă ne anunțați ora cînd sosiți la București.' Asta înseamnă că vor veni la aeroport.

P: Atunci e bine.

13.3 Grammar

13.3/1 Nouns

(a) There is a special class of F-nouns which are formed from infinitives by the addition of the suffix -*re*:

a plec*a* 'to leave'	plec*are* 'departure', 'leaving'
a sos*i* 'to arrive'	sos*ire* 'arrival'
a scr*ie* 'to write'	scr*iere* 'writing'
a vede*a* 'to see'	ved*ere* 'sight'
a plăce*a* 'to please'	plă*cere* 'pleasure'

(b) The indirect-object marker *lui* 'to', 'for' is used before proper names:

Voi trimite o scrisoare lui Sandu	I will send a letter to Sandu
Sandu va trimite o scrisoare lui Petre	Sandu will send a letter to Peter

13.3/2 Pronouns: *ne*

The personal pronoun *ne* 'us', 'to us', 'for us', like *îmi* and *vă*, is always placed before the verb:

ne vor aştepta	they'll be waiting for us
dacă ne anunţaţi	if you tell us
ne veţi face mare plăcere	we'll be very pleased
ce ne scrie Sandu	what Sandu writes (to) us

13.3/3 Verbs

(a) *Future Tense*

As in English, there are various grammatical and lexical ways of indicating future time. Again as in English, one of these ways involves the use of an auxiliary verb with the infinitive without the marker *a*. The parts of the auxiliary verb are: *voi, vei, va, vom, veţi, vor*.

With *a fi* 'to be':

(eu) voi		I	
(tu) vei		you	
(el, ea) va	fi	he, she, it	will be
(noi) vom		we	
(voi) veţi		you	
(ei, ele) vor		they	

ei vor călători cu avionul	they're going by air, they're going to fly
avionul va pleca dimineaţa	the plane will leave in the morning
mîine voi trimite o telegramă	tomorrow I'll send off a telegram

(b) *A putea*

This verb enters into two constructions, equivalent in meaning. It may be followed by (1) an infinitive without *a*:

vor putea sta	they'll be able to stay

or (2) a *să*-clause:

vor putea să stea /stẹa/	they'll be able to stay

13.4 Exercises

1. Copy out the Text of the Lesson.

2. Make sentences with the help of the following tables:

(a)	cînd	veniţi sosiţi plecaţi	la	Bucureşti? Londra? Paris?
			în	România? Anglia? Franţa?

(b)

cred	că	voi vei va vom veți vor	putea	veni sosi pleca	mîine poimîine

(c)

va vor	încerca învăța putea şti începe	să	citească scrie vorbească	româneşte englezeşte franţuzeşte nemţeşte ruseşte

(d)

vă rog să	ne îi	scrieți trimiteți	o scrisoare

(e)

cred ştiu	că vom	învăța putea	să	citim vorbim scriem	repede bine	româneşte englezeşte franţuzeşte

*3. Rewrite the following sentences, using the future auxiliary *voi, vei, va, vom, veți, vor* (only the verb in the *că*-clause in complex sentences needs to be put into the future):

Plecăm mîine.

Soseşte poimîine.

Cred că plec.

Credem că primiţi scrisoarea mîine dimineaţă.

Ştiu că veniţi poimîine.

Ştim că locuiţi la Bucureşti.

*4. Complete the following sentences, using the correct form of the verbs given in brackets:

Vă rugăm să . . . cu noi. (a veni — dvs.)

Vrea să . . . cu dvs. (a vorbi — el)

Vă rog să . . . lecția. (a învăța — dvs.)
Știm să . . . lecția. (a citi — noi)
Am început să . . . românește. (a vorbi — noi)
Patricia și William știu să . . . românește. (a vorbi — ei)
Am uitat să . . . telegrama. (a trimite — eu)
Nu știu să . . . bagajele. (a face — eu)
Trebuie să . . . un dicționar. (a cumpăra — dvs.)
Nu vreau să . . . scrisoarea. (a scrie — eu)

*5. Translate:

Patricia and William have been invited by their friends
Ana and Sandu to Romania. They were very pleased to
get the invitation (*trans.* they received with great pleasure
the invitation). They want to fly (*trans.* travel by plane),
so William bought two air tickets. Patricia began to pack
quickly. They will leave on the morning of the day after
tomorrow, and in three or four hours they will arrive in
Bucharest. William bought a big dictionary for Sandu,
and Patricia bought two or three English novels for Ana.
William and Patricia know that Ana and Sandu will be
at the airport.

Lesson 14

14.1 Vocabulary

an — ani *M* year
anume *adv.* namely, then
să călătorească *vb.* (to) travel
costum — costume *N* suit, costume
costum de baie — costume de baie *N* swimming costume
cum *adv.* as
excursie — excursii *F* excursion, trip
frumos, frumoasă, frumoşi, frumoase *adj.* beautiful, nice
ieri /ieri/ *adv.* yesterday
îi *M pron. acc.* them
loc — locuri *N* place, room
lor *pron. dat.* them, to them, for them
lor *poss. det.* their
lună — luni *F* month, moon
mare — mări *F* sea
munte — munţi *M* mountain
să meargă *vb.* (to) go
a merge *vb.* to go, to travel
oare *adv.* I wonder (if)
parcă *adv.* apparently, I think, it seems (that)
peste *prep.* over
a petrece *vb.* to spend (time), to enjoy oneself
plan — planuri *N* plan
săptămînă — săptămîni *F* week
sigur, sigură, siguri, sigure *adj.* certain, sure
soare — sori *M* sun
şi . . . şi *conj.* both . . . and
ştii /shtii/ *vb.* (you) know
timp *N* weather, time
timp de *prep.* for (a period of)
tot, toată, toţi, toate *det.* all, everything
vai *int.* oh!
vară — veri *F* summer
a vedea *vb.* to see
a vizita *vb.* to visit, to pay a visit

Phrases

am uit*a*t de cost*u*m	I forgot about the costume, I forgot to buy a costume
îi vom ru*ga* pe *A*na şi S*a*ndu	we'll ask Ana and Sandu
în ora*ş*	in (the) town
la m*a*re	to, at the seaside
la m*u*nte	to, in the mountains
l*o*r le pl*a*ce	they like (it)
mai m*u*lt dec*î*t	more than
n-ave*a* gri*jă*	not to worry, don't worry
ne-au /n*ęaụ*/ invit*a*t să stăm	they have invited us to stay
p*e*ste t*o*t	everywhere
a petr*e*ce b*i*ne	to have a good time
t*o*t t*i*mpul	all the time, the whole time
vom uit*a* engl*e*za	we shall forget English (*lit.* the English)
vr*ea*u să vizit*ăm*	I want us to visit
vor vr*ea* o*a*re şi *A*na şi S*a*ndu să me*a*rgă?	I wonder if both Ana and Sandu will want to go

14.2 Planuri pentru România

Patricia şi William vorbesc despre plecarea lor în România.

P: Ştii, William, sînt sigură că vom petrece foarte bine în România. Vom vedea locuri frumoase, şi cum e vară vom avea soare şi timp frumos. Vom merge la munte şi la mare şi peste tot.

W: Iar eu voi vorbi tot timpul numai româneşte. În felul acesta învăţăm într-o săptămînă mai mult decît într-un an aici în Anglia.

P: Îi vom ruga pe Ana şi Sandu să nu vorbească de loc englezeşte cu noi.

W: Foarte bine. Vom uita engleza timp de două săptămîni.

P: Parcă am spus că stăm trei săptămîni.

W: Ana şi Sandu ne-au invitat să stăm o lună, dar e prea mult.

P: N-avea grijă. Nu vom sta tot timpul la Bucureşti.
Vreau să vizităm mai multe locuri. Vor vrea oare şi
Ana şi Sandu să meargă cu noi?

W: Sînt sigur că vor merge, fiindcă şi lor le place să
călătorească şi să facă excursii. Îi luăm deci cu noi.

P: Vai! Am uitat ceva.

W: Ce anume?

P: N-am costum de baie. Am fost ieri în oraş, dar am
uitat de costum.

W: Nici eu n-am costum. Să mergem deci repede în oraş
şi să cumpărăm costumele, fiindcă mîine dimineaţă
plecăm.

14.3 Grammar

14.3/1 Articles

We have already seen (1.4/2) that Romanian economizes
with the definite article in some cases, for example, with
unmodified nouns after prepositions:

am uitat de costum   I forgot about the costume

Romanian sometimes economizes with the indefinite
article too:

n-am costum de baie   I haven't got a bathing
                                             costume

  Cf. *Sînt student*, etc. (3.4/1).

14.3/2 Negatives: *nici*

Remember that negative words such as *nici* require *nu*
before the verb of the clause in which they occur:

nici *e*u n-a*m* cost*u*m   I haven't got a costume,
                                             either

14.3/3 Pronouns

   (*a*) *Accusative Pronouns*

Direct-object pronouns such as *îi* 'them' (accusative of
ei 'they') come immediately before the verb, as we have
seen:

(noi) îi vom ruga   we shall ask them
(noi) îi luăm deci cu noi   so we'll take them with us

When the direct object is a noun denoting a human being, the corresponding pre-verbal pronoun is generally also present. This means that if we wish to say 'we shall ask Ana and Sandu', we say in Romanian 'we them shall ask Ana and Sandu'. There is a further complication: direct-object nouns denoting human beings are generally preceded by the marker *pe* (to be distinguished from the preposition *pe* 'on'). This is why in our Text we had:

îi vom ruga pe Ana şi Sandu   we'll ask Ana and Sandu

The accusative form of *voi* is *vă*, and of *dvs.* it is *vă* (+ *pe dvs.*):

vă vom ruga pe dvs.   we'll ask *you*

(b) Dative Pronouns

The indirect-object form of both *ei* and *ele* is *le* 'them', 'to them', 'for them':

ce le place să facă?   what do they like doing?

The pronoun *le* is unstressed. The corresponding stressed form is *lor*, which is usually an addition to the clause (not a *substitute* for *le*):

ce le place lor să facă?   what do *they* like doing?

Stressed dative pronouns are placed after the verb, as in this example, or may precede the unstressed, as in the next:

şi *lor* le place să citească   *they* like reading a lot *too*
mult

Note that *lor* is not preceded by a marker, nor does it normally stand without *le*, although *le* can stand without *lor*. See further 20.3/6 (*a*).

14.3/4 Să-Clauses

(*a*) The negative particle *nu* follows *să* and subject

pronouns but precedes direct and indirect object pronouns:

îi vom ruga să nu vorbească englezeşte	we'll ask them not to speak English
îi vom ruga să nu ne vorbească	we'll ask them not to speak to us

(b) The word *oare* may precede or follow an independent *să*-clause. Such clauses are generally construed as questions, *oare* being roughly equivalent to 'what do you think?'. The presence of *oare* lessens the degree of positive personal involvement:

oare să citim acest roman?	shall we read this novel?
să mai aşteptăm oare?	should we wait any longer, I wonder?

Cf. să citim acest roman	let's read this novel!
(= shall we read this novel? I think we should)	

14.3/5 Agreement: Adjectives and Past Participles

In 10.3/2 (c) we saw that past participles in passive constructions agree in number and in gender with the subject. Similarly, adjectives and past participles used as complements (e.g. following the verb *a fi*) agree with the subject:

sînt sigură (*F sg.*)	I'm sure (I = Mary)
sîntem siguri (*M pl.*)	we're sure (we = Tom and Dick or Mary and Tom)
sînt sigure (*F pl.*)	they're sure (they = Mary and Ann)

14.3/6 *A vrea*

This verb translates both *to want* and *will*:

vreţi să veniţi mîine?	do you want to come tomorrow? will you come tomorrow?

14.3/7 Sequence of Tenses

The original tense of an utterance is generally retained when the utterance is reported:

stăm trei săptămîni	we'll stay three weeks
am spus că stăm trei săptămîni	we said we'd stay, we'll stay three weeks

14.4 Exercises

1. Make sentences with the help of the following tables:

(a)

îi	voi vom va vor veţi vei	ruga invita	să	vină stea	aici	mîine poimîine

(b)

îmi vă ne le	place	aici acasă acolo	
		în	Anglia România

(c)

aici acolo	învăţ învăţăm învăţati citesc citim	mai mult [într-o	zi săptămînă lună	decît acasă [într-un an

(d)

Ana sora mea Nicu fetiţa băiatul	vorbeşte citeşte scrie învaţă	mai bine decît	fratele meu fraţii mei Toma Elena copiii noştri

2. Add an adjective to each of the noun phrases. The following adjectives are suitable: *folositor* (10.1), *frumos* (14.1), *ieftin* (10.1), *mare* (6.3/2), *mic* (6.3/2), *uşor* (6.1). Make sure the form is correct. Check the gender of the noun if necessary.

O zi . . .
Un dicţionar . . .
Nişte exerciţii . . .
O casă . . .
Nişte grădini . . .
O limbă străină . . .
Nişte costume . . .
Doi băieţi . . .
Trei copii . . .
Două apartamente . . .
Nişte excursii . . .
Două oraşe . . .
O limbă . . .
Nişte lecţii . . .
O mare . . .

*3. Complete the following sentences with the correct form of the verb given in brackets (use a *să*-construction where necessary):

Unde vreţi . . . mîine? (a merge-noi)
Fratele dvs. . . . ieri? (a veni)
Cînd vreţi . . . la munte? (a pleca-dvs.)
Ce . . . acum acolo? (a face-dvs.)
Ce . . . acolo ieri? (a face-dvs.)
Unde . . . costumul acesta? (a cumpăra-dvs.)
Cît . . . cartea aceasta? (a costa — *present tense*)
Cînd aţi început . . . româneşte? (a învăţa)
Ce le place lor . . . mai mult? (a citi)
Ce trebuie . . . acum? (a face-eu)

*4. Translate into Romanian:

Patricia and William are speaking about their journey to Bucharest. They will leave by plane in the morning, and in four hours they will be at the airport near (*de lîngă*) Bucharest. They are sure they will have a very good time in Romania. They want to go to the mountains and to the seaside, and visit many beautiful places.

They will send a telegram and will inform (*a anunţa*) Ana and Sandu of (*de*) their arrival (*sosire*) at Bucharest. They know (*add* very well) that their friends will be waiting for them at the airport.

William wants to speak only Romanian in Romania and to forget the English language for two or three weeks. In this way he thinks he will learn more in three weeks in Romania than in two years at home in London.

Note: The verb *a anunţa* enters into either one of two constructions, rather like Eng. *to tell*:

(1) 'to tell something to someone', cf. *a anunţa* as used in 13.2;
(2) 'to tell someone of, about something', cf. *a anunţa* as used in this translation text.

Don't forget the accusative pronoun and the marker!

Lesson 15

15.1 Vocabulary

a ajut*a vb.* to help

at*î*t(a), at*î*ta, at*î*ţia, at*î*tea *det. pron.* so much, so many, as much, as many (as that)

braţ — bra*ţe N* arm

but*on* — but*oni M* button, stud

buzun*ar* — buzun*are N* pocket

chiar /kįar/ *adv.* even, indeed

dac*ă conj.* if, whether

dest*u*l, dest*u*lă, dest*u*i, dest*u*le *det. pron.* enough, sufficient

devreme *adv.* early

drag, dr*a*gă, dr*a*gi, dr*a*gi *adj.* dear

ea /įa/ *F pron. acc.* her, it

g*a*ta *inv. adj.* ready, finished, done

geamant*an* /ğamant*an*/ — geamant*ane N* suitcase

a se gr*ă*b*i vb.* to hurry

îl, l- *M/N pron. acc.* him, it

îi, -i /į/ *M pron. acc.* them

a se îmbr*ă*c*a vb.* to dress, to get dressed

s-au îmbr*ă*c*at vb.* (they) (have) got dressed

înc*et adv.* slowly

înch*i*d *vb.* (I, they) close

a înch*i*de *vb.* to close, to shut

*î*nsă *adv.* however, though

a se întreb*a vb.* to wonder, to ask oneself

le /le/, le- /lę/ *N/F pron. acc.* them

maş*i*nă — maş*i*ni *F* car, machine

m*ă pron. acc.* me, myself

mănuş*ă* — mănuş*i F* glove

(-)o *F pron. acc.* her, it

pardes*i*u /par-de-s*i*u̯/ — pardes*i*uri /par-de-s*i*-uri/ *N* overcoat

s*ă* plece *vb.* (to) leave

se preg*ă*tesc *vb.* (I, they) get ready

a se preg*ă*t*i vb.* to get ready, to prepare (oneself)

pui *vb.* (you) put

pus *past part.* put

a se scula *vb.* to get up
s-au sculat *vb.* (they) (have) got up
se *pron. acc.* himself, herself, itself, themselves
te *pron. acc.* you
tîrziu *adv.* late
uit /ui̯t/ *vb.* (I) forget
umbrelă — umbrele *F* umbrella

Phrases

ajută-mă	help me
aşa că	so that
chiar mă întreb	I even wonder, I do wonder
destule	enough things
draga mea	my dear
îi pui tu în buzunar şi gata	you('ll) put them in your pocket and that'll be that, that'll take care of them
în mînă	in my (your, his, *etc.*) hand
lasă acum asta	don't worry about that now (*lit.* leave that now)
mai bine	rather
nu uita mănuşile	don't forget the gloves
pe braţ	on your arm
prea mergi încet	you're too slow, so slow
să ne grăbim	let's hurry
soţii /so-tsi/ Roberts	the Robertses
te întrebi tu . . .?	have you asked yourself, do you realize . . .?
tot ce ne trebuie	all (that) we need
unde-i /un-dei̯/ pui?	where will you put them?

15.2 Plecarea din Londra

E dimineaţă. Soţii Roberts s-au sculat devreme, s-au îmbrăcat repede şi acum se pregătesc să plece la aeroport.

W: Să ne grăbim, Patricia. E tîrziu.

P: Sînt gata. Nu uita mănuşile. Unde le-ai pus?

W: Le-am pus aici, pe masă, aşa că nu le uit. Dar tu umbrela mea ai luat-o?

P: N-am luat-o. N-am loc pentru ea, în geamantane.

W: Atunci o iau în mînă. Dar pardesiul meu unde l-ai pus?

P: Îl iei pe braţ. E încă în hol.

W: Bine. Şi aceşti butoni unde-i pui?

P: Îi pui tu în buzunar şi gata.

W: Foarte bine. Dar mă întreb atunci, ce-ai pus în geamantane?

P: Am pus destule. Chiar mă întreb dacă am luat cu noi tot ce ne trebuie?

W: Sînt sigur că ai luat tot, draga mea, dacă plecăm cu atîtea geamantane. Te întrebi tu, însă, cît ne costă avionul cu atîtea bagaje?

P: Lasă acum asta. Mai bine ajută-mă să închid geamantanele. Prea mergi încet!

W: Cu plăcere! Şi să mergem repede la maşină.

15.3 Grammar

15.3/1 soţ and soţie

un soţ /sots/	a husband
soţul /so-tsu(l)/	the husband
soţi /sotsĭ/	husbands
soţii /so-tsi/	the husbands, the married couple, Mr and Mrs . . ., the family
o soţie /so-tsi-ĭe/	a wife
soţia /so-tsi-ĭa/	the wife
soţii /so-tsiĭ/	wives
soţiile /so-tsi-i-le/	the wives

Learn to say correctly the phrases *soţul meu* and *soţia mea.*

15.3/2 Accusative Pronouns: Unaccented Forms

(*a*) The unstressed forms of the personal pronouns in

the accusative case, that is, those that function as direct object, are as follows:

Subject	Direct Object	
eu	mă	'me'
tu, d-ta	te	'you'
el	îl	'him', 'it' (*M, N*)
ea	o	'her', 'it' (*F*)
noi	ne	'us'
voi, dvs.	vă	'you'
ei	îi	'them' (*M*)
ele	le	'them' (*N, F*)

Examples:

atunci o iau eu	then I'll take it (*direct object of F-gender or of unknown gender*)
îi pui în buzunar	you put them (*M*) in your pocket
îl iei pe braţ	you carry it (*M/N*) on your arm
ne vor aştepta	they'll wait for us
nu le uit	I shan't forget them (*N/F*)

As the examples show, these pronouns are placed immediately before all parts of the verb. One exception: with past participles, *o* follows instead of preceding:

am pus-o aici	I put it here
umbrela mea ai luat-o?	have you packed my umbrella? (*lit.* my umbrella have you taken it?)

The other pronouns when used in a perfect-tense construction keep their place in front of the verb but undergo certain formal changes:

Full form	Before Perfect Auxiliary
mă, vă	m-, v-
te, ne, le	te- /tę/, ne- /nę/, le- /lę/
îl, îi	l-, i- /i/

Examples:

l-am pus aici	I put it (*M/N*) here
le-am pus aici	I put them (*N/F*) here
unde l-ai pus?	where did you put it (*M/N*)?
unde i-ai pus?	where did you put them (*M*)?

The reduced forms of *îl* and *îi* are used in certain other cases, too:

unde-i vedeţi?	where do you see them?

In such cases the letter *i* or *l* is attached to the preceding word by a hyphen in writing; in speech, /i̯/ forms a diphthong with the preceding vowel, e.g. *unde-i* /undei̯/. The pronoun *o* may also become part of a diphthong:

unde-o /undo̯/ vedeţi?	where do you see her, it?

Such a reduction only occurs when there is no perfect auxiliary present, and when a grammatical word such as *unde* precedes. In cases where the gender is unknown and a direct object is required, *o* is used as a 'neutral' form (cf. the use of *asta*, 9.3/1).

(*b*) Members of a small class of adverbs, which includes *mai*, *prea*, *şi*, *tot*, may intervene between an accusative pronoun and the verb:

unde vrei să-l mai pun?	where do you want me to put it?

(The *mai* here implies that the speaker cannot find any space *left* for the object.)

(*c*) There is no formal distinction between *-i* = *îi* 'them' and *-i* = *e(ste)* 'is':

unde-i vedeţi?	where do you see them?
unde-i cartea?	where is the book?

(*d*) Just as *l-* 'him', 'it', must be distinguished from *le-* 'them', *n-* 'not' must be distinguished from *ne-* 'us':

n-au văzut cartea	they didn't see the book
ne-au /ne̯au̯/ văzut	they saw us

15.3/3 Reflexive Pronouns

The accusative pronouns may occur with a reflexive meaning. In English we say 'I cut myself', 'look at yourself in the mirror', in which *myself*, *yourself*, etc., are distinct reflexive forms. In Romanian we use the same forms as those in 15.3/2 for the first and second persons: *mă (m-)*, *te (te-)*, *ne (ne-)*, *vă (v-)*. For the third person, however, there is a special reflexive form, *se (s-)*, covering all genders, thus meaning 'himself', 'herself', 'itself', 'oneself', 'themselves'. Many reflexive-verb constructions in Romanian are equivalent to non-reflexive constructions in English. Examples:

ne-am sculat devreme	we got up early
s-au îmbrăcat repede	they got dressed, dressed (themselves) quickly
mă întreb ce-ai pus în geamantane	I wonder, ask myself what you've put in the cases
mă voi grăbi	I'll hurry

In the present tense, in colloquial style, reflexive verbs may drop an initial vowel:

mă + îmbrac → mă-mbrac	I get dressed
se + îmbracă → se-mbracă	they get dressed
vă + întrebaţi → vă-ntrebaţi	you wonder

Distinguish carefully between the following:

v-aţi întrebat ce fac aici?	did you wonder what I was doing here?
m-aţi întrebat ce fac aici?	did you ask me what I was doing here?
v-am întrebat ce faceţi aici	I asked you what you were doing here

15.3/4 Verbs: The Imperative

(*a*) The second person plural form of the imperative is identical with that of the indicative:

luaţi cartea	you take the book (*statement*)
	take the book! (*order*)

nu luați cartea   you don't take the book
                                   don't take the book!

In imperative positive constructions, an unaccented
accusative pronoun follows the verb; in imperative
negative constructions it precedes the verb. When it
follows the verb, the final /-ĭ/ of the second person plural
becomes /-i-/ before all pronouns except -o, before which
it becomes /-į-/:

luați-l /lụatsil/   take him, it!
luați-i /lụatsiį/   take them!
luați-o /lụatsįo/   take her, it!

Negative imperative:

nu-l luați   don't take him, it!
nu-i luați /nuį lụatsĭ/   don't take them!
nu o luați   don't take it!

The negative imperative is thus identical in form with
the negative indicative.

(b) The second person singular form of the imperative
positive may be identical with that of the present in-
dicative, especially if the verb has only intransitive uses:

dormi!   sleep!
rîzi!   laugh!
mergi!   go!

But a number of verbs which have both transitive and
intransitive uses also employ this second person form:

vezi!   see!

Most verbs which have transitive uses, however,
employ the *third* person singular form of the present
indicative:

ajută-mă!   help me!
pune-l pe masă!   put in on the table!

This is generally also the case when such verbs are
used intransitively, but some verbs that may be used in
both ways may have a form for each (e.g. *a crede: crezi!*

but *crede-mă!*). You will find the most usual form of the
second person singular imperative positive in Appendix 2.
Go through this List and note which verbs use the second
person form (about 12 per cent) and which have an
irregular form (e.g. *a fi, a da, a face, a veni*).

Before the pronoun *o* a final -*ă* of a verb in the
imperative is dropped unless the form is monosyllabic:

las-o pe Ana s-o facă   let Ann do it (*să + o → s-o*)

But:

fă-o   do it

The form of the second person singular imperative
negative is in most cases identical in form and stress with
that of the plain infinitive:

nu-l citi acum   don't read it now
nu o lua   don't take it
nu te du(ce)   don't go
nu uita mănușile   don't forget the gloves

(*c*) Examples of the various forms:

Positive

sg. citește-l
pl. citiți-l /-tsil/   } 'read it'

sg. fă-o
pl. faceți-o /-tsi̯o/   } 'do it'

sg. ia-le
pl. luați-le /-tsile/   } 'take them'

Negative

sg. nu-l citi
pl. nu-l citiți   } 'don't read it'

sg. nu o face
pl. nu o faceți   } 'don't do it'

sg. nu le lua
pl. nu le luați   } 'don't take them'

15.3/5 Word-Order

The 'neutral' order of elements in an indicative clause is: Subject—Verb—Direct Object—Adverb. We have seen that when the direct object is an unstressed pronoun, however, it regularly precedes the verb in such clauses. We have also had examples of 'marked' word-order, whereby the sequence of elements is changed. In the Text of the Lesson there were further examples of such changes in word-order—involving words that can be moved into a 'marked' or stressed position, so that they can acquire an accent.

(a) Nouns used as direct objects may occur before the verb. When this happens, the corresponding accusative pronoun usually accompanies the verb:

| dar *tu* umbr*e*la mea ai lu*a*t-o? | but have you taken my umbrella? |
| dar pardes*i*ul meu *u*nde l-ai p*u*s? | but where did you put my overcoat? |

(b) A stressed subject may follow the verb:

| îi pui *tu* în buzun*a*r | you'll put them in your pocket |

(c) An adverb of degree such as *prea* 'too' may be separated from the word it modifies:

| pre*a* mergi înc*e*t | you're so slow (*lit.* too you go slowly) |

For *mai*, see 24.3/4.

15.3/6 Tenses

In English the tense of the verb in certain types of subordinate clause may be conditioned by the tense of the verb in the main clause (e.g. 'he *says* he *will* come' as against 'he *said* he *would* come'). This is not generally the case in Romanian: the tense of the verb in a subordinate clause (one beginning with *să* or *că*, for instance) has greater independence, being conditioned almost solely by the situation.

Examples:

m-aţi întrebat ce fac aici	you asked me what I am, was doing here
le-am pus pe masă, aşa că nu le uit	I (have) put them on the table so that I shan't, shouldn't forget them, so as not to forget them

In the clause:

dacă am luat cu noi tot ce ne trebuie

we might use the present tense in English if we chose the verb *to take* for *a lua* ('if we are taking with us everything we will need'), but the perfect tense if we chose *to pack* ('if we have packed everything...'). The choice of tense may therefore be closely bound up with the choice of verb—in both languages.

15.3/7 Intonation

Remember that certain types of clauses may be statements or questions according to the intonation they are spoken with (cf. 5.3/2). When reading the Texts, give all the 'yes-no' questions a rising tone. Practise the following, putting the main accent (falling tone or rising tone) on the word *aici*:

m-aţi întreb*a*t ce f*a*c ↓a*i*ci	you asked me what I was doing here
m-aţi întreb*a*t ce f*a*c ↑a*i*ci?	did you ask me what I was doing here?

And the following:

dar t*u* ↓umbr*e*la mea ai ↑lu*a*t-o?	but have you packed my umbrella?

In the context of the dialogue, the English utterance would probably have a falling tone (implying a demand for a satisfactory answer), or possibly a sharp fall-rise tone, on *umbrella*. 'Marked' word-order serves a similar purpose in Romanian. Alternatively, we might say, '(But) what about my umbrella?'.

15.4 Exercises

1. Copy out the Text of the Lesson and read it aloud.

2. Make sentences with the help of the following tables:

(*a*)

el ea ei ele Toma copiii fetițele băieții	se	îmbracă scoală	repede încet

(se sco*a*lă '(he) gets up', '(they) get up')

(*b*)

cînd	îl îi o le ne mă	vedeți? vezi? vede? trimiteți? trimiți? trimite?

(*c*)

unde	-l -i -o mă ne le	vedeți? vezi? vede? trimiteți? trimiți? trimite?

(*d*)

m-am v-ați te-ai s-a ne-am s-au	sculat îmbrăcat pregătit	repede încet

(e)

cînd unde cum	i-ați le-ați m-ați l-ați ne-ați	văzut?

(f)

am a au	pus toate	lucrurile cărțile scrisorile romanele fotografiile	pe masă în geamantan

(lucru N 'thing')

(g)

toți	studenții băieții	citesc învață vorbesc	acum
toate	fetițele studentele	scriu	aici

*3. The verbs in the following sentences are in the present tense. Put the verbs in italics, i.e. those in the main clauses, into the perfect tense. Change the form of the pronoun if necessary.

William și Patricia se *scoală* tîrziu. Ei se *îmbracă* repede. William *pune* mănușile pe masă. Patricia îl *întreabă* unde le pune. El îi *răspunde* că le pune în buzunar. Ea îi *spune* să le pună în geamantan. El o *ajută* să facă bagajele.

Mă *scol* devreme. Mă *pregătesc* să plec la aeroport. Îl *aștept* pe William. El *vine* azi.

De ce vă *grăbiți* să plecați la aeroport? De ce nu *veniți* cu prietenii dvs.?

*4. Put the verbs in the main clauses in the above

sentences in the future tense (*se vor scula*, etc.). Omit
the last two sentences.

*5. Insert *nu* in the following clauses:

Am fost în oraş. M-am întîlnit cu ('I met') un prieten.
El a cumpărat un dicţionar. Mi-a plăcut dicţionarul.
Vom merge acasă. Va veni tîrziu. Veţi veni devreme.
Vor veni în România. Să învăţaţi două limbi străine.
Să veniţi mîine. Să ne sculăm mîine tîrziu. Să se îmbrace.

*6. Translate into Romanian:

'When are Patricia and William arriving?' Ana asks
Sandu. 'I don't know exactly,' he replies. 'William hasn't
told us yet. But I know they are coming tomorrow. I am
waiting for a telegram. It will come today, I'm sure. It
must come! All (*tot ce*) we know is that they are coming
by plane.'

'Then,' says Ana, 'we'll go to the airport tomorrow
morning and will wait for them there. The plane takes
four hours to get here (*trans.* in four hours the plane is
here), and it must leave from England early in the
morning. We won't have to wait too long, I'm sure.'

Lesson 16

16.1 Vocabulary

a ad*u*ce *vb.* to bring
afectu*o*s *adv.* affectionately
a aj*u*nge (la) *vb.* to arrive (at), to reach
alb, *a*lbă, albĭ, *a*lbe *adj.* white
a se apropi*a* /apropi*i̯a*/ (de) *vb.* to approach, draw near (to)
*a*stea *det. pron. pl.* these (things), such things
ca să *conj.* so that
c*a*re *det. pron.* that, which, who
ca*u*ză /ka-u-ză/ — ca*u*ze *F* reason, cause
chibr*i*t — chibr*i*turĭ *N* match
a circul*a* *vb.* to circulate, move (about, along)
cî*ţ*iva *M*, cî*t*eva *N/F det. pl.* some, a few
clăd*i*re — clăd*i*rĭ *F* building
a cobor*î* *vb.* to go down, to get out
cobor*î*re — cobor*î*rĭ *F* descent, coming down, getting out
a constat*a* *vb.* to find (out), to notice, to observe, to ascertain
cut*i*e — cut*i*i *F* (small) box
a d*a* *vb.* to give
dep*a*rte *adv.* far away, in the distance
dimensi*u*ne /di-men-s*i̯u*-ne/ — dimensi*u*nĭ *F* dimension
a d*u*ce *vb.* to take, to carry
fa*ţ*ă — fe*ţ*e *F* face, front
furn*i*că — furn*i*cĭ *F* ant
g*a*ră — gă*r*ĭ *F* railway station
gă*r*ii /gă*r*i/ *C-form* of the station
i*u*te /*i̯u*te/ *adv.* quick(ly), fast
a se îmbră*ţ*i*ş*a *vb.* to embrace, to hug (each other)
în*a*lt, în*a*ltă, în*a*l*ţ*ĭ, în*a*lte *adj.* high, tall
înd*a*tă *adv.* soon, immediately
a îndrăzn*i* (să) *vb.* to dare (to)
a se întîln*i* *vb.* to meet (one another)
a se întîmpl*a* *vb.* to happen, to occur
jos *adv.* down, below
a lăs*a* *vb.* to leave, to let

149

lume — lumĭ *F* world
lume *F sg.* people
mărime — mărimĭ *F* size
-mĭ, mi- /mį/ *pron. dat.* (to, for) me
minut — minute *N* minute
moment — momente *N* moment
niciodată /ničodată/ *adv.* never
număr — numere *N* number, quantity
odată *adv.* once, one day
opresc *vb.* (I, they) stop
a (se) opri *vb.* to stop
pe care *det. pron. acc.* that, which, who(m)
peron — peroane *N* platform
ploaie /plǫaįe/ — ploi *F* rain
prietenă — prietene *F* (female) friend
redus, redusă, reduşĭ, reduse (la) *adj.* reduced (to)
a săruta *vb.* to kiss
a se săruta *vb.* to kiss (each other)
său, sa, săi, sale *poss. det.* his, her, its
semn — semne *N* sign, token, mark
sosire — sosirĭ *F* arrival
şi *adv.* already
-şĭ, şi- /shį/ *pron. dat.* (to, for) himself, herself, itself,
    oneself, themselves
tine *pron. acc.* you
trecut, trecută, trecuţĭ, trecute *adj.* past, last
a ţine *vb.* to keep, to hold
a uita *vb.* to forget, to leave (behind)
uite /uįte/ (că) *int.* look, see
unor *det. C-form pl.* of (some)
vamă — vămĭ *F* customs
a se vedea *vb.* to be seen, to appear
vorbă — vorbe *F* word

Phrases

acasă la ei
(at) home with them, to their home, at their home

anul trecut
last year

ca*re* l-a ţin*ut* de vo*r*bă	who kept him talking
c*e* mi s-a întîmpl*at*	what (had) happened to me
dar să lăs*ăm* ac*um* *a*stea	but let's not worry about such things now (*lit.* but let's leave now these things)
din c*a*uza nu*m*ărului	because of the number
din c*a*uza Pat*r*iciei /patr*i*či*je*ị/[1]	because of Patricia
dă-m*ĭ* te r*o*g m*î*na, să cob*o*r	please help me down (*lit.* give me please the hand to get down)
a fa*ce* se*mn* cu m*î*na	to wave, to beckon
în cîtev*a* min*u*te am aj*u*ns	in a few minutes we'll be there, we'll have arrived
în fa*ţ*a ca*sei*	in front of the house
în mom*e*ntul cobor*î*rii /-ri/	on getting out, while getting out, as we got, were coming out, off, down (*lit.* in the moment of the descending)
la *e*i	at, to their place, home
pardes*i*u de plo*a*ie	raincoat
pe ca*re* le-ai lu*at*	which you took
pe str*ă*zĭ	in the streets
să-i /s*ăị*/ sp*u*n *A*nei	to tell Ann
şi-a /sh*ị*a/ uit*at* mă*nu*şile în avi*o*n	he (has) left his gloves in the plane (*lit.* he has forgotten + to himself the gloves + in the plane)
*u*ite că am aj*u*ns	look, we're there, we've arrived
*u*ite-i /*u*ịteị/ pe *A*na şi S*a*ndu	there are Ann and Sandu (, look)

[1] This assumes that the name has been fully Romanianized by the speaker, and the B-form pronounced /pa-tr*i*-či-*ị*a/. Otherwise, say /pa-tr*i*-she*ị*/ for the C-form.

vezi să nu uităm ceva în avion	see that we don't leave anything behind in the plane

16.2 Sosirea la Bucureşti

Avionul care îi aduce pe Patricia şi William la Bucureşti se apropie de aeroport. Oraşul se vede jos, departe, cu clădirile sale albe şi înalte reduse la mărimea unor cutii de chibrituri iar maşinile care circulă pe străzi reduse la dimensiunile unor furnici.

W: Am început să coborîm. Sîntem îndată jos. În cîteva minute am ajuns.

P: Vezi să nu uităm ceva în avion.

W: Eu nu uit niciodată nimic. Vezi să nu uiţi tu ceva.

P: Fiindcă nu uiţi niciodată nimic, poţi să-mi spui cine a uitat odată un geamantan pe peronul gării la Paris?

W: Asta a fost din cauza numărului mare de geamantane pe care le-ai luat cu tine. Dar să lăsăm acum astea. Uite că am ajuns. Lumea a şi început să coboare.

P: Dă-mi te rog mîna, să cobor. Uite-i pe Ana şi Sandu! Ne fac semn cu mîna. Să mergem repede la vamă ca să terminăm mai iute. . . .

Prietenii se întîlnesc, se îmbrăţişează; prietenele se sărută afectuos. Ana şi Sandu au venit la aeroport cu maşina lor şi îi duc pe Patricia şi William acasă la ei.

Cînd opresc în faţa casei, William constată că şi-a uitat mănuşile în avion. Din cauza Patriciei, spune el, care l-a ţinut de vorbă în momentul coborîrii.

— Asta nu-i nimic, îi spune Sandu. — Anul trecut, cînd am fost la Londra, eu mi-am uitat în avion pardesiul de ploaie. Nici n-am îndrăznit să-i spun Anei ce mi s-a întîmplat.

16.3 Grammar

16.3/1 Dative Pronouns: Unaccented Primary Forms

The unstressed indirect-object (dative) forms of the

personal pronouns are as follows (with the subject and direct-object pronouns for comparison):

Subject	Direct Object	Indirect Object
eu	mă	îmĭ '(to, for) me, myself'
tu, d-ta	te	îțĭ '(to, for) you, yourself'
el	îl	îi '(to, for) him, it'
ea	o	îi '(to, for) her, it'
noi	ne	ne '(to, for) us, ourselves'
voi, dvs.	vă	vă '(to, for) you, yourself, your-selves'
ei	îi	le '(to, for) them'
ele	le	le '(to, for) them.
el, ea, ei, ele	se	îșĭ '(to, for) himself, herself, oneself, itself, themselves'

Note the three uses of the forms *îi* and *le*:

îi: accusative of *ei*, dative of *el* and *ea*.
le: accusative of *ele*, dative of *ei* and *ele*.

As in the case of the accusative pronouns, the *î-* in *îmi, îți, îi* and *își* drops when these are adjacent to imperatives and certain grammatical words, and the final /-ĭ/ is replaced by /ĭ/ when linked to a vowel:

dă-mĭ cartea, te rog	give me the book, please
dă-i /dăĭ/ cartea, te rog	give him, her the book, please
să-mĭ spui	tell me
mi-am /mĭam/ uitat mănușile	I forgot my gloves

Note the last example. Romanian prefers not to use possessive determiners (Eng. *my*, *your*, etc.) with certain classes of nouns used as direct objects (denoting things the subject 'possesses'). The dative pronouns may be considered reflexive (or 'pseudo-reflexive') in this use, since for the third person *își* is used in place of *îi* and *le*:

îşi uită mănuşile	he forgets his (= his own) gloves, she forgets her gloves, they forget their gloves
(el, ea) şi-a /shĭa/ uitat mănuşile	he, she forgot his, her gloves
(ei, ele) şi-au /shĭaŭ/ uitat mănuşile	they forgot their gloves
But: el a uitat mănuşile (pe care i le-am dat)	he forgot the gloves (I gave him)

16.3/2 Declensions

(*a*) Certain words in Romanian are said to 'decline', that is, they change the form of their ending according to their function in the phrase or clause in which they are used. The changes affect pronouns (as we have seen), nouns, and words that modify nouns, viz. determiners and adjectives.[1]

Besides the special sets of suffixes to designate gender and number, there is, then, another set of endings used to designate CASE. Altogether, Romanian has five cases, traditionally called Nominative, Accusative, Genitive, Dative and Vocative. However, for nouns and noun-modifiers, it is not necessary to invoke all these five cases, as their forms remain unchanged for most of the roles they play in the phrase or clause. We will stick to the traditional case-names when discussing the pronouns, but when discussing nouns and noun-modifiers we will use the term *B-form* for the 'base form' (nominative and

---

[1] Strictly speaking, it is only grammatical elements (pronouns, determiners and article suffixes) that decline in Romanian, and not the base forms of adjectives and nouns. It is a rule that every use of a noun involves the occurrence in its phrase of a grammatical element (suffix or determiner: definite, indefinite or zero article, demonstrative determiner, etc.). 'C-form noun' is shorthand for 'noun phrase that may be used in a C-form function, comprising minimally one word, viz. a noun with a C-form article suffix'. The zero article does not have a special C-form (cf. 24.3/1 (*a*) and (*b*)).

accusative) and *C-form* for the 'case form' (genitive and dative), as strictly speaking the system in question has only two terms.

(b) The Indefinite Article

The indefinite article is declined as follows:

	Singular		Plural
	M/N	F	M/N/F
B-form	un	o	*zero*
C-form	*u*nui	*u*nei	*u*nor

The non-pronominal determiner *nişte* 'some' is sometimes regarded as a 'minimum' determiner with plural nouns and is thus called 'indefinite article'; it may replace *zero*.

The C-forms mean 'of a . . .', 'to a . . .', 'for a . . .', 'of . . . s', 'to . . . s', 'for . . . s':

un prieten	a (male) friend
unui prieten	of, to, for a friend
prieten } nişte prieteni }	(some) friends
unor prieteni	of, to, for (some) friends
o prietenă	a (female) friend
unei prietene	of, to, for a friend
prietene } nişte prietene }	(some) friends
unor prietene	of, to, for (some) friends

Note that, while (as one would expect) *unui* precedes a noun (M, N) in the singular, *unei* precedes a noun (F) whose form is identical with that of the plural, although the meaning is singular.

(c) Noun and Article Declensions Combined

The arrows show from which B-form the C-form is

derived. The form-changes are expressed in graphemes
as far as possible.

M-nouns

	B-forms	C-forms	(Noun form-change)
a friend:	un prieten	→ unui prieten	(none)
the friend:	prietenul	→ prietenului	(add -ui)
friends:	prietenĭ	→ unor prietenĭ	(none)
the friends:	prietenii /-nĭ/	→ prietenilor	(add /-lor/; drop -i, add -lor)
a dog:	un cîine	→ unui cîine	(none)
the dog:	cîinele	→ cîinelui	(drop -e, add -ui)
dogs:	cîinĭ	→ unor cîinĭ	(none)
the dogs:	cîinii /-nĭ/	→ cîinilor	(add /-lor/; drop -i, add -lor)

Note that the -le of cîinele is reduced to -l before -ui.
Note that the -ii of prietenii and cîinii is reduced to -i
before -lor. This is only an orthographic change, since
both -ii and -i- are pronounced /i/.

N-nouns

	B-forms	C-forms	(Noun form-change)
a pen:	un toc	→ unui toc	(none)
the pen:	tocul	→ tocului	(add -ui)
pens:	tocurĭ	→ unor tocurĭ	(none)
the pens:	tocurile	→ tocurilor	(drop -e, add -or)

F-nouns

	B-forms	C-forms	(Noun form-change)
a café:	o cofetărie /-ri- i̯e/	→ unei cofetării /-ri i̯/	(pl. form, no change)
the café:	cofetăria /-ri-i̯a/	→ cofetăriei /-ri-i̯ei̯/	(add /-ei/; drop -i, add -ei)
cafés:	cofetării /-rii̯/	→ unor cofetării /-rii̯/	(no change)
the cafés:	cofetăriile /-ri-i-le/	→ cofetăriilor /-ri-i-lor/	(drop -e, add -or)
a station:	o gară	→ unei gărĭ	(pl. form, no change)
the station:	gara	→ gării /-ri/	(add -i; /-ĭ/ + -i → /-i/)
stations:	gărĭ	→ unor gărĭ	(no change)
the stations:	gările	→ gărilor	(drop -e, add -or)

Note how the changes from the B-forms to the C-forms are effected, and that the pronunciation change and orthographic change are not always comparable. Note that you use the *plural* B-form of F-nouns in both singular and plural C-forms. In the case of F-nouns whose plural suffix is *-e*, the added *-i* = /ị/, e.g. *mesei* /mesei̯/ 'of the table'. We can summarize the C-form endings of F-nouns as follows:

B-form	C-forms		
Without article	Without article	With article	
pl.	sg., pl.	sg.	pl.
/-ĭ/	/-ĭ/	/-i/	/-ilor/
/-iị/	/-iị/	/-iị̯ei̯/	/-iilor/
/-e/	/-e/	/-ei̯/	/-elor/

Examples:

gări — gări — gării — gărilor
cofetăr*ii* — cofetăr*ii* — cofetăr*iei* — cofetăr*iilor*
case — case — casei — caselor
caf*ele* — caf*ele* — caf*elei* — caf*elelor*

Note that the article suffix for *all* C-form plurals is *-lor*. Stress remains constant throughout the declensions. Check that you understand how the C-forms in the Text (e.g. *casei, coborîrii, numărului*) are arrived at.

(*d*) *Proper Names*

Proper names in C-form functions are preceded by the marker *lui*:

lui Sandu   of, to, for Sandu
lui Carmen (şi Sandu)   of, to, for Carmen (and Sandu)

F-names ending in -*a* may, instead of taking the marker, change this -*a* into -*ei*. Thus, instead of *lui Ana*, we may say *Anei*; similarly, *lui Maria* or *Mariei*. *Lui* is also used as a C-form marker with the names of the months (Lesson 21) and the years (Lesson 18):

la începu*t*ul lui *a*ugust   at the beginning of August
la sfîrşi*t*ul lui 1960   at the end of 1960

(e) Uses of the C-forms

1. Romanian uses C-forms where English uses a possessive phrase with -'*s* or -*s*' before the head-noun or an *of*-phrase following the head-noun:

dimensiunile unor furnici   the dimensions (size) of
                              ants
în momentul coborîrii   on getting out, coming
                              down
peronul gării   the station platform, the
                              platform of the station
mănuşile Patriciei   Patricia's gloves

Note that the C-form noun *follows* its B-form head. C-form nouns in this function may be replaced by possessive determiners:

dimensiunile lor   their dimensions
mănuşile ei   her gloves

2. Most prepositions are followed by B-form nouns:

cartea e pe masă   the book is on the table
am venit cu avionul   I came by plane
avionul se apropie de   the plane is approaching
aeroport   the airport

But C-forms are used after some prepositions and preposition-like phrases:

din cauza Patriciei   because of Patricia
în faţa casei   in front of the house

Further examples are given in 32.3/1.

3. The C-forms of animate nouns are used as indirect

objects. When a noun—especially a proper noun—is used as an indirect object, a dative pronoun corresponding in gender and number to the C-form noun may accompany the verb:

am dat cărţile profesorului	I gave the books to the teacher
nici n-am îndrăznit să-i spun Anei	nor did I dare tell Ann (*lit.* to her to Ann)
dă-i lui Sandu mănuşile	give the gloves to Sandu
dă-i Anei mănuşile	give Ann the gloves

We may also say: dă-i mănuşile Anei, which may mean 'give Ann the gloves' too, since with two noun objects either one may precede the other. However, this example could also mean 'give him Ann's gloves' or 'give her Ann's gloves', *Anei* being construed as genitive instead of dative. Some constructions involving C-forms may therefore be ambiguous out of context; in real situations, however, ambiguity is rare. There is naturally no such ambiguity in:

| dă-mi mănuşile Anei | give me Ann's gloves |

We may sometimes omit the dative pronoun, but not if the indirect-object noun precedes the verb (cf. the use of the accusative pronoun, 15.3/5 (*a*)):

| lui *Sandu* i-am dat cartea | I gave the book to *Sandu* |
| Anei îi place să citească | Ann likes reading |

See further 19.3/5 (*a*).

16.3/3 Negatives

A series of negative words—*nu* 'not'; *nimic* 'nothing'; *nimeni* 'nobody'; *niciodată* 'never'; *nicăieri* 'nowhere'; *nici un* 'no', 'not a', 'not one'; etc.—do not cancel each other out in Romanian. They are therefore often equivalent to English forms in *any-*. This is the case with clauses, in which *nu* is obligatory if any of the others are present:

eu nu uit niciodată nimic   I never forget anything
el n-a uitat niciodată   he's never left anything
    nicăieri nimic   anywhere
Cf. nici eu n-am costum   I haven't got a costume either

16.3/4 Relatives and Interrogatives: *care*

The word *care* is used as a relative in the sense of 'which', 'who', 'that', and as an interrogative in the sense of 'which?', 'which one(s)?', 'who?'. Used as subject:

avionul care îi aduce la   the plane bringing them
    Bucureşti   (that, which brings them, is bringing them) to Bucharest
maşinile care circulă pe   the cars moving along the
    străzi   streets
care sînt fotografiile d*vs.*?   which are *your* photos?

The direct-object form of *care* is *pe care* plus accusative pronoun:

avionul pe care l-aţi văzut   the plane you saw (*avion* N sg., thus *l-*)
maşinile pe care le-aţi văzut   the cars you saw (*maşini* F pl., thus *le-*)
geamantanele pe care le-ai   the cases which you took
    luat cu tine   with you

Naturally, *pe care* may also mean 'on which':

pe care masă aţi pus tocul   on which table did you put
    meu?   my pen?

Note that in Romanian a preposition can never be separated from its head as in English ('which table did you put my pen on?'). A further example:

îmi trebuie un stilou cu care   I need a pen to write with
    să scriu   (*lit.* with which to write)

16.4 Exercises

1. Copy out the Text of the Lesson and read it aloud.

2. Go through the Text carefully and note the order of words in the sentences.

3. Make sentences with the help of the following tables:

(a)

am dat	cărţile	unui	student băiat copil prieten profesor
	caietele		
	creioanele		
	scirisorile	unor	studenţi băieţi copii prieteni profesori
	dicţionarele		

(b)

am dat	cărţile caietele creioanele scrisorile dicţionarele	unei	studente fetiţe
		unor	profesoare prietene

(c)

am dat	cărţile	studentului copilului băiatului profesorului
	caietele	
	stilourile	
	scrisorile	studenţilor copiilor băieţilor profesorilor
	dicţionarele	

(*d*)

am dat	cărțile caietele stilourile scrisorile dicționarele	studentei fetiței profesoarei
		studentelor fetițelor profesoarelor

(*e*)

eu ei ele Ana și [Sandu	nu	scriu citesc vorbesc spun văd aduc cred fac	niciodată nimic

(*f*)

sa	coborîm mergem citim cumpărăm	
	nu	coborîm mergem citim cumpărăm

(*g*)

să	-mi -i ne le	dai dați	cartea dicționarul stiloul
		spui spuneți	ceva

(*să-mi dai cartea* 'give me the book, will you?', 'let me have
the book')

(h)

dă		cartea, mănuşile, pardesiul, stiloul,	te	rog
daţi	-mi		vă	

(*dă-mi cartea*, *te rog* 'give me the book, please')

*4. Insert the verb given:

(1) Ieri după-masă —— la aeroport. (noi + a fi)
(2) Mîine —— un dicţionar român-englez. (eu + a cumpăra, *future*)
(3) —— foarte mult săptămîna aceasta. (ei + a învăţa, *perfect*)
(4) Îl —— azi pe fratele dvs. (el + a aştepta, *present*)
(5) Îmi —— să învăţ limba română. (eu + a plăcea, *present*)
(6) Unde —— dvs. acum? (a locui, *present*)
(7) Ce —— ea azi acolo? (a face, *present*)
(8) Ce ——? (dvs. + a spune, *perfect*)
(9) Profesorii noştri —— mîine la munte. (a pleca, *future*)
(10) Ele —— ieri la gară. (a se întîlni)

*5. Translate the following sentences:

(1) Give me the book, please. (*dvs.*)
(2) Put this jug on the table. (*tu*)
(3) Now I'll put the pen in my pocket. (*present tense*)
(4) Take this book and give it (*dă-i-o* /dă-ịo/) to Mary. (*tu*)
(5) You have forgotten your gloves. (*dvs.*)
(6) All right, I'll give them (*M*) an answer tomorrow. (*future tense*)
(7) Last year we went to Romania.
(8) I stayed at home because of the rain.
(9) We met in front of the station.
(10) Don't leave anything (behind) in the house. (*dvs.*)
(11) They kissed and set off for home.

(12) He forgot the gloves I gave him. (*pe care i le-am dat*)
(13) There are (*trans.* is) a lot of people on the platform.
(14) Quick, wave to him! (*tu*)
(15) My girl friend is coming to visit me tomorrow.
(16) Let's get off here.
(17) Who was (*present tense*) that man (*domn*) you spoke
     to (*cu*) yesterday?
(18) Sandu never tells me anything.
(19) Take (*du* or *adu*/adu/) this box to Peter. (*tu*)
(20) Give her some more (*trans.* more give her some)
     sweets. (*dvs.*)

   *6. Translate:

The car stopped in front of Ann's and Sandu's house.
On getting out of (*din*) the car, William noticed that he
didn't have his gloves (with him) any more. 'That's
nothing,' Sandu tells him. 'Last summer when I went
(*am fost*) to England I left my overcoat in the plane.'

Lesson 17

17.1 Vocabulary

a se adresa (+ *dat*.) *vb.* to speak to, to address
aliment — alimente *N* food
alimentară — alimentare *F* food-shop, grocer's
apă minerală — ape minerale *F* mineral water
apoi *adv.* then
autoservire — autoserviri *F* self-service
borcan — borcane *N* jar
casă — case *F* cash-desk
cel, cea /ča/, cei, cele *det. pron.* the (one)
ci *conj.* but
clar *adv.* clearly
coş — coşuri *N* basket
cumpărătură — cumpărături *F* purchase, (*pl.*) things one
  buys, shopping
distrat, distrată, distraţi, distrate *adj.* absent-minded
a dori *vb.* to want, to wish
a se duce *vb.* to go
el /iel/ *pron. acc.* him, it
făină — făini *F* flour
griş *N* semolina
grăbit, grăbită, grăbiţi, grăbite *adj.* in a hurry
înapoi *adv.* back
însă *conj., adv.* but, however
a înţelege *vb.* to understand
a se înţelege (cu) *vb.* to understand one another, to make
  oneself understood, to get on (with)
kilogram — kilograme *N* kilo(gram), litre
marmeladă — marmelade *F* marmalade, jam
mine *pron. acc.* me
orez *N* rice
oţet *N* vinegar
a plăti *vb.* to pay
practic, practică, practici, practice *adj.* practical
prăvălie — prăvălii *F* shop
prin *prep.* in, through, about
rar *adv.* slowly, rarely

a revede*a vb.* to meet again, to see again
revede*re* — revede*rĭ F* seeing again
tău /tăŭ/, ta, tăi, t*a*le *poss. det.* your
a se uit*a* (la) *vb.* to look (at)
un*ii* /uni/ *M pl.*, u*nele N/F pl. det. pron.* some
untdelemn *N* (olive) oil
un*ul M/N*, u*na F pron.* one
uș*or adv.* easily
vînzăto*are* — vînzăto*are F* sales-assistant, shopkeeper,
    vendor
vînzăto*r* — vînzăto*rĭ M* sales-assistant, shopkeeper,
    vendor
zahăr *N* sugar
zahăr t*os N* castor sugar
zahăr p*u*dră *N* powder sugar

Phrases

am plec*at*	I'm on my way (*lit.* I've left)
bu*nă z*i*ua /ziu̯a/	good morning, good afternoon
c*el* mai b*un*	the best
din c*el* mai b*un*	of the best
cu plăc*ere*	not at all, that's all right, don't mention it
a se d*u*ce d*u*pă (*or* la) cumpărăt*u*rĭ	to go shopping, to do the shopping
în l*o*c de z*a*hăr	instead of sugar
în l*o*cul tău	in place of you, instead of you
într-o dimine*a*ță	one morning
la n*o*i	here, at our shop
la revede*re*	goodbye, cheerio
las*ă*-mă pe m*i*ne să mă d*u*c	let *me* go
m*a*i greu va f*i* să-i înțeleg*ĭ* însă t*u* pe *e*i	but what will be harder will be for *you* to understand *them*

mă pot înţelege cu vînzătorii	the shop-assistants and I can understand each other
ştii ceva	do you know what?, I say!
şi-i /shii/ spune	and says to her
vă luaţi ce doriţi	take (for yourself) what you want

17.2 După cumpărături

Într-o dimineaţă Patricia îi spune Anei: — Ştii ceva, Ana? Lasă-mă pe mine să mă duc azi după cumpărături în locul tău. Vreau să văd dacă mă pot înţelege cu vînzătorii prin prăvălii.

A: Foarte bine. Asta e cea mai bună lecţie practică de limba română. E mai bună decît o conversaţie cu mine. Sînt sigură că te vei înţelege foarte bine cu vînzătorii şi vînzătoarele. Ei te vor înţelege foarte uşor fiindcă tu vorbeşti rar şi clar româneşte. Mai greu va fi să-i înţelegi însă tu pe ei.

P: Am plecat. La revedere.

A: La revedere.

Patricia se duce la o alimentară să cumpere alimente. Ea se adresează unei vînzătoare.

P: Bună ziua.

V: Bună ziua. Ce doriţi?

P: Vreau să cumpăr nişte zahăr, orez, şi nişte untdelemn din cel mai bun.

V: La noi e cu autoservire. Vă luaţi ce doriţi şi plătiţi la casă.

P: Mulţumesc.

V: Cu plăcere, doamnă.

Patricia ia un coş şi pune în el un kilogram de zahăr tos, unul de zahăr pudră, unul de orez, o sticlă de untdelemn, două borcane de marmeladă, o sticlă de vin şi una de apă minerală. Se duce apoi la casă, plăteşte şi pleacă. Cînd ajunge acasă pune cumpărăturile pe masă. Ana se uită la cumpărături şi-i spune:

— Ce-ai făcut, Patricia? În loc de zahăr tos ai adus griş;
    în loc de zahăr pudră ai adus făină; în loc de vin ai
    adus oţet. Aşa ştii tu să citeşti româneşte?!
P: Citesc foarte bine româneşte, ştii tu asta prea bine!
    Dar văd că am fost grăbită şi distrată. Acum trebuie
    să mă duc înapoi la prăvălie.

17.3 Grammar

17.3/1 Accusative Pronouns: Accented Forms

The accusative and dative pronouns listed in 15.3/2 and
16.3/1 accompany the verb and are generally unstressed.
There are additional sets of *accented* pronouns (cf. dative
lor in 14.3/3). Most of the accented accusative pronouns
are identical with the nominative (subject) pronouns,
but they are preceded by the accusative marker *pe*
(cf. *pe care* in 16.3/4):

Nominative	Accusative Unaccented	Accusative Accented
eu	mă (m-, -mă)	pe m*i*ne 'me'
tu	te (te-, -te)	pe t*i*ne 'you'
d-ta	te (te-, -te)	pe d-t*a* 'you'
el	îl (l-, -l)	pe *e*l 'him'
ea	o (-o)	pe e*a* 'her'
noi	ne (ne-, -ne)	pe n*o*i 'us'
voi	vă (v-, -vă)	pe v*o*i 'you'
dvs.	vă (v-, -vă)	pe d*vs.* 'you'
ei	îi (i-, -i)	pe *e*i 'them'
ele	le (le-, -le)	pe *e*le 'them'

The accented forms are always *additions*; they never
replace the unaccented forms in the function of direct
object:

lasă-mă pe m*i*ne să mă d*u*c	let *me* go
lăsaţi-i /lăs*a*tsiị/ pe *e*i să se ducă	let *them* go
l-am văz*u*t pe *e*l ieri	I saw *him* yesterday
pe d*vs.* v-a văz*u*t	it was you he saw

Read off the seven sentences from this table (meaning
'*you* read now, please', 'I'll ask *him* to read now', etc.):

te	rog pe	tine	să	citeşti	acum
vă		dvs. voi		citiţi	
îl		el		citească	
o		ea			
îi		ei			
le		ele			

The accented forms (without *pe*) are also used after
prepositions and after *decît* 'than' and *ca* 'than', 'as'. In
such cases, the third person pronouns may have an
inanimate referent, *el*, *ea* being equivalent to 'it':

la noi e cu autoservire	we have self-service here
e mai bună decît o conversaţie cu mine	it's better than a conversa- tion with me
nu a cumpărat-o pentru mine ci pentru ea	he didn't buy it for me but for her

Note: *ci* is used, instead of *dar*, in contradictions of
this kind following a negative (clause).

Patricia pune în ea un kilogram de zahăr	Patricia puts a kilo of sugar in it
el este mai mare ca mine	he's bigger than me
el vorbeşte mai bine ca mine	he speaks better than I do
ea e mai frumoasă decît tine	she's more beautiful than you

The accented form of *se* (*s-*, *-se*)—the third person
singular and plural accusative reflexive pronoun—is *pe*

sine 'himself', 'herself', 'itself', 'oneself', 'themselves', but generally (less formally) the non-reflexive forms (*pe el, pe ea, pe ei, pe ele*) are used instead:

nu m-a spăla*t* pe mi*ne* ci	it wasn't me she washed
s-a spăla*t* pe e*a*	but herself (*a spăla* 'to wash')

17.3/2 Dative Pronouns: Unaccented Primary Forms

The unaccented dative pronouns were listed in 16.3/1. The reduced or contracted forms are used after imperatives, before accusative pronouns and after certain other grammatical words such as *cine, care, ce, să, că, şi, unde, nu:*

şi-mĭ /shimĭ/ spune		me
şi-ţĭ /shitsĭ/ spune	and he tells	you
şi-i /shiĭ/ spune		him, her

Note that *şi ne, şi vă, şi le* are not hyphenated, as no syllable reductions are involved. Other examples:

lăsaţi-mĭ /lăsatsimĭ/ dicţionarul	leave me the dictionary
lăsaţi-i /lăsatsiĭ/ dicţionarul	leave him, her the dictionary
ce-ţĭ /četsĭ/ cumperĭ?	what are you buying (for) yourself?
ce ţi-ai /tsĭaĭ/ cumpărat?	what did you buy yourself?

Note how the /-ĭ/ becomes /-ĭ/ when the pronoun is joined to a following word (auxiliary) that begins with a vowel. Regarding the order of preference in this linking process, the tense auxiliary takes priority over any other grammatical item.

17.3/3 Adjectives: The Superlative Degree

For the superlative degree of adjectives (Eng. *the most* + adj., adj. + -(*e*)st), the following forms are used (with the adjective *bun* as an example):

	M	N	F
sg.	cel mai bun		cea mai bună
pl.	cei mai buni	cele mai bune	

Examples:

cea mai bună lecţie practică	the best practical lesson
nişte untdelemn din cel mai bun	some of the best oil, some oil of the best kind
cei mai înalţi băieţi	the tallest boys
cele mai mari clădiri	the biggest buildings

The noun may precede the adjective, in which case the definite-article suffix is added:

băieţii cei mai înalţi
clădirile cele mai mari

17.4 Exercises

1. Make sentences with the help of the following tables:

(a)

profesorul studentul elevul	m- te- v- l- ne- i- le-	a ajutat foarte mult

(b)

m-am te-ai s-a ne-am v-aţi s-au	dus		acasă în oraş
		la	prăvălie aeroport prietenii mei

(c)	daţi trimiteţi lăsaţi	-mi -i -ne -le	vă rog	cartea dicţionarul	dvs. profesorului lui Sandu Anei

Remember the pronunciations: *daţi-mi* /datsimĭ/, *daţi-i* /datsiĭ/, *daţi-le* /datsile/.

*2. Insert the correct unaccented form of the pronoun given in the brackets:

(1) Daţi- —— cartea, vă rog. (dat. of *el*)
(2) Dă- —— dicţionarul, te rog. (dat. of *eu*)
(3) Trimiteţi- —— o telegramă, vă rog. (dat. of *ele*)
(4) Duceţi- —— repede la aeroport. (acc. of *dvs.*)
(5) Lasă- —— dicţionarul pe masă, te rog. (dat. of *noi*)
(6) Cumpără- —— şi lui Ana un caiet dacă te duci în oraş. (dat. of *ea*)
(7) Spuneţi- —— unde aţi fost. (dat. of *ele*)
(8) Pune- —— pardesiul mai repede, te rog. (dat. of *tu*)
(9) Apropii- ——, te rog. (acc. of *tu*)
(10) Ajutaţi- ——, vă rog. (acc. of *noi*)

*3. Translate:

Yesterday we went with some friends to a café. My friend Sandu had a coffee. His wife doesn't like coffee, so she had a (cup of) tea. I had a coffee. We all (*toţi*) had some cakes, too. It didn't cost us much.

Ann went shopping this morning. She went to a grocery-shop and bought several (*mai multe*) things: bread, sugar, rice, oil, wine, vinegar, beer, mineral water, sweets, jam, coffee, chocolate, tea. She asked where she should (*trebuie*) pay and paid at the cash-desk.

Lesson 18

18.1 Vocabulary

a *int.* oh!
adesea *adv.* often
adică *adv.* that is (to say), namely
atent, atentă, atenți, atente *adj.* attentive, careful
de aceea /de ačeea/ *adv.* that's why, therefore
de la *prep.* from
a se hotărî (să) *vb.* to decide (to)
iarăși *adv.* again
a încurca *vb.* to mix up, to confuse
a se încurca cu *vb.* to get . . . (all) mixed up, to muddle (up)
întîi *adv.* first (of all)
a se întoarce *vb.* to return
învățare — învățări *F* learning
mie /mie/ — mii /mii/ *F* thousand
mijloc — mijloace *N* means, method, middle
milion /milion/ — milioane /milioane/ *N* million
modern, modernă, moderni, moderne *adj.* modern
necăjit, necăjită, necăjiți, necăjite *adj.* upset, worried,
    annoyed
a număra *vb.* to count
numeral — numerale *N* numeral, number
piață — piețe *F* market(-place), square
pînă la *prep.* up to
rău /răŭ/, rea /rea/, răi /răi/, rele *adj.* bad
simplu, simplă, simpli /simpli/, simple *adj.* simple
singur, singură, singuri, singure *adj.* alone, single, on
    one's own, by oneself
sută — sute *F* hundred
tare *adv.* very, hard
totul *pron.* everything
vorbit, vorbită, vorbiți, vorbite *adj.* spoken

Phrases

așa ceva   such a thing, such things,
                            things like that, things of
                            that kind

ce e?	what's the matter?
dar nicĭ uşor	but it's not easy, either
de exemplu (de ex.)	for example
din cînd în cînd	from time to time, now and then
etc. /et-če-te-ra/	etc.
în limba vorbită	colloquially
în oraş	in(to) (the) town
în schimb	on the other hand, by contrast, instead
într-o zi	one day
mai departe	further on, after that
mai rău	worse
numeralul	the numbers, the numeral(s)
pe dinafară	by heart
pe româneşte	in Romanian
pe urmă	then, next, afterwards
să te ajut	all right, I'll help you
se numără	one counts, you count
se spune	it is said, one says, you say
stai puţin, să le scriu	hold on, wait, stop a moment, let me write, so I can write, while I write them down
şi aşa mai departe (ş.a.m.d.)	and so on, etc.
tot mai e nevoie şi de aşa ceva	there is still a need for such things (*i.e.* you've still got to do rote learning, learn things by heart)
toate astea	all this, all these things

18.2 Numeralul

Într-o zi Patricia, care s-a dus singură în oraş, după cumpărături, se întoarce acasă tare necăjită.

— Ce e, Patricia? o întreabă Ana.

P: Sînt foarte necăjită, Ana. Am fost la cumpărături şi m-am încurcat cu numeralul. Am văzut că nu ştiu să

numǎr pe românește și m-am hotǎrît sǎ învǎţ sǎ
numǎr. Ajutǎ-mǎ ţu!

A: Sǎ te ajut. Te rog, însǎ, sǎ numeri tu întîi de la unu
pînǎ la zece, fiindcǎ asta știi.

P: A, da! Asta știu. Unu sau una, doi sau douǎ, trei,
patru, cinci, șase, șapte, opt, nouǎ, zece.

A: Foarte bine. Mai departe spui: *u*nsprezece (11),
d*o*isprezece (*M*) sau d*o*uǎsprezece (*N/F*) (12),
tr*e*isprezece (13), p*a*isprezece (14), c*i*n(cǐ)sprezece
/*č*insprezece/ (15), ș*a*isprezece (16), șaptesprezece
(17), *o*ptsprezece (18), n*o*uǎsprezece (19), douǎzecǐ
(20).

P: Stai puţin, sǎ le scriu . . . Mulţumesc . . . Nu e greu
dar nici ușor.

A: Trebuie sǎ fii însǎ atentǎ fiindcǎ vînzǎtorii din
prǎvǎlii și din piaţǎ spun -*spe* în loc de -*sprezece*,
adicǎ *u*nșpe (11), d*o*ișpe (12), treișpe (13)—continuǎ
tu!

P: Sǎ încerc. P*a*ișpe (14), c*i*nșpe (15), ș*a*ișpe (16). . . .

A: Ș*a*pșpe (17), *o*pșpe (18), n*o*uǎșpe (19). Pe urmǎ însǎ
e ușor. De exemplu: douǎzecǐ (20), treizecǐ (30),
patruzecǐ (40), cinzecǐ (50), șaizecǐ (60), șaptezecǐ (70),
optzecǐ (80), nouǎzecǐ (90), o s*u*tǎ (100).

P: Și cum se numǎrǎ de la douǎzeci la treizeci, de ex.?

A: Foarte simplu: douǎzecǐ și *u*nu (*M*) sau douǎzecǐ și
*u*na (*N/F*) (21), douǎzecǐ și d*o*i (*M*) sau douǎzecǐ și
d*o*uǎ (*N/F*) (22), douǎzecǐ și tr*e*i (23), etc. Trebuie sǎ
fii însǎ iarǎși atentǎ fiindcǎ în limba vorbitǎ se spune
adesea: douǎzǎș*u*nu (21), douǎzǎjd*o*i (22), douǎzǎștr*e*i
(23), etc. De aceea cred cǎ nu te-ai înţeles cu vînzǎtorii.
În schimb, mai departe, totul e iarǎși foarte simplu.
De ex. spunem: o s*u*tǎ (100), douǎ s*u*te (200), trei
s*u*te (300), patru s*u*te (400), cin(cǐ) s*u*te (500), șase
sute (600), șapte s*u*te (700), opt s*u*te (800), nouǎ s*u*te
(900), o m*i*e (1,000), douǎ m*i*i (2,000), șapte m*i*i
(7,000) — și așa mai departe.

P: Mulţumesc, dar ce e mai rǎu e cǎ trebuie sǎ învǎţ
acum toate astea pe dinafarǎ.

A: Draga mea, cu toate mijloacele moderne pentru
învăţarea limbilor străine tot mai e nevoie şi de aşa
ceva, din cînd în cînd.

18.3 Grammar
18.3/1 Numerals: Cardinal

(*a*) The numerals 1 to 20 and the tens are listed in the
Text. Note especially the colloquial forms *unşpe* (11),
doişpe (12), and so on, up to *nouăşpe* (19), which are the
ones used in fast colloquial speech. *Cinci* and *opt* are
usually reduced to /čin/ and /op/ when non-final in
compound numbers (e.g. in 15, 18, 50, 500, 800). Before
a voiced consonant such as *z*, the *p(t)* in *opt-* is pro-
nounced /b(d)/: *optzeci* /obzecĭ/ (80). Note that *patru*
and *şase* are reduced to *pai* and *şai* in *paisprezece*
(*paişpe*) (14), *şaisprezece* (*şaişpe*) (16), and *şaizeci* (60),
while *patru* is retained in *patruzeci* (40). In 21 to 99 the
element *-zeci şi* is colloquially reduced to *-ză ş*, *-zeş* or *-ş*
(*-j* before a voiced consonant): *două(ză)şunu* (21),
două(ză)jdoi (22), *patruştrei* (43), *şaijdoi* (62), etc.

Further examples:

33 treizeci şi trei
45 patruzeci şi cinci
56 cinzeci şi şase
67 şaizeci şi şapte
78 şaptezeci şi opt
89 optzeci şi nouă
101 o sută unu, o sută una
115 o sută cinsprezece
357 trei sute cinzeci şi şapte
698 şase sute nouăzeci şi opt
1.969 *or* 1969 o mie nouă sute şaizeci şi nouă
13.265 treisprezece mii două sute şaizeci şi cinci
45.987 patruzeci şi cinci de mii nouă sute optzeci şi şapte

(*b*) Thousands are separated in English by means of
a comma. In Romanian, a full-stop is used for this

purpose, while a comma is equivalent to a decimal point. Thus:

Rom. 1,255 kg. = Eng. 1·255 kg.
Rom. 1.255 kg. = Eng. 1,255 kg.

(*c*) Immediately before a noun head, but only then, the indefinite article *un, o* is used in place of *unu* (M/N), *una* (F). *Doi* is used with, or refers to, M-nouns, *două* N/F-nouns. The plural form of *zece*, viz. *zeci*, is used in the tens; 'twenty' is *douăzeci*. An article is used with *sută* and *mie: o sută, două sute, o mie, două mii. Milion* is an N-noun: *un milion, două milioane.*

(*d*) From 20 onwards, the numbers are linked to their noun by the particle *de*:

treizeci de lei	30 lei
o sută cinzeci de cart*o*fĭ	150 potatoes
douăzeci şi unu (de kilo-grame) de mere	21 (kilos of) apples
două mii de oameni	2,000 people
cinzeci de mii de oameni	50,000 people
dicţionarul costă douăzeci şi doi de lei	the dictionary costs 22 lei

Note that 'nineteen hundred' is always expressed as 'one thousand nine hundred': *o mie nouă sute.*

The numerals *o mie* and *un milion* are regarded as noun heads and therefore linked by *de* to a preceding number, if this number is 20 or greater:

patruzeci de milioane nouă sute de mii de oameni	40,900,000 people

18.3/2 Reflexive Constructions

In expressions such as 'they say', 'you have to do it this way', 'one never knows', the subject may not refer to any *specific* individual or group of individuals, even though you may include yourself or your listener. In such cases Romanian frequently uses a reflexive verb in the third person singular without a subject pronoun:

se spune adesea   one often says, you often
                                                     say, it is often said

şi cum se numără?   and how do you count?

Reflexive verbs are also frequently used where in
English the passive voice is employed:

ce limbi se vorbesc aici?   what languages are spoken
                                                     here?

In such cases the form of the verb is either singular or
plural, depending on the subject. A further example:

se spune că materialul acesta   this material is said to wash
  se spală foarte uşor   very easily

18.4 Exercises

*1. Write down in words the numbers from 1,110 to
1,121.

2. Count orally in Romanian from 350 to 371.

3. Make sentences with the help of the following
tables:

(a)	cartea nuvela romanul	costă a costat	opt unsprezece şaisprezece	lei

(b)	cartea dicţionarul	costă a costat	treizeci şi doi patruzeci şi cinci o sută douăzeci şi patru	de lei

(c)	alimentele	costă	o sută patru o sută optsprezece	lei
	mănuşile	au costat	cincizeci şi patru patruzeci şi şapte	de lei

(d)

cum se spune pe	româneşte franţuzeşte nemţeşte	'how are you?'? 'how do you do?'? 'that's all right'?

(e)

ce limbi se	vorbesc învaţă ştiu	aici?

*4. Translate:

A: Where have you been?

P: Shopping.

A: And what did you buy?

P: I bought some food (*pl.*).

A: Can you tell me what food you bought and how much you paid for (*pentru*) it?

P: I think so (*cred că da*). Let me try. I bought a kilo of sugar and paid nine lei for it (*trans.* for it nine lei). Then I took two bottles of oil and paid twenty-three lei for them. I also bought four small bottles of beer (*trans.* four bottles of beer small), because Sandu and William like Romanian beer. I paid fourteen (*full form*) lei for them. The shop-assistant said they cost fourteen (*colloquial form*) lei.

A: Was that the lot (*tot*)?

P: At the grocer's, yes. But I went to another shop to (*să*) buy William (*lui William*) some gloves.

A: And? (*trans.* And what did you do?).

P: I bought some very nice gloves, for which I paid eighty-six lei.

Lesson 19

19.1 Vocabulary

adevărat, adevărată, adevăraţi, adevărate *adj.* true, real

aproape *adv.* near, nearby, nearly

apropiere — apropieri *F* proximity, neighbourhood, vicinity

a căuta /kă-u-ta/ *vb.* to look for

cel, cea /ča/, cei, cele *pron.* the one(s), those

centru — centre *N* centre

cerneală — cerneluri *F* ink

a cheltui *vb.* to spend

colţ — colţuri *N* corner

cui *pron. dat.* to whom, who(m) . . . to

debit de ziare — debite de ziare *N* news-stand, kiosk

a depinde (de) *vb.* to depend (on)

dinte — dinţi *M* tooth

drogherie — drogherii *F* chemist's

ei /iei/ *pron. dat.* (to, for) her, it

englezesc, englezească, englezeşti, englezeşti *adj.* English

a fuma *vb.* to smoke

fumător — fumători *M* smoker

a găsi *vb.* to find

a se găsi *vb.* to exist, to be, can be found

hîrtie — hîrtii *F* paper

iar *adv.* again

lucru — lucruri *N* thing, object

mie /mie/ *pron. dat.* (to, for) me

mulţime — mulţimi *F* crowd, great number, lot(s)

nefolositor, nefolositoare, nefolositori, nefolositoare *adj.* useless

ochelari *M pl.* spectacles, glasses

papetărie — papetării *F* stationer's

parcă *adv.* it seems (as if), apparently

pastă — paste *F* paste

perie — perii *F* brush

pieptene — piepteni *M* comb

plic — plicuri *N* envelope

poate *adv.* perhaps, maybe

poştal, poştală, poştalĭ, poştale *adj.* postal

prost, proastă, proştĭ, proaste *adj.* stupid, poor, bad (in quality)

revistă — reviste *F* magazine, periodical, journal

săpun — săpunurĭ *N* soap

tare, tare, tarĭ, tarĭ *adj.* strong

timbru poştal — timbre poştale *N* postage stamp

tot *adv.* also, likewise

totodată *adv.* at the same time, also

tutungerie — tutungeriĭ *F* tobacconist's

ţie /tsije/ *pron. dat.* (to, for) you

ţigară — ţigărĭ *F* cigarette

ziar /zi-ar/ — ziare *N* newspaper

Phrases

ăştia se găsesc . . ., nu-i aşa?	you can get some, them, these . . ., can't you?
am mai multe lucruri de cumpărat	I have several things to buy
ce să mai cumpăr	other things to buy (*lit.* what more to buy)
cele pe care le am nu-mĭ mai plac	those I have I don't like any longer, I'm tired of the ones I have now
dar parcă văd că cheltuieştĭ	but I can see you intend to spend, but I suppose you're going to spend
de ce?	why?
după colţ	round the corner
hîrtie de scrisorĭ	writing paper (*lit.* paper of letters)
în stînga noastră	on our left, to the left of us
mai întîi	first (of all)
(mie) îmĭ place ţigara	I like the cigarette
(mie) îmĭ plac ţigările	I like (the) cigarettes
pe dreapta	on the right
pe stînga	on the left

prin apropi*e*re	near here, in the neigh-bourhood, in the vicinity
sp*u*ne-m*i*, S*a*ndule	tell me, Sandu
și . . . ca și . . .	both . . . and . . .
ț*i*e ți-am lu*a*t român*e*ști	for you I took (bought, chose) Romanian ones
țig*ă*r*i* ți-am cumpăr*a*t *e*u	*I*'ve bought cigarettes *for* you

19.2 Lucruri folositoare și nefolositoare

William: Spune-mi, te rog, Sandule, ce prăvălii sînt prin apropiere. Am mai multe lucruri de cumpărat și nu știu dacă le pot găsi prin apropiere sau trebuie să mă duc în centru.

Sandu: Depinde de ce vrei să cumperi.

W: Mai întîi vreau să mă duc la o tutungerie să-mi cumpăr niște țigări.

S: De ce? Țigări ți-am cumpărat eu! Ție ți-am luat românești fiindcă știu că-ți plac, și lui Patricia i-am luat englezești. Și ei ca și Anei îi plac țigările englezești.

W: Mie îmi plac toate felurile de țigări, poate fiindcă nu sînt un adevărat fumător și fumez foarte puțin. Trebuie însă să-mi cumpăr niște hîrtie de scrisori, plicuri, timbre poștale și niște cerneală.

S: Astea le găsești la papetărie, nu departe după colț, pe dreapta.

W: Vreau să cumpăr și cîteva ziare și reviste românești.

S: Astea se găsesc la debitul de ziare, tot după colț, dar pe stînga.

W: A, da. Știu unde. Vreau, apoi, să caut niște ochelari de soare, fiindcă soarele e prea tare la București. Ăștia se găsesc la drogherie, nu-i așa? Vreau totodată să cumpăr niște săpun, săpun de ras, pastă de dinți, o perie de dinți și un pieptene — fiindcă cele pe care le am nu-mi mai plac. Și găsesc eu ce să mai cumpăr.

S: Drogheria e foarte aproape. În stînga noastră. Dar
parcă văd că iar cheltuieşti o mulţime de bani şi iar
îţi spune Patricia că ai cumpărat lucruri nefolositoare.

19.3 Grammar

19.3/1 Vocative Case

Nouns that are used in addressing people are said to be
in the Vocative Case when used as such. In this use they
do not form an element in a clause but are separate from
it. We generally use exclamation marks and commas to
show this in writing:

John!
Mary!
tell me, Sandu . . .

In Romanian, you usually employ the B-forms of
nouns for this purpose:

Ion /ion/!	John!
Maria!	Mary!
doamnă!	madam!
domnişoară!	miss!
prieteni!	friends!
copii!	children!

But certain suffixes may also be used. With M-nouns,
-(*u*)*le* or -*e* may be added in the singular:

spune-mi, te rog, Sandule . . .	tell me, Sandu, please . . .
prostule!	fool, (you) stupid man!
domnule!	sir!
omule!	man!
Ioane /ioane/!	John!

With F-nouns in the singular, -*o* may replace -*a*:

Mario!	Mary!
Ano!	Ann!

The C-form suffix -*lor* may be used with plural nouns

of either gender, especially in such common collocations as:

doamnelor şi domnilor!   ladies and gentlemen!

One also says:

fetelor!   girls!

19.3/2 The Particle *de*

(*a*) In English, nouns may be put together to form a compound unit, as in *station* + *platform*, *watch* + *maker*, *tooth* + *brush*, etc. In Romanian, the order of elements is generally the reverse, and the second is either in its C-form or is attached to the first by the word *de*:

peronul gării   the station platform
o perie de dinţi   a toothbrush

In English we can also say 'the platform of the station', 'a brush for the teeth', and this is similar to how we express the phrases in Romanian. Note that *de* functions like a preposition and the following noun will not normally take the definite article. Some further examples of such *de*-phrases:

un debit de ziare   a news-stand
săpun de ras   shaving soap
ochelari de soare   sunglasses

(*b*) *De* may also be used with past participles. Such phrases are frequently used in cases where English has an infinitive:

am mai multe lucruri de   I have several things to buy
cumpărat

The verb in the clause may be *a avea*, as in this example, or *a fi*:

aici sînt multe de văzut   there are lots of things to
                                  see, there's lots to see
                                  here

In this use the past participle remains invariable.

19.3/3 Pronouns: *cel, cea, cei, cele*

We saw in 17.3/3 that *the* in superlative constructions
was rendered by *cel, cea, cei, cele*. These forms are also
used as pronouns in the sense of 'the one', 'the ones',
'those':

cele pe care le am	the ones I have, those that I've got
cel ce vorbeşte ⎫ cel care vorbeşte ⎭	the one who speaks, whoever speaks, he who speaks
cea ce stă pe scaun ⎫ cea care stă pe scaun ⎭	the one (the woman, the girl) standing on the chair
cei ce vorbesc ⎫ cei care vorbesc ⎭	those (men, boys) speaking

19.3/4 Accented Dative Pronouns

In Lesson 14 we had the phrase *lor le place* 'they like',
in which there are two dative pronouns, *lor* and *le*. As
we saw in 16.3/1, *le* is an unaccented dative pronoun, and
just as there is a set of accented accusative pronouns, so
too is there a set of accented dative pronouns; *lor* is the
accented counterpart of *le*. The accented dative pronouns
are used without a marker and may come before or after
the verb; in most cases they are optional additions (see
20.3/6 (*a*)), while the unaccented forms are obligatory.
The complete list is as follows (with the third person
reflexive added at the end):

Subject	Indirect Object Unaccented		Indirect Object Accented
eu	îmĭ	mi-, -mĭ	mie /mije/
tu	îţĭ	ţi-, -ţĭ	ţie /tsije/
d-ta	îţĭ	ţi-, -ţĭ	dumitale (d-tale)
el	îi	i-, -i	lui
ea	îi	i-, -i	ei /jei/
noi	ne	ne-, -ne	nouă
voi	vă	v-, -vă	vouă

	Indirect Object	*Indirect Object*
Subject	*Unaccented*	*Accented*
dvs.	vă	v-, -vă	d*vs.*
ei	le	le-, -le	lor
ele	le	le-, -le	lor
el, ea, ei, ele	îşĭ	şi-, -şĭ	lui, ei, lor, lor

Note that *ne-* and *le-* are pronounced /nę/, /lę/; *-i* and the *i-* in *mi-*, *ţi-*, *şi-*, *i-* before a vowel are pronounced /i̯/.

Note the homonyms:

mie: (1) accented dat. of *eu*; (2) numeral: 'thousand'

lui: (1) M/N poss. det.: 'his', 'its'; (2) accented dat. of *el*;
   (3) C-form marker before proper names: 'to', 'for', 'of'

ei: (1) M subject pron.: 'they'; (2) F poss. det.: 'her', 'its';
   (3) accented dat. of *ea*

nouă: (1) accented dat. of *noi*; (2) numeral: 'nine';
   (3) F sg. of adj. *nou* 'new' (*nou, nouă, noi, noi*)

dvs.: (1) subject pronoun: 'you' (polite); (2) poss. det.:
   'your'; (3) accented dat. of *dvs.* (1); (4) *pe* + *dvs.*:
   accented acc.

lor: (1) M/F/N poss. det. 'their'; (2) accented dat. of
   ei, ele

(For *îi* and *le* see 16.3/1; for *-i* see also 3.4/4.) Remember that *îmi*, *îţi*, *ne* and *vă* may also be reflexive in meaning (see 16.3/1).

The enclitic forms *-ne*, *-vă*, *-le* occur, for example, after imperatives.

The presence of the hyphen indicates that they form a single word with the verb form, so that the final *-i* of imperative forms is pronounced /i/:

daţi-le /d*a*tsile/ cartea   give them the book

See also 15.3/4 (*a*).

19.3/5 Dative Pronouns: Uses

(*a*) The dative pronouns are used with verbs such as *a plăcea* and *a trebui*, which may be used impersonally:

mie îmi place să citesc mult	*I* like to read a lot
mie adesea îmi place să citesc în pat	*I* often like to read in bed
cartea asta îmi place mie	*I* like this book
îmi trebuie un dicţionar	I need a dictionary

Remember to use the C-forms of nouns with such verbs (see 16.3/2 (*e*) 3.), together with the corresponding dative pronoun (inserted especially when the indirect-object noun is a proper name and precedes the verb):

| Anei îi plac ţigările englezeşti | Ann likes English cigarettes |
| lui Patricia îi place să citească | Patricia likes reading |

As *replacements*, *lui* replaces M/N-nouns, while *ei* replaces F-nouns:

| lui îi place asta | *he* likes this |
| ei îi place asta | *she* likes this |

Thus:

băiatului   → îi (+ lui)
lui Sandu → îi (+ lui)
fetei   → îi (+ ei)
lui Carmen → îi (+ ei)
Anei   → îi (+ ei)

Do not confuse, then, the use of the C-form marker *lui* with the use of the accented dative pronoun *lui*.

(*b*) The dative form of *cine* is *cui* + *îi*:

— Cui îi place asta?	'Who likes this?'
— Mie.	'I do.'
— Cui i-aţi dat cartea?	'Who did you give the book
— Lui Carmen.	to?' '(To) Carmen.'

Note that Eng. *who . . . to*, *to whom* is not always translated by *cui* + *îi*. Certain verbs require a preposition:

| la cine te duci? | who are you going to (see, visit)? |

Compare:

| la cine te uiţi? | who are you looking at? |
| la cine te gîndeşti? | who are you thinking of? |

(c) The dative pronouns are used with verbs such as
a cumpăra, a lua, a spune, a da:

i-am cumpărat o carte	I bought him, her a book
ţigări ţi-am cumpărat eu	*I*'ve bought cigarettes *for* you
ţie ţi-am luat româneşti	I chose *Romanian* ones for *you*

With such verbs the reflexive pronoun may be used.
Compare:

| (el) mi-a cumpărat o carte | he bought me a book |

with:

mi-am cumpărat o carte	I bought myself a book
(ea) şi-a cumpărat o carte	she bought herself a book
şi-au cumpărat nişte cărţi	they bought themselves some books
nu-şi cumpără niciodată romane	they never buy themselves novels

In such constructions either the accented form or a
prepositional phrase may be added for emphasis:

mi-am cumpărat mie o carte ⎫
mi-am cumpărat o carte pentru ⎬ I bought *myself* a book
mine ⎭

(d) The following are a few of the many verbs with
which may be used the pseudo-reflexive dative pronoun
(cf. 16.3/1):

a-şi aduce	to bring (along)	⎫
a-şi arăta	to show	
a-şi citi	to read	
a-şi găsi	to find	⎬ (one's books,
a-şi lăsa	to leave (behind)	homework, etc.)
a-şi scrie	to write	
a-şi uita	to forget	⎭

The direct object noun usually has the definite article:

mi-am uitat mănuşile   I forgot my gloves

(Don't confuse this construction with *m-am uitat la mănuşi* 'I looked at the gloves'.)

îşi va aduce prietenii   he will bring along his friends

(*e*) The dative pronouns are also used with constructions such as *a fi greu* 'to be difficult':

mi-e /mi̯e/ greu să învăţ atîta gramatică   it's difficult for me, I find it hard to learn so much grammar

mi-e foame   I'm hungry (*Lesson 30*)

Note that when a phrase such as *for you* occurs as the complement of a verb such as *to be*, as in 'this is for you', Romanian does not use the dative pronoun but, as in English, a prepositional phrase:

asta e pentru tine   this is for you

Note the difference in pronunciation: *mie* /mi-i̯e/ but *mi-e* /mi̯e/, *ţie* /tsi-i̯e/ but *ţi-e* /tsi̯e/, while *i-e* is pronounced in the same way as *e* 'is', viz. /i̯e/.

19.3/6 Prepositions

Note the differences between *pe*, *la* and *în* used with *dreapta* 'the right' and *stînga* 'the left':

circulaţi pe stînga   keep to the left, walk, drive on the left

cînd veniţi din centru, Universitatea e pe stînga   when you come from the centre, the University is on the left

întoarceţi la stînga   turn to the left

în stînga sălii   on the left-hand side of the hall

în dreapta noastră   on our right

Roughly speaking, *pe* indicates a fixed position in relation to a moving person or thing, *la* movement towards a position, while *în* (indicating a fixed position) is largely grammatically controlled, being used especially when *dreapta* and *stînga* are modified (cf. 32.3/1 (*a*)).

19.3/7 Word-Order

There are some more examples in the Text of the verb coming before the subject:

şi găsesc eu ce să mai cumpăr	and I'll certainly find some other things to buy
şi iar îţi spune Patricia	and again Patricia will tell you

These are examples of 'marked' word-order. When a particular element is selected for emphasis, the word-order may be changed, the elements being transposed, to conform to the regular, relatively more rigid patterns of accentuation. The subject and the object may change places for similar reasons:

ţigări ţi-am cumpărat eu	*I*'ve bought cigarettes *for* you

Note that in English we rely almost exclusively on stress and intonation to 'mark' or 'point' items; in Romanian such marking is achieved less by changes in stress and intonation patterns than by variations in the order of clause elements, which is freer than in English.

In the following clause *astea* is the subject:

astea se găsesc la debitul de ziare	you can get those at the kiosk (*lit*. those are found, got, *etc*.)

In the following, however, it is the object. Note the occurrence of the accusative pronoun:

astea le găseşti la papetărie	these you can get at the stationer's

19.3/8 *nu-i aşa*

The fixed clause *nu-i aşa?* 'is it not so?' is used in similar ways to English question-tags of the kind 'isn't it?', 'did you?', 'were they?'. It is invariable:

ăstia se găsesc la drogherie, nu-i aşa?	you can get these at the chemist's, can't-you?
ai fost la Bucureşti, nu-i aşa?	you've been to Bucharest, haven't you?
nu ştiţi nemţeşte, nu-i aşa?	you don't know German, do you?
puteţi citi textul acesta, nu-i aşa?	you can read this text, can't you?

It is generally spoken with a rising intonation.

Instead of *nu-i aşa?*, the form *nu?* may be used:

ăstia se găsesc la drogherie, nu?

19.4 Exercises

*1. Insert the unaccented dative or accusative form of the pronoun given:

(1) Unde —— a dus Sandu? (*el*: acc. reflex.)
(2) Ce —— a adus Sandu? (*dvs.*: dat.)
(3) Ce —— au spus Ana şi Patricia lui Sandu şi William? (*ei*: dat.)
(4) Ce —— a cumpărat William? (*el*: dat. reflex.)
(5) Unde —— am pus caietul? (*eu*: dat. reflex.)
(6) Cine —— a spus asta Anei? (*ea*: dat.)
(7) De ce nu —— aţi aşteptat? (*ei*: acc.)
(8) De ce nu —— aţi spus şi nouă? (*noi*: dat.)
(9) —— aţi găsit acasă? (*ele*: acc.)
(10) —— aţi trimis telegrama? (*ei*: dat.)

2. Compose suitable answers to the questions in Exercise 1.

3. Make sentences with the help of the following tables:

(a)

i- ţi- v- le-	am a au	trimis o	scrisoare telegramă carte

(b)

i- te- v- l- le-	am a au	văzut găsit trimis	în la	oraş centru aeroport gară

(c)

ieri azi	mi-am ţi-ai v-aţi şi-a şi-au ne-am	cumpărat nişte	cărţi lame de ras mănuşi săpun reviste ziare

(d)

îmi îţi vă îi ne le	dă trebuie cumpără trimite arată aduce	o	carte revistă
		un	dicţionar ziar
		nişte cîteva	cărţi reviste ziare dicţionare

(e)

vorbiţi româneşte, locuiţi la Londra, nu sînteţi român, sînteţi profesor, v-aţi cumpărat dicţionarul, n-ai fost acasă,	nu-i aşa?

*4. Translate:

I have some friends in Romania. They live in Bucharest. They have invited me (*add* to them) several times (*de mai multe ori*) and I have been very pleased to go (*trans.* I went with much pleasure). From London to Bucharest you can travel (*reflexive*) very well and quickly by plane. It doesn't cost much, either. In a few hours you are (*eşti*) in Bucharest. By train it takes (*trans.* you need) almost three days, and I think it costs you even more than by plane, as you spend (*add* at the same time) a lot of money on the way. I love flying. But then who doesn't? (*trans.* but who (*cui*) doesn't like this?). Today, people do a great deal of travelling by air (*trans.* today one travels (cf. 18.3/2) very much by plane).

Lesson 20

20.1 Vocabulary

acestor *det. C-form pl.* to these, for these, of these

apropo *adv.* by the way, incidentally, that reminds me, in that connection

apus — apusurĭ (de soare) *N* sunset

baie — băi *F* bath

bar — barurĭ *N* bar, nightclub

celălalt, cealaltă, ceilalţi, celelalte *det. pron.* the other

cetate — cetăţĭ *F* city, citadel, fortress

al cîtelea *M/N*, a cîta *F det. pron.* which

concert — concerte *N* concert

dorinţă — dorinţe *F* wish

după ce *conj.* after

etaj — etaje *N* floor, storey

fiecare *inv. det. pron.* each, every(body)

ghiol — ghiolurĭ *N* lake (by the sea)

hotel — hotelurĭ *N* hotel

a înota *vb.* to swim

lac — lacurĭ *N* lake

li *pron. dat.* them

lift — lifturĭ *N* lift

litoral — litoralurĭ *N* seaside, coast

lună — lunĭ *F* month, moon

mare — mărĭ *F* sea

mi /mi/ *pron. dat.* me

nămol — nămolurĭ *N* mud

nisip — nisipurĭ *N* sand

negru, neagră, negri /negri/, negre *adj.* black

nord *N* north

parte — părţĭ *F* part, side

pat — paturĭ *N* bed

a se părea *vb.* to seem

peste *prep.* across, over, after

plajă — plăjĭ *F* beach

port — porturĭ *N* port

a privi (la) *vb.* to look (at), to watch, to concern

a răsări *vb.* to rise

răsărit — răsărituri (de soare) *N* sunrise
ruină — ruine *F* ruin
seară — seri *F* evening
sus *adv.* (high) up, high
a ține minte *vb.* to remember
vechi, veche, vechi, vechi *adj.* old, stale

luni — luni *F* Monday
marți — marți *F* Tuesday
miercuri — miercuri *F* Wednesday
joi — joi *F* Thursday
vineri — vineri *F* Friday
sîmbătă — sîmbete *F* Saturday
duminică — duminici *F* Sunday

Constanța	Constanța
Eforie	Eforie
Istria	Histria
Mamaia	Mamaia
Marea Neagră	the Black Sea

Phrases

așa e bine	that's the best way (to do things)
a avea dreptate	to be right
băile de nămol	the mud baths
cel puțin	at least
cît mai sus	as high as possible
cu mașina	by car
cum li se spune acestor lacuri	as these lakes are called
dimineața	in the morning
dintr-o săptămînă	in a week
din toate cîte puțin	a little of everything
fie cum vrei tu	(be it) as you wish
iată-i /iatăi/	here they are
într-o parte	on one side
în cealaltă	on the other
la al cîtelea (etaj)	on which (floor)

la (etajul) al nouălea	on the ninth (floor)
la mare	at, to the seaside, by the sea
la nord de	to the north of
mi se pare	it seems to me, I think
pe litoral	at the seaside, coast
pe litoralul Mării /mări/ Negre	at the Black Sea coast
a pleca pe litoral	to set off for the coast
ruinele vechii /veki/ cetăţi	the ruins of the old city
săptămîna asta	this week
seara	in the evening
să stăm la soare	to lie, sit in the sun
să ştiu şi eu	so that I'll know *too*
ştiu eu, depinde . . .	how do I know? it depends . . .
tot aşa de bine ca (şi)	(just) as well as
uşor de ţinut minte unde stăm	easy to remember where we are staying

20.2 Pe litoralul Mării Negre

Patricia, Ana, William şi Sandu au plecat cu maşina pe litoralul Mării Negre. Iată-i acum la Mamaia, la nord de portul Constanţa.

P: Ce facem mai întîi, Ana?

A: Mai întîi mergem la un hotel. Vom lua două camere cu două paturi şi baie, fiecare.

W: La al cîtelea etaj vreţi voi?

S: Ştiu eu, depinde de dorinţa doamnelor.

P: Eu vreau cît mai sus. La al nouălea sau al zecelea cel puţin.

A: Şi de ce?

P: De acolo pot privi marea într-o parte şi lacul în cealaltă. Dimineaţa pot privi un răsărit de soare pe mare şi seara un apus de soare peste lac, sau peste ghiol, cum li se spune pe româneşte acestor lacuri de mare. Iar seara, mi se pare că săptămîna asta putem privi luna cum răsare din mare.

A: Fie cum vrei tu. Liftul ne duce tot aşa de bine la
etajul al treilea ca şi la al treisprezecelea.

W: Da, dar parcă nici prea sus nu e cel mai bine. Să
stăm la etajul al cincilea sau al şaselea.

P: Mai bine e la al şaptelea. Nu e nici prea sus şi e uşor
de ţinut minte unde stăm, după numărul zilelor
dintr-o săptămînă. Apropo, ce zi e azi?

S: Azi e miercuri. Ai uitat că ieri a fost marţi?

P: Ai dreptate, am uitat. Dar să nu uităm că vineri
seara mergem la concert.

A: Iar sîmbătă seara mergem la un bar.

W: Şi luni la Eforie să vedem băile de nămol.

P: După ce mergem duminică la ruinele vechii cetăţi
Istria.

S: Bine, bine. Dar cînd mai mergem şi la plajă, să stăm
pe nisip la soare şi să înotăm în mare, să ştiu şi eu
că am venit la mare?

P: Din toate cîte puţin, Sandule, aşa e bine.

20.3 Grammar
20.3/1 C-forms

(*a*) The C-forms of the non-pronominal determiner
acest, aceasta, acești, aceste 'this', 'that', etc., are:

	M	N	F	
sg.	acestui		acestei	(to, of) this, that
pl.	acestor			(to, of) these, those

In our C-form tables, these forms replace *unui, unei,
unor:*

soţia acestui domn	this (gentle)man's wife
soţiile acestor domni	these men's wives
soţul acestei doamne	this lady's husband
soţii acestor doamne	these ladies' husbands

The forms of the corresponding determiner pronoun take an extra -*a*:

d*o*mnului ac*e*stuia, do*a*mnei ac*e*steia, do*a*mnelor ac*e*stora

(*b*) The C-forms of adjectives follow the same pattern as those of nouns. Whichever comes first, the noun or the adjective, takes the appropriate endings. Thus we may say tînărului *om* or *omului tînăr* 'of, to the young man' (contrast this latter form with *omului acestuia*, in which *both* elements take a C-form ending—but cf. the footnote in 16.3/2). It is simplest to place the adjective after the noun, in which case the noun alone takes the article and case endings. In this position the C-forms of adjectives are identical with the B-forms, except in the case of F-forms, in which a single form—a plural form—is used with both singular and plural nouns. Thus the forms of *bun* following a noun are:

	M-noun	*N-noun*	*F-noun*
sg.	bun → bun	bun → bun	bună ⌐→ bune
pl.	bunĭ → bunĭ	bune → bune	bune ⌐→ bune

The same distribution of forms applies equally to the possessive determiners, e.g.:

	meu → meu	meu → meu	mea ⌐→ mele
	mei → mei	mele → mele	mele ⌐→ mele

M	**B-forms**	**C-forms**
a good comb	un pieptene bun	→ unui pieptene bun
the good comb	pieptenele bun	→ pieptenelui bun
good combs	pieptenĭ bunĭ	→ unor pieptenĭ bunĭ
the good combs	pieptenii bunĭ	→ pieptenilor bunĭ

N
a beautiful lake	un lac frumos	→ unui lac frumos
the beautiful lake	lacul frumos	→ lacului frumos
beautiful lakes	lacurĭ frumoase	→ unor lacurĭ frumoase
the beautiful lakes	lacurile frumoase	→ lacurilor frumoase

F

a black sea	o mare neagră	→ unei mări negre
the black sea	marea neagră	→ mării negre
(the Black Sea)	(Marea Neagră)	(Mării Negre)
black seas	mări negre	—→ unor mări negre
the black seas	mările negre	—→ mărilor negre

(*c*) Note these C-forms in the Text:

litoralul Mării Negre	the Black Sea coast
dorinţa doamnelor	the ladies' wish
numărul zilelor dintr-o săptămînă	the number of days in a week

When the order is adjective plus noun, the adjective patterns like the noun in the above tables and the noun like the adjective:

| ruinele vechii cetăţi | the ruins of the old city |

Vechii cetăţi, from the B-form pl. *vechi cetăţi* 'old cities', is the C-form (sg.) of *vechea cetate* 'the old city'. In this order, then, the C-form of an F-noun is always that of its B-form pl. (The C-form pl. would be *vechilor cetăţi*.)

(*d*) In the Text we had the phrase:

| ruinele vechii cetăţi Istria | the ruins of the old city of Histria |

In English, the name of a place is linked to the word *county*, *city*, *town*, *village*, etc., by the marker *of*. In Romanian, the two words stand in simple apposition and only the first takes the suffixes:

portul Constanţa	the port of Constanţa
cetatea Istria	the city of Histria
oraşul Bucureşti	the city of Bucharest

20.3/2 Possessive Marker: *al, a, ai, ale*

In Lesson 9 we saw that to express the notion of 'whose' the particle *al, a, ai, ale* was used, together with *cui*. Which of the four forms is used depends on the gender and number of the person or thing possessed. They are

used not only with *cui* but also with the possessive
determiners when these are used pronominally (i.e. without a noun):

băiatul e al meu	the boy is mine
băieţii sînt ai mei	the boys are mine
fetiţa e a mea	the girl is mine
fetiţele sînt ale mele	the girls are mine

M/N sg. referent:

acesta e al ei   this is hers

M-pl. referent:

aceştia sînt ai tăi   these are yours

F-sg. referent:

aceasta e a lor   this (thing) is theirs

N/F-pl. referent:

acestea sînt ale lui   these (things) are his

See also 29.3/1. (In subsequent paragraphs (e.g. in
20.3/3, 20.3/4) we shall examine some of the other uses
of *al*.)

20.3/3 Ordinal Numbers

The ordinal numbers ('the first', 'the second', etc.) have
two forms, an M/N-form and an F-form. The following
are the forms to use with singular B-form nouns:

	M/N-form	*F-form*
1st	primul (1-ul), întîiul /întîiul/	prima (1-a), întîia /întîia/
2nd	al doilea (al 2-lea)	a doua (a 2-a)
3rd	al treilea (al 3-lea)	a treia (a 3-a)
4th	al patrulea (al 4-lea)	a patra (a 4-a)
5th	al cincilea (al 5-lea)	a cincea (a 5-a)

The usual way of abbreviating the ordinals is given in
brackets. *Primul, prima* generally precede a noun, while
întîiul, întîia are preferred when no noun is present. All
the others may precede or follow a noun, or stand on
their own. When the ordinal comes first, the noun takes

no article suffix, but when it follows, the article is
suffixed to the noun:

e primul student din clasă	he's the first, best student in the class
e prima studentă din clasă	she's the best student in the class
e întîia în clasă	she's top of the class

al doilea student
studentul al doilea
a doua studentă $\Big\}$ the second student
studenta a doua

Note that *primul, prima* and *întîi(ul), întîia*[1] are not
preceded by the ordinal marker *al, a.* The M/N-form of
the rest of the ordinals is formed from the cardinals by
using the initial marker *al* and by adding the suffix
-(u)lea /(u)lẹa/:

al + d**o**ilea, tr**e**ilea, p**a**trulea, c**i**ncilea /činčilẹa/, ş**a**selea,
ş**a**ptelea, **o**ptulea, n**o**uălea, z**e**celea, **u**nsprezecelea
(11-lea), două**z**ecilea /douăzečilẹa/ (20-lea), două**z**ecĭ
şi **u**nulea (21-lea), etc.

For the F-forms *-a* is added; a resulting *-ea* is pro-
nounced /ẹa/:

a + d**o**ua /do**u̯**a/, tr**e**ia /tre**i̯**a/, p**a**tra, c**i**ncea /činča/,
ş**a**sea, ş**a**ptea, **o**pta, n**o**ua /no**u̯**a/, z**e**cea /zeča/,
unsprezecea (11-a), două**z**ecea (20-a), două**z**ecĭ şi **u**na
(21-a), etc.

Note that 'twenty-first', 'thirty-first', etc., employ *un-*,
not *prim-, întîi-*.

Only the last element of a number takes the suffix:

11th: al unsprezecelea, a unsprezecea
111th: al o sută unsprezecelea, a o sută unsprezecea
1,111th: al o mie o sută unsprezecelea, a o mie o sută
   unsprezecea
100th: al o sutălea, a o suta

---

[1] The M/N-form *întîi* is used after a noun: *etajul întîi* 'the first
floor'. The F-form is always *întîia* (e.g. *clasa întîia* 'the first form').

101st: al o sută *u*nulea, a o sută *u*na
200th: al două sutelea, a două suta
2,000th: al două m*i*ilea /m*i*-i-lęa/, a două mia /m*i*-ịa/
1,000,000th: al mili*o*nulea, a milio*a*na

The ordinals *primul, prima, întîiul, întîia* follow other
determiners in having C-forms and plural forms (for a
note on the latter see 32.5). The others have no C-forms
or plural forms. To translate, say, 'the third five', we
have to say, for example, 'the third group of five' (*al
treilea lot de cinci*). The phrase *cel de-* + ordinal may be
used, with *cel* declined accordingly (see next paragraph):

iată apartamentul celui de-al   here's the third boy's flat
   /dęal/ treilea băiat

20.3/4 Adjectives: Superlative Degree

We saw in 17.3/3 that the superlative degree of adjectives
was formed by means of *cel, cea, cei, cele* plus *mai*. The
C-forms are:

	M	N	F	
sg.	ce*l*ui		ce*l*ei	+ mai
pl.	ce*l*or			

These forms precede the adjective and noun. The
forms of the adjective and noun are identical with those
following *unui, unei, unor*:

scrisoarea celui mai bun student	the letter of the best (male) student, the best (male) student's letter
scrisoarea celei mai bune studente	the best (female) student's letter
scrisorile celor mai buni studenți scrisorile celor mai bune studente	the best students' letters

Genitive phrases used pronominally as complements are preceded by the possessive marker *al, a, ai, ale.* Note that the marker agrees in gender and number with the subject noun (F *scrisoare, scrisori*), while the determiner (*unui, unei, unor/celui, celei, celor*) agrees with its own noun head. Consider the following:

Am dat unor studenţi să scrie nişte scrisori în limba română. Iată scrisorile lor:

prima e a unei studente	the first is a girl's
a doua scrisoare e a unui student mai bun	the second is a better boy's
a treia e a unei studente mai bune decît prima	the third was written by a girl who is better than the first
a patra e a celui mai bun student din clasa mea	the fourth is that of the best boy in my class
a cincea e a celei mai bune studente din clasa mea	the fifth is the one done by the best girl in my class
scrisorile celor mai bune studente sînt mai bune decît ale celor mai buni studenţi	the letters of the best girls are better than those of the best boys
cei mai buni studenţi nu scriu scrisori aşa frumoase ca cele mai bune studente	the best boys do not write such nice letters as the best girls
scrisorile sînt ale celor mai buni studenţi	the letters are those of the best boys
scrisorile sînt ale celor mai bune studente	the letters are those of the best girls

20.3/5 Adverbs: Superlative Degree

We saw in 7.3/5 that the superlative of adverbs is formed by placing *cel mai* before the adverb. Note that *cel* in this use is invariable:

dl. Smith vorbeşte cel mai bine româneşte	Mr S. speaks Romanian best

| d-na Smith vorbeşte cel mai bine româneşte | Mrs S. speaks Romanian best |
| d-şoara Smith învaţă cel mai greu româneşte | Miss Smith has the greatest difficulty in learning Romanian (*i.e.* finds it more difficult than any-one else) |

20.3/6 Dative Pronouns: Unaccented Secondary Forms

(*a*) When we have two unaccented pronouns in a clause, a dative and an accusative (cf. English *I lent him it, I lent it (to) him*), the dative always precedes the accusative in Romanian and requires special forms, which we will call 'secondary'. Some of these forms resemble the reduced primary unaccented forms (which are used when no accusative pronoun follows), but they are not identical.[1]

Subject	Indirect Object Primary forms (*full*)	Indirect Object Secondary forms
eu	îmi	mi /mi/
tu, d-ta	îţi	ţi /tsi/
el, ea	îi	i /i/
noi	ne	ni /ni/
voi, dvs.	vă	vi /vi/
ei, ele	le	li /li/
el, ea, ei, ele	îşi	şi /shi/

Note the form *şi*, which is identical with the adv./conj. *şi* 'and', 'also', 'already'.

The *primary* forms are used with acc. *o*:

mi-o /mi̯o/ va da	he'll give it to me
v-o va da	he'll give it to you
le-o /le̯o/ va da	he'll give it to them
mi-ai făcut-o	you did it (to me)
daţi-mi-o /datsimi̯o/ (mie)	give it to me
daţi-le-o /datsile̯o/ (lor)	give it to them
daţi-i-o /datsii̯o/ (lui, ei)	give it to him, her

[1] The forms listed are 'full' forms, all having the vowel /-i/.

Before other accusative pronouns the *secondary* forms
are used:

mi-l va da (mie)	he'll give it (*M/N*) to me
mi-i /mii̯/ va da	he'll give them (*M*) to me
mi le va da	he'll give them (*N/F*) to me
vi-l va da (vouă)	he'll give it to you
vi-i /vii̯/ va da ⎫ vi le va da ⎭	he'll give them to you
daţi-mi-l /da̯tsimil/	give it to me
daţi-mi-i /da̯tsimii̯/ ⎫ daţi-mi-le /da̯tsimile/ ⎭	give them to me
daţi-i-l /da-tsi-il/ (lui, ei)	give it to him, her
daţi-i-i /da-tsi-ii̯/ lui ⎫ daţi-i-le /da-tsi-i-le/ lui ⎭	give them to *him*
ţi l-a dat	he gave it to you
ţi le-am dat ⎫ ţi i-am dat ⎭	I gave them to you

The same set of accented dative pronouns (19.3/4) is
used with the secondary unaccented as with the primary
unaccented.

There are restrictions on some of the possible com-
binations. For example, there is a strong tendency to
avoid using *li* (especially before *le*), except before the
reflexive *se*. One either repeats one of the objects in its
full noun-form, or omits one of them entirely, or uses
an accented dative pronoun alone for the third person.
Consider the following:

am dat băieţilor cîinii	I gave the boys the dogs
le-am dat cîinii	I gave them the dogs
i-am dat băieţilor	I gave them to the boys
i-am dat lor (li 'to them' *omitted*)	I gave them to them
am dat băieţilor cărţile	I gave the boys the books
le-am dat cărţile	I gave them the books
le-am dat băieţilor	I gave them to the boys
le-am dat lor (li 'to them' *omitted*)	I gave them to them

Similarly, one frequently hears *daţi-i* /datsiị/ *lui* in place of *daţi-i-i* /datsiiị/ (*lui*) and *daţi-i-le* /datsiile/ (*lui*).

The restrictions concern combinations of third person pronouns. The most common combinations are: *i + l*, *i + o*, *i + le*, *le + o*. The following may also be used: *i + i*, *li + l*, *li + i*; but *li + le* is rare.

(*b*) All the secondary unaccented dative pronouns commonly occur before the accusative reflexive *se*:

se pare că putem privi luna	it seems that we can look at the moon
mi se pare că putem privi luna	I think we'll be able to watch the moon
cum li se spune acestor lacuri	as these lakes are called (*lit.* as is said of these lakes)

As this last example shows, the English equivalent is frequently a passive construction. In the following three examples, the noun is the subject of the clause:

i s-a trimis o telegramă	he, she was sent a telegram (*lit.* to him, her was sent a telegram)
vi se vor face nişte fotografii	some photos will be taken of you, they'll take some photos of you
ni s-au adus cărţile	we were brought the books

In *cum li se spune acestor lacuri*, *se spune* is equivalent to 'are called'. But the same construction may mean 'is, are said' or 'is, are told':

se spune că e frumoasă	she is said to be beautiful
li s-a spus lui Ana şi Sandu ce să facă	Ann and Sandu were told what to do

20.3/7 Markers: *al*

The interrogative forms *al cîtelea* (M/N), *a cîta* (F) are used in the sense of 'which (one), in the given series, in the given order', and require a response containing an accented ordinal:

al cîtelea etaj e acesta?	which floor is this?
a cîta zi a săptămînii e vineri?	which day of the week is Friday?

Notice the two occurrences of *a* in the second example: *a* is F, agreeing with the F-noun *zi*. The possessive marker is used in this way, to link a C-form noun to its head (*săptămînii* to *zi*), when the head does not have the definite article suffix or has a modifier as well. Consider the following:

el e un prieten al meu	he's a friend of mine
el e un prieten al surorii mele	he's a friend of my sister's
el e un prieten al surorilor mele	he's a friend of my sisters'
ea e o prietenă a surorilor mele	she's a friend of my sisters'

But:

el e prietenul meu	he's my friend
el e prietenul surorii mele	he's my sister's friend
el e prietenul surorilor mele	he's my sisters' friend
ea e prietena surorilor mele	she's my sisters' friend

See also 24.3/1.

20.3/8 Adverbs: Temporal

When the names of the days of the week are used adverbially, no article accompanies them:

mergem duminică la ruine	we'll go to the ruins on Sunday
şi luni la Eforie	and to Eforie on Monday

On the other hand, *dimineaţă* and *seară* do take the article when used adverbially:

dimineaţa pot privi un răsărit de soare	in the morning I'll be able to watch the sunrise (*lit.* a rise of the sun)

| vineri seara mergem la concert | on Friday evening we'll go to the concert |

See also 21.3/3.

20.4 Exercises

1. Read the Text out aloud several times.

2. Make sentences with the help of the following tables:

(a)

spuneți, vă rog,	acestui	om băiat student		citească
	acestei	femei fetițe studente	ce să	
	acestor	oameni femei băieți fetițe studenți studente		scrie faca

(b)

| locuim în blocul al | doilea patrulea șaptelea zecelea | de aici, la etajul al | treilea cincilea șaselea nouălea |

(c)

| mi ni ți vi i li | s-a | spus arătat amintit | că | am avem aveți | dreptate |

(*mi s-a amintit* 'I was reminded')

(d)

mîine	plecăm		mare
poimîine	vom pleca		Mamaia
duminică	ne ducem	la	Constanţa
joi	ne vom duce		Bucureşti
miercuri			Eforie
sîmbătă			Istria

(e)

butonul	acesta	e	al	meu
paharul				tău
				dvs.
				lui
				ei
				lor
cartea	aceasta		a	mea
casa				ta
				dvs.
				lui
				ei
				lor

(f)

banii	aceştia	sînt	ai	mei
butonii				tăi
				dvs.
				lui
				ei
				lor
cărţile	acestea		ale	mele
paharele				tale
				dvs.
				lui
				ei
				lor

3. Collect or compose sentences illustrating uses of all the various pronunciation-forms of the acc. and dat. pronouns. For example, English *me* may be equivalent

to the forms /mă, m/ (+ /pe mine/) or /îmĭ, mĭ, mị, mi/
(+ /mije/).

*4. Insert the correct form of the dative pronoun.
(You can do the exercise mechanically without under-
standing the meanings of all the words, but translations
are given in brackets as a guide.)

(1) —— s-a spus că aveţi dreptate. (*dvs.*)
('You were told that you were right.')

(2) Cred că —— s-a mai spus asta. (*noi*)
('I think we were told that before.')

(3) —— s-a trimis o scrisoare şi lui. (*el*)
('He was sent a letter too.')

(4) —— s-a părut că sînteţi aici. (*ele*)
('They thought you were here.')

(5) —— se pare grea lecţia? (*tu*)
('Do you find the lesson difficult?')

(6) Cum —— se spune acestui lucru pe româneşte? (*el*)
('What's this thing called in Romanian?')

(7) Ce —— s-a dat? (*ea*)
('What was she given?')

(8) —— s-a atras adesea atenţia. (*ei*)
('Their attention has often been drawn to it.')

(9) Nu —— s-a amintit că e tîrziu. (*noi*)
('We weren't reminded it was late.')

(10) Cînd —— s-au adus bagajele? (*voi*)
('When did you get the luggage?')

*5. Insert the correct form of the verb.

(1) —— să-mi aduc dicţionarul. (*a uita*: perfect)

(2) —— acasă vineri. (*noi, a se întoarce*: 3 tenses)

(3) Unde —— pe sora mea ieri? (*dvs., a vedea*)

(4) Unde —— poimîine? (*ele, a se duce*: 2 tenses)

(5) Cine —— ce e şi unde e Constanţa? (*a şti*)

6. Read in Romanian the following numerals:

(*a*) 13; 33; 118; 3,854; 11,452; 23,796.

*(*b*) al 18-lea; a 15-a; al 31-lea; a 54-a; a 111-a; al
1.504-lea; al 71-lea.

*7. Translate:

Yesterday morning we drove (*trans.* went by car) to the sea(side). Ann wanted to go by train because by train it is (*trans.* goes) quicker, but Patricia doesn't like trains (*trans.* the train), so that the (*cei*) four friends left by car for Mamaia. Mamaia is near Constanţa. Not far from Constanţa are Eforie and Histria. At Eforie there are a lot of new hotels and blocks of flats, but at Histria there are only ruins.

Lesson 21

21.1 Vocabulary

a-şi aduce aminte (de) *vb.* to remember
alt, altă, alţi, alte *det.* another, (a) different, other
altădată *adv.* another time
amiază — amiezĭ *F* noon
a aminti (+ *dat.*) *vb.* to remind, to recall
a-şi aminti (de) *vb.* to remember
atenţie — atenţii *F* attention
a atrage *vb.* to attract, to draw
ba *int.* oh, no
cald, caldă, calzĭ, calde *adj.* warm
ce *adv.* how
ceas — ceasurĭ *N* watch, clock
a cere *vb.* to ask (for), to request
dată — date *F* date
după-amiază *adv.* (in the) afternoon
fierbinte, fierbinte, fierbinţĭ, fierbinţĭ *adj.* hot
frig *N* cold
a se gîndi (la) *vb.* to think (of), to consider
idee /i-de-e/ — ideĭ *F* idea
(în) curînd *adv.* soon, presently
jumătate — jumătăţĭ *F* half
noapte — nopţĭ *F* night
oră — ore *F* hour
optimist, optimistă, optimiştĭ, optimiste *adj.* optimistic
ordine — ordinĭ *F* order
pesimist, pesimistă, pesimiştĭ, pesimiste *adj.* pessimistic
pînă cînd (să) *conj.* until, before
a rămîne *vb.* to remain
scuză — scuze *F* excuse, apology, pardon
sfert — sferturĭ *N* quarter
sfîrşit — sfîrşiturĭ *N* end
a şti de *vb.* to know of, about
televiziune — televiziunĭ *F* television
timp — timpurĭ *N* time
toamnă — toamne *F* autumn
a trece *vb.* to pass (by), to go by

trecut, trecută, trecuţi, trecute *adj.* past, last
viitor /vi-i-tor/ *N* future
viitor, viitoare, viitorĭ, viitoare *adj.* future, next

lunile anului the months of the year
ianuarie /ĭa-nu-a-ri-ĭe/ *M*
februarie *M*
martie *M*
aprilie *M*
mai *M*
iunie *M*
iulie *M*
august /august/ *M*
septembrie *M*
octombrie *M*
noiembrie *M*
decembrie /dečembriĭe/ *M*

Phrases

azi după-amiază	this afternoon
ca să fiu	to be, so that I may be
ca să-ţĭ amintesc	so that I may remind you
ce cald!	how warm, how hot
cît e ora, vă rog? ⎱ cît e ceasul, vă rog? ⎰	what is the time, please?
îmĭ pare bine	I'm glad; (I'm) delighted to meet you
îmĭ pare rău	I'm sorry, I feel sorry
la (ora) opt fără un sfert	at a quarter to eight (*lit.* at eight less a quarter)
mai e mult	it's still a long time, there's still a lot (of time, distance, etc.)
noaptea	at night, during the night
nu . . . decît	only
nu-mĭ rămîne acum decît să . . .	all I can do now is (*lit.* it only remains to me now to) . . .

nu fi ...	don't be ...
omule!	man!
plecăm înapoi la Londra	we're returning to London
poftim	right, here we go, here we are, here you are
pot să te învăț	I can teach you
săptămîna viitoare	next week
șase (și) jumătate	half past six (*lit.* six (and) half)
și să-mi cer scuze	and apologise, and ask him to excuse me (*lit.* and ask excuses for myself)
voi englezii /-zi/	you English (*lit.* you the English(men))
vrei să-mi spui?	will you tell me?
să-ți amintești ce ai de făcut	to remember what you have to do

21.2 Timpul

W: Ce dată avem azi, Sandule, te rog?

S: Azi e joi douăzeci și trei august (23 August) o mie nouă sute șaizeci și opt (1968). Ieri parcă a fost douăzeci și două august? Sau azi e vineri?

W: Nu știu. Tu știi mai bine. De aceea te-am întrebat. Știi, la treizeci și unu august plecăm înapoi la Londra, cu avionul. Lui Patricia nu-i place să călătorească cu trenul noaptea. ... Am avut o vară frumoasă aici. Putem însă spune că a trecut vara, nu-i așa?

S: Da, da, vara a trecut. Cum trece timpul! Și timpul e bani, cum spuneți voi englezii. Săptămîna viitoare începe toamna. E întîi septembrie. Ce cald, ba chiar ce fierbinte a fost luna trecută și cînd te gîndești că în curînd începe frigul.

W: Nu fi așa pesimist, omule. Fii mai optimist. Pînă cînd să înceapă frigul mai e mult. Mai bine spune-mi lunile anului pe românește.

S: Cu plăcere. Îmi pare bine că pot să te învăţ ceva.
Poftim: ianuarie, februarie, martie, aprilie, mai, iunie,
iulie, august, septembrie, octombrie, noiembrie,
decembrie.

W: Mulţumesc. Dar acum, în altă ordine de idei, vrei
să-mi spui, te rog, cît e ceasul?

S: Cu plăcere. E şase şi jumătate. Ba, ca să fiu mai
exact, e şase şi douăzeci şi cinci de minute. Peste
o oră şi ceva, la opt fără un sfert sau fără zece, avem
un concert foarte frumos la televiziune.

W: Vai, mi-am adus acum aminte că am uitat să mă duc
la gară azi după-amiază la ora două şi un sfert să
văd un prieten. Nu-mi rămîne acum decît să-i scriu
o scrisoare şi să-mi cer scuze.

S: Îmi pare rău că n-am ştiut de asta. De ce nu mi-ai
spus? Altădată să-mi atragi atenţia cînd trebuie să
faci ceva ca să-ţi amintesc eu, să te ajut să-ţi aminteşti
ce ai de făcut.

W: Mulţumesc. Voi face aşa în viitor.

21.3 Grammar

21.3/1 The Date

Cardinal numbers are used in dates:

26 martie (douăzeci şi şase   the 26th of March, March
  martie)   26th
5 mai (cinci mai)   the 5th of May

For 'the second', the F-form *două* is used:

2 ianuarie (două ianuarie)   2nd January

For 'the first', the ordinal *întîi* is used:

1 ianuarie (întîi ianuarie)   1st January

We thus have:

întîi iulie, două iulie, trei iulie, patru iulie, etc.
  Note:

azi sîntem în 2 ianuarie⎫
azi e 2 ianuarie   ⎬   it is 2nd January

Note that the names of the months, like the names of the days of the week, are spelt with an initial small letter.

Further examples:

sîntem în 1969 (o mie nouă sute şaizeci şi nouă)	it is 1969
azi e 24 ianuarie 1970 (douăzeci şi patru ianuarie o mie nouă sute şaptezeci)	today is 24th January, 1970
la 24 ianuarie	on 24th January

21.3/2 The Time

e (ora) şapte	it's seven (o'clock)
e şapte şi cinci (minute)	it's five (minutes) past seven (*lit.* it's seven and five)
e şapte fără cinci (minute)	it's five (minutes) to seven (*lit.* it's seven less five)
e şase şi douăzeci şi cinci (de minute)	it's twenty-five past six
e şase fără douăzeci	it's twenty to six
e unu şi cinci	it's five past one
e două şi jumătate	it's half past two

Note that *unu* is used for 'one' and *două* for 'two'.

e douăsprezece fără zece	it's ten to twelve
e unsprezece fără douăzeci	it's twenty to eleven
e cinci şi un sfert	it's a quarter past five
e cinci fără un sfert	it's a quarter to five

We may also say:

e nouă cincizeci	it's nine fifty
e nouă douăzeci şi şapte	it's nine twenty-seven
e trei şi douăsprezece	it's three twelve
la trei şi douăzeci după-amiază	at 3.20 in the afternoon

la nouă şi zece seara

at ten past nine in the evening, at 9.10 p.m.

la ora două noaptea

at two o'clock at night, at 2 a.m.

21.3/3 The Days of the Week

joi

(on) Thursday

joia

on (most) Thursdays (*lit.* the Thursday)

joia viitoare

next Thursday

joia trecută

last Thursday

mă duc la concerte vinerea

I go to concerts on Fridays (*when* I go)

The definite-article suffix -*a* is added when the noun is modified or indicates a more or less regular series of occasions. The resulting forms are:

lunea /lun̦ea/, marţea, miercurea, joia /zhoi̦a/, vinerea, sîmbăta, duminica

We thus have:

Singular

vineri 'Friday', 'on Friday'

sîmbătă

Plural

vineri 'Fridays'

sîmbete

With the article:

Singular

vinerea 'on Fridays' (i.e. 'not necessarily every Friday, but if I go then it's on a Friday')

sîmbăta

Plural

vinerile '(always, regularly) on Fridays'

sîmbetele

While the names of the days are F-forms, the months are M-nouns:

într-o altă duminică

on another Sunday

un mai cald şi frumos

a fine warm May

The following phrases are worth noting:

dimineaţa	in the morning
într-o dimineaţă	one morning
bună dimineaţa!	good morning
ieri dimineaţă	yesterday morning
seara	in the evenings (not necessarily every evening)
vineri seara	on Friday evening (*lit.* Friday in the evening)
mîine seară	tomorrow evening
în fiecare seară (*somewhat formal*)	every evening
serile	in the evenings, every evening
mă duc acolo vineri	I'm going there on Friday, next Friday
vinerea	on Fridays (if I go)
vinerile	(regularly) on Fridays, every Friday
în fiecare vineri	every Friday
vinerea seara	on Friday evenings (generally)
în toate serile de vineri	every Friday evening
astă-seară ⎫ deseară ⎬ în seara asta ⎭	this evening, tonight
aseară	yesterday evening, last night
ziua	in the day(time), during the day (*lit.* the day)
în fiecare zi	every day
noaptea	in the night, at night
la noapte	tonight
noaptea trecută	last night
după-amiază ⎫ după-masă ⎬	in the afternoon
*a*stăzi ⎫ azi ⎬	today

azi după-amiază	this afternoon
vineri după-amiază ⎫ vineri după-masă ⎭	on Friday afternoon
după-amiezile	in the afternoons
vinerea după-amiază	on Friday afternoons

21.3/4 *a fi*: Subjunctive

The subjunctive of *a fi* 'to be' involves a different form for each person:

Indicative	*să-form*
(eu) sînt	să fiu /fiu̯/
(tu) eşti	să fii /fii̯/
(el, ea) e(ste)	să fie /fi*i*e/
(noi) sîntem	să fim
(voi) sînteţi	să fiţi
(ei, ele) sînt	să fie /fi*i*e/

The forms *fii* /fii̯/ and *fiţi* are used for the imperative positive, *nu fi* and *nu fiţi* for the imperative negative:

| nu fi aşa pesimist! | don't be so pessimistic |
| fii mai optimist | be more optimistic |

21.4 Exercises

1. Read aloud the following numbers:

3; 8; 12; 19; 21; 117; 198; 536; 1.435.

2. Read aloud the following ordinals:

al 2-lea; al 6-lea; a 9-a; a 51-a; al 99-lea; al 234-lea; al 2.100-lea; a 4.513-a.

3. Read aloud the following dates:

3 aprilie; 17 februarie; 1 mai; 25 decembrie 1969; 19 octombrie 1943; 2 iulie 1504; 31 martie 1971.

*4. Read aloud the following times:

8.30; 10.45; 2.20; 9.5; 7.28; 4.55; 3.30 a.m.; 4.15 p.m.; 11.50 a.m.

5. Make sentences with the help of the following tables:

(a)

nu-mi aduc aminte aminteşte-mi, te rog, adu-mi aminte, te rog,	ce trebuie să fac unde trebuie să mă duc ce trebuie să cumpăr	azi după-amiază mîine dimineaţă săptămîna viitoare

(b)

cît e	ceasul, ora,	vă rog?	e	unu două şase zece douăsprezece	şi fără	un sfert zece douăzeci şi două trei

(c)

îmi ne îi le vă	pare foarte	rău bine	pentru	Toma el George şi Maria

*6. Translate:

Mr and Mrs Smith left London by train (*trans.* left by train from (*din*) London) for Bucharest. They left on a Tuesday morning at half past ten from (*de la*) Victoria Station and arrived in Paris at seven in the evening. They left Paris (*trans.* from Paris they left) at twenty to twelve on Tuesday night, and after travelling (*trans.* after (*după ce*) they travelled) all day Wednesday and Thursday (*trans.* all the day of (*de*) Wednesday and of Thursday) they arrived on Thursday evening at 9.25 at the North Station in Bucharest (*trans.* at B. in the Station of (*de*) the North). Thus (*trans.* in this way) they were on the train (*trans.* travelled by train) 54½ hours (*trans.* fifty-four hours and half) or a little more than (*de*) two days and a quarter.

Lesson 22

22.1 Vocabulary

aproape de *prep.* near

apropo de *prep.* concerning, with regard to, talking about

băutură /bă-u-tu-ră/ — băuturĭ /bă-u-turĭ/ *F* drink

biftec — biftecurĭ *N* (beef) steak

cartof — cartofĭ *M* potato

chelner — chelnerĭ *M* waiter

compot — compoturĭ *N* stewed fruit

crap — crapĭ *M* carp

desert — deserturĭ *N* dessert

excelent /eks-če-lent/, excelentă, excelenţĭ, excelente *adj.* excellent

friptură — fripturĭ *F* (piece of) roast meat, fried meat

grătar — grătare *N* grill

icre *F pl.* roe

icre negre *F pl.* caviar

a intra (în) *vb.* to enter

înăuntru /î-nă-un-tru/ *adv.* inside

listă — liste *F* list, menu

mic /mik/ — micĭ /mičĭ/ *M*, mititel — mititei *M* 'mititei' (highly spiced rolled mince-meat)

a mînca *vb.* to eat

morun — morunĭ *M* sturgeon

muşchĭ — muşchĭ /mushkĭ/ *M* fillet steak, muscle

orchestră — orchestre *F* orchestra

ou /oụ/ — ouă *N* egg

a parca *vb.* to park

persoană — persoane *F* person

peşte — peştĭ *M* fish

plată — plăţĭ *F* payment, bill

porc — porcĭ *M* pig, pork

a prăji *vb.* to fry

a prefera *vb.* to prefer

proaspăt, proaspătă, proaspeţĭ, proaspete *adj.* fresh

restaurant /res-ta-u-rant/ — restaurante *N* restaurant

roşie — roşii *F* tomato

salam *N* salami
salată — salate *F* salad
a servi *vb.* to serve
supă — supe *F* soup
tort — torturĭ *N* (slice of) cake
ţuică — ţuicĭ /tsuĭčĭ/ *F* plum-brandy
vacă — vacĭ *F* cow, beef
verde, verde, verzĭ, verzĭ *adj.* green
vermut — vermuturĭ *N* vermouth
a vota *vb.* to vote

Phrases

am să iau	I'll have, I'm going to have
se apropie de ei	(he) comes up to them
aş zice	I'd say, I should say, I suggest
cartofĭ prăjiţĭ	chips
ce spuĭ, Patricia?	what do you say, Patricia?
ce-aĭ vrea tu?	what would you like?
un compot de mere	(a dish of) stewed apples
a face plata	to pay the bill
iar ca băutură?	and to drink (*lit.* and as drink)?
a intra înăuntru	to go inside
la grătar	grilled
un loc de parcare	a parking place
mi-e /mĭe/ destul	it's, it will be enough for me
mie adu-mĭ un muşchĭ	I'll have a *steak* (*lit.* bring me a *steak*)
poftiţĭ pe aicĭ	this way, please
şi la dvs. aşteptăm mult	we have to wait a long time at your restaurant too
veţi fi serviţĭ îndată	you'll be served right away
vin de desert	dessert wine
vin de masă	table wine
voi ce-aţĭ vrea?	what would you like?

22.2 La restaurant

Soţii Roberts şi prietenii lor merg la restaurant. Ei parchează maşina într-un loc de parcare, în faţa restaurantului, şi intră înăuntru. Un chelner se apropie de ei.

Sandu: Vrem o masă pentru patru persoane dar nu prea aproape de orchestră.

Chelnerul: Poftiţi pe aici. Vă place masa aceasta?

S: Da, e bună. Ce aveţi pe listă?

C: Tot ce doriţi. Peşte, fripturi, băuturi. Doriţi să începeţi cu o supă?

S: Ce mîncăm? Voi ce-aţi vrea? Eu aş zice mai întîi nişte icre de crap sau chiar icre negre şi puţin salam. Ce zic doamnele?

P: Eu votez pentru icre negre şi salam. Vreau însă şi nişte ţuică tare.

A: Şi eu vreau ţuică.

S: Noi ce luăm, William?

W: Eu iau un vermut.

S: Eu am să iau o ţuică. Şi ce luăm după asta?

C: Nu doriţi un peşte? Avem un morun foarte bun şi proaspăt, sau crap dacă preferaţi.

A: Ce spui, Patricia? Ce-ai vrea tu?

P: Eu vreau morun la grătar, cu cartofi şi o salată de roşii. După salam şi icre mi-e destul.

A: Eu am să iau un muşchi de porc la grătar.

W: Eu iau biftec cu ou şi o salată verde.

S: Mie adu-mi, te rog, un muşchi de vacă cu cartofi prăjiţi şi o salată de roşii. A, da — şi nişte mici pentru toată lumea.

Toţi: Da, da, bună idee!

C: Foarte bine. Iar ca băutură?

S: Ce doresc doamnele?

P: Un vin românesc de masă.

W: Eu vreau şi un vin de desert.

A: Apropo de desert. Luăm torţi şi îngheţată, nu?

P: Eu iau un compot de mere.

W: Eu prefer înghețată și cafea.

S: Eu am să iau tort și cafea.

C: Mulțumesc. Veți fi serviți îndată.

S: Știm că aici serviți bine. Numai cînd vrem să facem plata și la dvs. așteptăm mult.

Note: a list of the names of common food follows the English–Romanian Vocabulary.

22.3 Grammar

22.3/1 *dumneata, dumneavoastră*

Note that you may use *d-ta* when addressing a single waiter:

mie adu-mi, te rog, un mușchi de vacă	bring me a fillet steak, please

The plural of *d-ta* is *dvs.*:

ce aveți pe listă?	what do you have on the menu?

A waiter addresses one or more guests as *dvs.*:

nu doriți un pește?	would(n't) you like (some) fish?

Note the last example. Negative interrogative clauses are more common in Romanian than in English and more frequently convey a 'neutral' attitude (in English they may have a plaintive or patronising note, or convey surprise, impatience, annoyance, etc.).

22.3/2 The Future Tense

We saw in 4.4/4 that the present tense may be used to indicate future time as well as present time. In 13.3/3 we noted that there was a special auxiliary verb which may be used for the same purpose: *voi, vei, va, vom, veți, vor*. There is yet a third way of indicating future time, and that is to use the verb *a avea* plus a *să*-clause. Stylistically, this is a colloquial construction, and in a very casual style the form *o* may replace all the forms of *a avea*. Thus we may say:

I'll take	you'll take	he'll take	they'll take
iau	luaţi	ia	iau
voi lua	veţi lua	va lua	vor lua
am să iau	aveţi să luaţi	are să ia	au să ia
o să iau	o să luaţi	o să ia	o să ia

In the Text we had:

eu am să iau o ţuică	I'm going to have (a glass of) *ţuică*
eu am să iau tort	I'm going to have (a slice of) cake

Note that, while the *voi*-forms are followed by the plain infinitive, the *a avea*-forms are followed by a *să*-clause. Note also that *iau* may be either 'I'll take' or 'they'll take'. Be careful not to confuse (*dvs.*) *veţi* (future auxiliary, 'you'll', 'you're going to') with (*dvs.*) *vreţi* (full verb, 'you want', 'you like'); or *voi* 'you' (as in *voi ce-aţi vrea?* 'what would you like?') with *voi* 'I'll' (as in *voi lua* 'I'll take'). Note also (*ei*) *vor lua* 'they'll take' and (*ei*) *vor să ia* 'they want to take'.

Read off sentences from the following table:

am		iau	
ai		iei	
are	să	ia	o friptură
avem		luăm	
aveţi		luaţi	
au		ia	

Read off a few more, substituting *o* for any of the forms in the first column.

22.3/3 The Conditional Mood

A special auxiliary is used to form the present conditional: *aş, ai, ar, am, aţi, ar.* (Do not confuse this with the perfect auxiliary: *am, ai, a, am aţi, au.*) The auxiliary is followed by the plain infinitive, as in English:

voi ce-aţi vrea?	what would you like?
ce-ai vrea tu?	what would you like?
eu aş zice	I should say

The English translation of the conditional auxiliary is generally 'should', 'would' or ''d' (sometimes 'should like', 'would like').

Read off some clauses from the following table:

(eu)	aş	zice
(noi)	am	vrea
(tu, d-ta)	ai	lua
(voi, dvs.)	aţi	dori
(el, ea, ei, ele)	ar	

The forms of the accusative and dative pronouns used with verbs in the conditional are the same as those used with verbs in the perfect:

le-aş spune	I should tell them
v-ar da-o	he'd give it to you

22.3/4 *te rog, vă rog, poftim, poftiţi*

If initial in a clause, *te rog* and *vă rog* are often followed by a *să*-clause. Compare:

te rog, pe aici	this way, please
vă rog să-mi daţi cartea	please give me the book
daţi-mi cartea, vă rog	give me the book, please

If the request comes from more than one person, *rugăm* is used in place of *rog*:

te rugăm să ne întrebi	please ask us

Poftim, poftiţi (related to the verb *a pofti* 'to want', 'to invite') are generally used on their own, rather like interjections. They accompany the action of handing or offering something to someone. In the preceding Lesson, Sandu said *poftim* before reciting, on request, the names of the months. *Poftim*, the more common of the two, corresponds to *tu, d-ta*, and *poftiţi* to *voi, dvs.* (The nearest English equivalent is perhaps a smile, sometimes 'please (do)', 'go ahead', 'there you are', etc.) In this Lesson the waiter says *poftiţi, pe aici*, which is the same as *vă rog, pe aici*. If an offer involves an order, *poftim/ poftiţi* may precede an imperative:

poftim, întreabă-mă   please ask me, go ahead
                                    and ask me

Cf. te rog să mă întrebi.

Poftim/poftiţi are also used for 'what did you say?' to a person known or unknown. At a more familiar level, you may also use *cum* in this sense; at a less familiar level the verb *a scuza* or *a ierta* may be used:

scuză-mă, iartă-mă, scuzaţi-mă, iertaţi-mă   excuse me

You may also call out *poftim/poftiţi* when you hear a knock on your door, meaning 'yes?' or 'come in, please' (= *te rog să intri, vă rog să intraţi*).

22.4 Exercises

1. Make sentences with the help of the following tables:

(a)				îndată azi mîine	
are			vină sosească		
	să		plece	săptămîna	
au			plătească răspundă	luna lunea marţea	viitoare

('she'll come at once', etc.)

(b)

aş am ar	aştepta merge veni	la	gară aeroport restaurant hotel Mamaia

('I'd wait at the station', etc.)

(c)

cred credem sînt sigur sîntem siguri	că	vă place v-ar plăcea v-a plăcut	acolo aici	
			la	noi mare munte Eforie

('I think you'll like it there', etc.)

*2. Rewrite the following sentences, converting the verb underlined from the present tense into:

(a) the perfect tense,
(b) the future with *voi*,
(c) the future with *a avea*,

and (d) the conditional mood.

Use the reduced forms of *îmi*, *îi* and *ce* where appropriate.

(1) (Eu) *citesc* un roman românesc.
(2) Cred că *locuiţi* într-o hotel mare.
(3) Soţii Roberts *pleacă* cu maşina la mare.
(4) *Mergem* cu ei la munte.
(5) Patricia *vrea* să mai stea în România.
(6) Ce *luaţi* dvs.?
(7) Îmi *cumpăr* un dicţionar.
(8) Cred că îi *place* aici.

*3. Translate:

— What would you (*tu*-form) like to do tomorrow evening?

— I'd like to go to a restaurant. We haven't been to a restaurant now (*mai*) for a long time (*de mult*), and I'd like something grilled.

— Right you are (*foarte bine*). We'll go (*mergem*) to a restaurant down town (*trans.* in the centre) to be (*ca să fim*) nearer the hotel. I know (*ştiu eu*) a restaurant where they do some very good *mititei* and roasts, and where they have some excellent Romanian wines.

— What time (*trans.* when) do you want to go? Fairly early (*trans.* earlier) or later?

— I think it's better (to go) early-ish (*trans.* earlier), so we can get back (*trans.* return home) quicker. I know you don't like going about (*prin*) town at night (*trans.* at night about town).

Lesson 23

23.1 Vocabulary

acelaşĭ, aceeaşĭ /ačeĝashĭ/, aceiaşĭ, aceleaşĭ (ca) *det. pron.* the same (as)

aer /a-er/ — aere *N* air

balcon — balcoane *N* balcony, dress- or upper-circle

bărbat — bărbaţĭ *M* man

categorie — categoriĭ *F* category

cinema /či-ne-ma/ (*no pl.*) *N* cinema

cinematograf — cinematografe *N* cinema

comedie — comediĭ *F* comedy

de la *prep.* at, by, from, since

deseară *adv.* this evening, tonight

după ce *conj.* after

film — filme *N* film, (motion) picture

fotoliu — fotoliĭ *N* armchair, orchestra stall, seat in the orchestra stalls

grădină — grădinĭ *F* garden, open-air theatre, open-air cinema

în loc de *prep.* instead of

liber, liberă, liberĭ, libere *adj.* free, open

loc — locurĭ *N* place, seat

lojă — lojĭ *F* box (in the theatre)

minunat, minunată, minunaţĭ, minunate *adj.* wonderful

mod — modurĭ *N* way, manner

muzical, muzicală, muzicalĭ, muzicale *adj.* musical

muzică — muzicĭ *F* music

obicei — obiceiurĭ *N* habit, custom

obişnuit, obişnuită, obişnuiţĭ, obişnuite *adj.* usual, ordinary

piesă — piese *F* play

plăcut, plăcută, plăcuţĭ, plăcute *adj.* pleasant, nice

preţ — preţurĭ *N* price

a propune *vb.* to propose, to suggest

răcoare — răcorĭ *F* coolness, cool (air)

rece, rece, recĭ, recĭ *adj.* cold

a reţine *vb.* to book, to reserve, to retain

revistă — reviste *F* review, show

a rezerva *vb.* to book, to reserve
scump, scumpă, scumpi, scumpe *adj.* expensive
spectacol — spectacole *N* show, entertainment
stal — staluri *N* stall
teatru — teatre *N* theatre
a telefona *vb.* to telephone, to ring up
telefon — telefoane *N* telephone, (telephone) call
tot aşa cum *conj.* just as
tragedie — tragedii *F* tragedy
ziua *adv.* in the daytime, during the day

Phrases

am putea	we'd be able, we could
ar prefera	(they) would prefer
aş prefera la o revistă	I'd rather, I'd prefer to go to a show
ca să nu spun	not to say
categoriile rezervat şi staluri	the categories 'reserved' (= front stalls) and 'stalls' (= back stalls)
ce-aţi zice voi, bărbaţii?	what would *you* say, men? what would you men say? (*lit.* the men)
cred că da	I think so
dacă am merge	if we went (*lit.* if we should go)
de obicei	usually, generally
e răcoare	it's cool
în acelaşi timp	at the same time
în aer liber	in the open air
a merge la cinema	to go to the pictures
a merge la un film	to go and see a film
mergem mai bine la teatru	it would be better to go to the theatre
prin telefon	by 'phone
un teatru de vară	a summer theatre, an open-air theatre

*u*nul din restaur*a*ntele de la *l*acuri	one of the restaurants by the lakes, one of the lakeside restaurants
se p*o*t re*ţi*ne *l*ocurile	(the) seats can be reserved, you can reserve (the) seats
să ni se rez*e*rve o m*a*să	and (have them) reserve us a table
se vorb*e*şte de	you speak about, one talks of

23.2 La spectacole

P: Ce facem deseară, Ana?

A: Mergem la cinema. Mergem la un film, dacă vreţi.

P: Ce fel de filme am putea vedea?

A: Depinde. Putem vedea un film românesc sau un film străin. Putem merge la un cinema sau o grădină, dacă e cald şi frumos.

P: Aş vrea mult să mergem la un spectacol în aer liber. Vara e cald ziua la Bucureşti, dar seara e răcoare şi plăcut, nu putem spune rece, aşa că aş prefera să mergem la o grădină.

A: Cred că şi William şi Sandu ar prefera acelaşi lucru, dar v-aş propune să mergem mai bine la un teatru de vară. Iar după teatru am putea merge la un restaurant. Apropo, William, ce-aţi zice voi, bărbaţii, dacă am merge la un teatru de vară şi apoi la unul din restaurantele de la lacuri?

W: Am zice că ai o idee minunată, ca să nu spun excelentă. Dar aş vrea să te întreb ceva. Sînt scumpe locurile la un teatru de vară? Acolo nu ai fotolii, staluri, balcoane, loji, aşa că nu poţi avea prea multe preţuri.

S: Desigur că nu sînt scumpe. De obicei se vorbeşte de categoriile rezervat şi staluri, sau de categoria întîia şi a doua, tot aşa cum avem locuri de trei categorii la cinematografe. În acelaşi timp, locurile sînt mai ieftine la teatrele de vară.

W: Se pot reţine locurile prin telefon?

S: Cred că da.

W: Dar la restaurante?

S: Şi la restaurante se reţin mese, în mod obişnuit.

P: Atunci să mergem la un teatru de vară. Aş prefera la o revistă sau o comedie muzicală, în loc de o piesă obişnuită sau o tragedie.

A: Sandule, după ce telefonezi la teatru, telefonează şi la unul din restaurantele de la lacuri să ni se rezerve o masă.

23.3 Grammar

23.3/1 Pronouns: *unul, una, unii, unele*

This pronoun means 'one (of them)' in the singular, and 'some (of them)' in the plural:

Am cumpărat două dicţionare. Unul e pentru tine.

> I've bought two dictionaries. One (of them) is for you.

Am cumpărat două cărţi româneşti. Una e pentru tine.

> I've bought two Romanian books. One is for you.

Au venit nişte studenţi din România. Unii (dintre ei) sînt din Bucureşti.

> Some Romanian students have arrived. Some (of them) are from Bucharest.

Au venit nişte studente din România. Unele dintre ele ştiu englezeşte.

> Some students have arrived from Romania. Some of them know English.

În cartea noastră sînt treizeci şi două de lecţii. *U*nele sînt *m*ai gr*e*le, *a*ltele *m*ai uşo*a*re.

> There are thirty-two lessons in our book. Some are rather hard, others are fairly easy.

Note the translation of 'of them' in these constructions:

unii dintre ei (*M*), unele   some of them
   dintre ele (*N/F*)

Similarly:

mulţi dintre băieţi	many of the boys

Din is also used in this sense, especially before nouns:

unul din restaurantele de la lacuri	one of the lakeside restaurants

The plural forms *unii* (M) and *unele* (N, F) are also used as determiners to modify nouns. They are then very similar in meaning to *nişte* 'some'. In the following examples the determiners are stressed:

unii englezi ştiu puţin româneşte	some English people know a little Romanian
unele persoane nu vor să înveţe limbi străine	some people don't want to learn foreign languages

Nişte has no C-form; the C-form of the determiner *unii, unele,* viz. *unor,* is also used as the C-form of *nişte* and of the zero-article (see 16.3/2 (*b*)).

23.3/2 Appositional Vocatives

In Lesson 21 we had the phrase *voi englezii* 'you English'. It is usual in Romanian to have an article with a noun in apposition to *noi* or *voi*:

ce-aţi zice voi, bărbaţii?	what would *you* say, men (*i.e.* you who are the men)?

We may also say:

ce-aţi zice voi, voi bărbaţii?	what would you men say?

Similarly:

noi, bărbaţii, nu spunem nimic	we men (*i.e.* we who are the men here) say nothing

The C-form of *noi bărbaţii* is *nouă bărbaţilor*:

nouă bărbaţilor ne place să fumăm	we men like smoking

23.3/3 Verbs

(a) Impersonal Constructions

Impersonal constructions in English are usually introduced by the pronoun *it* or *that*, as in 'it's raining', 'it's cold', 'that depends', 'that's all right'.

No such subject need be expressed in Romanian, so that we say *plouă, e rece, depinde, e bine.* Similarly: *e cald, e răcoare, e frig, e frumos, e plăcut, e devreme, e tîrziu.*

We also say:

e dimineaţă acum la New York	it's morning now in New York
e noapte acum la Tokio	it's night now in Tokio
e seară acum la Delhi	it's evening now in Delhi

Note also:

mi-e cald	I feel hot
i-e cald	he, she feels hot

(b) Reflexive Constructions

Romanian has frequent recourse to reflexive-verb constructions where English prefers a personal subject such as 'you', 'we', 'they', 'one' (with more or less vague referents) or a passive construction (see 20.3/6 (*b*)). The grammatical subject in such constructions, if there is one, follows the verb:

se pot reţine locuri	seats can be reserved, one can reserve seats
se vorbeşte de două categorii	we speak of two categories
să ni se rezerve o masă	to reserve us a table

Note that the verb form is the third person singular, unless the grammatical subject is plural, in which case it too will be plural in form.

(*c*) The first or second person of the verb may,

as in English, be used with a fairly vague subject referent:

acolo nu ai fotolii — you don't have orchestra stalls there

nu poţi avea prea multe preţuri — you can't have, one can't have, there can't be too many prices

tot aşa cum avem locuri de trei categorii — just as we have seats of three categories, three prices

23.3/4 Conditional Clauses

The conditional mood is used in *dacă*-clauses in sentences whose main clause has a verb in the conditional. (In corresponding English sentences we generally use the past tense in the *if*-clause.)

Examples:

ce-aţi zice voi dacă am merge la un teatru? — what would you say if we went to a theatre?

how about going to the theatre? (*lit.* if we should go . . .)

aş merge la un film dacă aş avea timp — I'd go and see a film if I had time

am merge la un cinema dacă am avea timp — we'd go to a cinema if we had time

This applies only to *dacă*-clauses as a rule, not to other kinds, such as *să*-clauses (which always require a subjunctive verb-form):

aş prefera să mergem la o grădină — I'd prefer to go to an open-air cinema

A future-tense form may also occur in a *dacă*-clause:

voi cumpăra maşina dacă voi primi banii — I'll buy the car if I get the money, if I'm going to get the money

23.3/5 Conjunctions

Note the difference between *ca să* 'so', 'so that', 'in order that', introducing clauses of purpose, and *aşa că* 'so', 'so that', 'in such a way that', introducing clauses of result:

ai o idee minunată, ca să nu spun excelentă	that's a wonderful idea (you have there), not to say an excellent one
trebuie să faceţi cît mai multe exerciţii ca să vorbiţi corect	you must do all the exercises you can in order to speak correctly
seara e răcoare şi plăcut, aşa că aş prefera să mergem la o gradină	it's nice and cool in the evening, so I'd rather we went to an open-air cinema

23.4 Exercises

1. Make sentences with the help of the following tables:

(*a*)

aş	vrea dori încerca	să	te vă -l o le îi	rog ceva

Note: *să o* may optionally be reduced to *s-o*.

(*b*)

n-aţi n-ai n-ar	vrea să mergem la un	film? cinema? teatru? spectacol? restaurant?

(*c*)

se pot	reţine rezerva	locurile la	restaurant teatru spectacole

(*d*)

mi- ţi- i- ne vă le	e	cald frig rece

*2. Rewrite the following sentences, changing the verb in both clauses from the future to the conditional:

(1) Voi cumpăra maşina dacă voi primi banii.
(2) Vom merge la teatru dacă vom găsi locuri.
(3) Se vor duce la mare dacă vor avea timp frumos.
(4) Se va întoarce devreme dacă va găsi o maşină.
(5) Dacă nu va trebui să mai stea la Bucureşti, vor pleca mîine la Londra.
(6) Dacă nu ne veţi ajuta, nu vom putea face exerciţiile.
(7) Dacă nu îi veţi invita dvs., nu vor veni la Bucureşti.
(8) Dacă nu va fi rece, ne vom duce la o grădină.

*3. Translate:

(1) My pen is (*trans.* has) the same colour (*culoare* F) as yours.
(2) Your pen is like (*la fel ca*) mine.
(3) I'm reading the same book as you.
(4) It's the same thing.
(5) He's as (*la fel de* or *tot aşa de*) big as my brother.
(6) The same thing happened to me (*trans.* it happened in the same way (*la fel*) with me).

*4. Translate:

Ana: Patricia, please tell us in Romanian what you did last Sunday.
P: With pleasure. Let me try. Last Sunday we went to (*trans.* we were at) the seaside. But first I must tell you that it was very hard for us to agree about (*trans.* we agreed (*a se înţelege*) with great difficulty) how to get there (*cu ce să mergem*). I wanted to go by car, but Ana wanted (to go) by train, because it's

(*trans.* one travels) much quicker by train, that is (*trans.* of course) provided (*trans.* if) the train doesn't stop at (*prin*) (any) stations between Bucharest and Constanţa (*trans.* from B. to C.). So (*deci*) we took the train from the North Station. Our train didn't stop at (*în*) any stations (*nici o gară*), so that in about two and a half hours we got to Constanţa. We went from there to a hotel in Eforie (*trans.* to Eforie to a hotel) where we took two rooms with two (*cu cîte două*) beds each, on the first floor. Then we went to the beach where we stayed a few hours on the sand, in the sun. After that we swam a lot in the sea.

A: Patricia! What's the matter with you? None (*trans.* nothing) of (*din*) what you say is true!

P: Certainly it isn't true. It doesn't need to be true, either. What we are doing now is (having) a conversation exercise (*trans.* an exercise of conversation). I am trying to speak Romanian, to say something in Romanian.

A: And I can only (*nu . . . decît*) say that you have spoken very nicely and correctly.

Lesson 24

24.1 Vocabulary

a aplic*a vb.* to apply
a se arăt*a vb.* to be shown
art*i*col — art*i*cole *N* article, item, object
a auz*i vb.* to hear
bunăvoinţă /bu-nă-vo-*i*n-tsă/ — bunăvoinţe *F* goodwill,
    kindness
carn*e*t — carnete *N* notebook, exercise-book
că*t*re *prep.* towards
a se chem*a vb.* to be called
cli*e*nt — cli*e*nţĭ *M* customer, client
cumpără*t*or — cumpără*t*orĭ *M* customer
curi*o*s, curi*o*asă, curi*o*şĭ, curi*o*ase *adj.* curious, inquisitive,
    odd, strange
curi*o*s *adv.* curiously, oddly
curi*o*s — curi*o*şĭ *M* inquisitive person
de *a*ltfel *adv.* however, moreover
des *adv.* often
a desch*i*de *vb.* to open
d*u*pă c*u*m *conj.* as
*e*ra /ĭera/ *vb.* (he, she, it) was
gener*a*l, gener*a*lă, gener*a*lĭ, gener*a*le *adj.* general
gl*u*mă — gl*u*me *F* joke
în t*i*mp c*e conj.* while
încuraj*a*re — încuraj*ă*rĭ *F* encouragement
l*e*ge — l*e*gĭ *F* law
magaz*i*n — magaz*i*ne *N* shop, store, magazine
mincin*o*s, mincin*o*asă, mincin*o*şĭ, mincin*o*ase *adj.* lying
mincin*o*s — mincin*o*şĭ *M* liar
a mulţum*i* (+ dat.) *vb.* to thank
a not*a vb.* to write down, to make a note of
not*a*m *vb.* (I, we) noted down, was, were noting down
oarec*u*m *adv.* somehow, somewhat, sort of
obi*e*ct /obĭect/ — obi*e*cte *N* object, thing
ocup*a*t, ocup*a*tă, ocup*a*ţĭ, ocup*a*te *adj.* busy, occupied,
    engaged
ospitalit*a*te — ospitalit*ăţĭ F* hospitality

240

pălă*rie* — pălă*ri*i *F* hat
pe mă*su*ră *ce conj.* as
scri*it*or — scriito*rĭ M* writer
sis*tem* — sis*teme N* system
spre *prep.* towards
spun*ea* /spun*ea*/ *vb.* (he, she, it) told, was telling
stră*in* /stră-*in*/ — stră*inĭ M* foreigner
a sun*a vb.* to ring (a bell)
şco*a*lă — şco*lĭ F* school
totdea*u*na /tod*ea*una/ *adv.* always
tu*rist* — turi*ştĭ M* tourist
tu*tu*ror *det. pron.* C-form *pl.* (of, to, for) all
*ţa*ră — *ţă*rĭ *F* country
*u*şă — u*şĭ F* door
a se ved*ea vb.* to see each other

Phrases

ai fă*cut* fo*a*rte b*i*ne, că ai întreb*at*	you did very well to ask
a*şa* cev*a*	such a thing, a thing like that
bună se*a*ra	good evening, good night
ca de obic*ei*	as usual
ce mai fa*cĭ*?	how are you?
ce-*ai* mai fă*cut azi*?	what have you done today?
cel*ă*lalt e-un /*iun*/ mincin*os*	the other is a liar
cum se che*a*mă pe român*e*şte?	what's it, are they (called) in Romanian?
dar t*u*?	and how are you?
în ac*e*le mom*en*te	at those moments, times
în gener*al*	in general, generally (speaking)
în *loc* să serve*a*scă	instead of serving
mi-a răsp*uns* la întreb*ă*rĭ	she replied to my questions
o *le*ge a ospitalit*ă*ţii	a law of hospitality
s-o au*zim* şi n*o*i	let us hear it too
spre se*a*ră	towards evening

străinilor li se arată multă bunăvoinţă	foreigners are shown a great deal of kindness
toată ziua	all day
tot felul de	all kinds of
totul e numai ca . . . să fie . . .	always provided that . . . are . . .
vînzătoarei i s-a părut oarecum curios acest lucru	the shop-assistant thought it rather odd (*lit.* this thing seemed somewhat odd to the shop-assistant)

24.2 O lecţie practică

Patricia se întoarce spre seară din oraş. Sună la uşă. Sandu îi deschide.

P: Bună seara, Sandu.

S: Bună seara, Patricia. Ce mai faci?

P: Bine, mulţumesc. Dar tu? Nu ne-am văzut toată ziua.

S: Mulţumesc, bine şi eu. Am fost foarte ocupat la şcoală. Ce-ai mai făcut azi?

P: Ca de obicei, am fost în oraş. Apropo, mi se pare că am făcut azi o greşeală. Am intrat într-un magazin cu tot felul de obiecte şi am început să întreb o vînzătoare, care era liberă, cum se cheamă pe româneşte unele articole din magazin. Pe măsură ce mi le spunea, eu le notam într-un carnet. Ea s-a uitat curios la mine dar mi-a răspuns la întrebări.

S: Nu mi se pare că ai făcut o greşeală. Desigur că vînzătoarei i s-a părut oarecum curios acest lucru, dar după cum ai văzut, ţi-a răspuns. De altfel cred că nu li se întîmplă lor prea des aşa ceva. Nu toţi turiştii sînt aşa curioşi. În general, în toate ţările străinilor li se arată multă bunăvoinţă. E o lege a ospitalităţii. Totul e numai ca vînzătorii sau vînzătoarele să nu fie ocupaţi cu clienţii în acele momente. Ce-ar zice cumpărătorii dacă, în timp ce ei aşteaptă, în loc să-i servească pe ei, vînzătorii ar da lecţii tuturor turiştilor care vin în magazine? Dar ai făcut foarte bine, că ai întrebat.

P: Îţi mulţumesc pentru încurajare. Trebuie să mai aplic sistemul şi altădată.

O glumă

W: Sandule, am auzit azi o glumă bună.

S: S-o auzim şi noi.

W: De ce din doi oameni care se întîlnesc unul e un curios şi celălalt e-un mincinos?

S: Nu ştiu. Spune-mi tu.

W: Fiindcă unul întreabă, 'Ce mai faci?', iar celălalt răspunde, totdeauna, 'Bine, mulţumesc.'

24.3 Grammar

24.3/1 The Noun Phrase

(*a*) The definite-article suffix is used with a noun modified by *tot, toată, toţi, toate,* also in cases where English has zero-article:

tot felul de obiecte — all kinds of things

Note that *felul* is singular.

în toate ţările — in all countrıes, in every country

toată ziua — all (the) day (long)

Note the position of *nu* in the following:

nu toţi turiştii sînt aşa curioşi — not all (the) tourists are so curious

The plural forms *toţi, toate* have a common C-form, *tuturor*:

vînzătorii ar da lecţii tuturor turiştilor — the shop-assistants would give lessons to all the tourists

Note that the modified noun is also in its C-form (this is exceptional; cf. (*d*) below).

(*b*) English abstract nouns only take the definite article when they are post-modified. The corresponding nouns in Romanian, like pl. nouns used generically, may take the article suffix whether modified or not:

o lege a ospitalităţii   a law of hospitality

As we saw in 20.3/7, the possessive marker is used, as in this example, to link a C-form noun (*ospitalităţii*) to another noun (its head, *lege*) when the latter is modified by the indefinite article (as in this example) or by an adjective. In other words, *al* is only omitted when the head noun is modified by the definite article alone and the C-form noun follows immediately; in all other cases (e.g. if the definite article is absent, or an adjective present with the head noun, or if the head noun is separated from its C-form modifier by a copulative verb as in 20.3/2), *al* is used. Compare the following:

ruinele unui vechi oraş	the ruins of an old town
ruinele vechiului oraş	the ruins of the old town
ruinele vechii cetăţi	the ruins of the old city
ruine ale vechiului oraş	ruins of the old town
ruinele vechi ale cetăţii	the old ruins of the city
cartea scriitorului	the writer's book
cartea cea nouă a scriitorului ⎫ noua carte a scriitorului ⎭	the writer's new book
pălăriile soţiei mele	my wife's hats
noile pălării ale soţiei mele	my wife's new hats

Note this last example: the adjective takes the article suffix as it precedes the noun; the plural form *mele* is used as its F-noun head (*soţia*) is in its C-form (*soţiei*); and the form *ale* agrees in number (pl.) and gender (F) with the F-pl. head (*pălării*).

(*c*) Frequently the word *acest*(*a*) translates both 'this' and 'that'. When it is necessary to stress the difference, the form *acel*(*a*) is used for 'that'. Here is a summary of all the forms of both words:

(1) The forms placed before the noun, the noun taking no article, are non-pronominal:

B-forms

	M	N	F
sg.	acest acel		această acea
pl.	aceşti ačei		aceste acele

C-forms

	M/N	F
sg.	acestui acelui	acestei acelei
pl.	acestor acelor	

(2) The following forms in -*a* may be placed after the noun, the noun taking the article suffix, or used as pronouns:

B-forms

	M	N	F
sg.	acesta acela		aceasta aceea
pl.	aceştia aceia		acestea acelea

C-forms

	M/N	F
sg.	acestuia aceluia	acesteia aceleia
pl.	acestora acelora	

The only difficult formations are those of the B-form F-sg. of the pronoun determiners:

aceастă + -a → aceasta

acea /аčа/ + -a → aceea /аčeça/

Now write down a number of phrases using *acest(a)* and *acel(a)* in their various forms (e.g. *domnii aceia, îmi plac mult acestea*). Note that a demonstrative-plus-noun construction is declined in the same way as an adjective-plus-noun construction (e.g. *pălăria acestei fete*; see 20.3/1 (*a*)).

(*d*) We thus have two types of determiner-plus-noun construction in C-form functions:

(1) The case may be shown by the determiner alone:

acestor ('these') altor ('other') cîtorva ('some') multor ('many') unor ('some') la cinci ('five')	turiști copii oameni studenți femei fete studente	le	place trebuie

celor mai mulți ('most') celorlalți ('the other') la puțini ('(a) few')	turiști oameni studenți	le	place trebuie
celor mai multe celorlalte la puține	femei fete studente		

Note the C-forms *la puțini, la puține* and *multor* (*puținor* and *la mulți, la multe* also occur); *la* is the dative marker before numerals above *un(u)*[1]:

am dat stilouri la cinci copii   I gave pens to five children

[1] The *genitive* marker for numerals above *un(u)* is *a* (invariable); compare:

hainele celor doi studenți   the two students' clothes

hainele a doi studenți   two students' clothes

The C-form of *cîţi*, *cîte* 'how many' is *cîtor*:

| cîtor turişti le trebuie ajutor medical? | how many tourists need medical assistance? |

(2) Or the case may be shown (much more rarely) by both elements:

tuturor	turiştilor studenţilor studentelor	le place

turiştilor studenţilor studentelor	acestora acelora	le place

24.3/2 Pronouns

(*a*) Note the examples in the text of the uses of the secondary forms of the dative pronouns (*mi*, *ţi*, *i*, *ni*, *vi*, *li*, *şi*). Remember that these forms are used before an accusative pronoun (except before *o*; see 20.3/6):

| mi se pare că am făcut o greşeală | I think I made a mistake, did something wrong |
| pe măsură ce mi le spunea | as she told me them |

Note the word-order in the next examples, in which the dative pronoun is present in addition to the C-form noun (see 16.3/2 (*e*) 3.):

| vînzătoarei i s-a părut curios acest lucru | the shop-assistant thought it strange |
| străinilor li se arată multă bunăvoinţă | foreigners are shown great kindness |

Note in the next example the position of *nu*, which, more logically than in English perhaps, negates the verb *a se întîmpla* rather than *a crede* (cf. 9.3/5 (*b*)):

| cred că nu li se întîmplă lor prea des aşa ceva | I don't think such things happen to them very often |

(b) The accusative pronouns *ne*, *vă*, *se* (plural) may be used in a 'reciprocal' sense, meaning 'each other', 'one another':

nu ne-am văzut toată ziua   we haven't seen each other
                                   all day

Read off a few sentences from the following table:

nu	ne-am v-aţi s-au	văzut întîlnit	toată	ziua săptămîna
			de	mult trei zile vinerea trecută -o lună -un an

Note the meaning of *de* in these examples ('*for* a long time', '*for* three days', '*since* last Friday'). *De + un, o* may be reduced to one syllable: /dịun/, /dẹo/.

24.3/3 Verbs

(a) The Imperfect Tense

So far we have been using the perfect tense (e.g. *a venit*) both where English uses the perfect (*he has come, he has been coming*) and where English uses the past (*he came, he was coming*). There are other tenses in Romanian which convey the notion of past or prior action, and one of these is called the Imperfect. This tense generally indicates a continuing or repeated past action or state, so that we may translate the imperfect form *venea* /venẹa/ as 'he was coming', 'he used to come', or simply as 'he came', as appropriate. Note the three occurrences of this tense in the Text (*era, spunea, notam*).

To form the imperfect you add a set of stressed endings to the infinitive form of the verb minus its final vowel. For verbs whose infinitives end in *-a* or *-î* you add stressed *-am, -ai, -a, -am, -aţi, -au* (which are exactly the same forms as those constituting the perfect auxiliary).

For all other verbs you add the same set of endings but insert an *-e-* /ę/ before each one.

Examples:

a lua	*a avea*	*a coborî*
stem: *lu-*	stem: *ave-*	stem: *cobor-*

imperfect: luam	imperfect: aveam	imperfect: coboram
luai	aveai	coborai
lua	avea	cobora
luam	aveam	coboram
luaţi	aveaţi	coboraţi
luau	aveau	coborau

For other verbs (i.e. those in *-e* and *-i*) you add an *-e-* to the final consonant of the stem first:

a pune	*a dori*
stem: *pun-*	stem: *dor-*

imperfect: puneam	imperfect: doream
/punęam/	/doręam/
puneai	doreai
punea	dorea
puneam	doream
puneaţi	doreaţi
puneau	doreau

Some special cases:

a fi	*a da*	*a sta*	*a vrea*
eram	dădeam	stăteam	voiam
/įeram/			
(etc.)	(etc.)	(etc.)	(etc.)

a şti	*a scrie*	*a face*	*a locui*	(and other verbs
ştiam	scriam	făceam	locuiam	ending in vowel
(etc.)	(etc.)	(etc.)	(etc.)	+ *-i*)

a întoarce
întorceam
(etc.)

(b) Sequence of Tenses

Note the uses of the conditional present and the in-
dicative present in the sentence in the Text beginning
ce-ar zice cumpărătorii. . . . In English, only the first verb
would be in the conditional, while the others would be
in the indicative past. In Romanian, there is mood
agreement only between the main clause (interrogative
here) and the *dacă*-clause; the remaining clauses are
independent as regards tense and mood, and use the
indicative or subjunctive present.

24.3/4 Adverbs: *mai*

The word *mai* is used in various senses: 'more', 'again',
'left', 'still', 'else', etc. It indicates that something
remains, or is repeated, or is an addition:

e mai atent decît ea	he's more attentive than her
mai des	more often
mai vrei unu?	would you like another one?
aş mai spune ceva	I'd like to say something else
aş vrea să mai vin la voi	I should like to come and see you again
trebuie să mai aplic sistemul şi altădată	I must apply the system again, another time

The following use combines the two ideas 'what else
did you do?' and 'what did you do after that?':

ce-ai mai făcut după aceea?

(This would generally mean 'what *else* did you do—
after you did *that*?' and not 'what *else* did you do after
that?'.)

But generally the question

ce-ai mai făcut?

is used in situations where English has, simply, 'what
have you done?' or 'what have you been doing?'.

Other uses:

mai întîi	first (of all)
mai ales	especially
mai deunăzi	recently, the other day
ce mai faci?	how are you?

Mai comes immediately before the adjective or adverb in a comparative construction, but in other uses it generally adheres to the verb:

(e) mai puţin	(it's, there's) less
mai e puţin	there's a little left, it's a bit further
mai e puţin şi ajungem	just a bit further and we'll be there

24.4 Exercises

1. Copy out the Text of the Lesson and read it aloud.

2. Answer the following questions:

(1) Cînd s-a întors Patricia acasă?
(2) Cine i-a deschis uşa?
(3) Ce i-a spus Patricia lui Sandu?
(4) Ce i-a răspuns Sandu?
(5) Cum se spune 'how are you?' pe româneşte?
(6) De unde venea Patricia?
(7) Ce a început Patricia să o întrebe pe vînzătoarea din magazin?
(8) Pentru ce i-a mulţamit Patricia lui Sandu?

3. Make sentences with the help of the following tables:

| (a) | în acel moment
cînd au intrat
cînd au venit la noi
în timp ce mă aştepta | citeam
scriam | o scrisoare |
| | | vorbeam cu sora mea
eram la uşa
fumam o ţigară | |

(b)

voiam doream veneam	să	vă	întîlnesc vorbesc ajut	
		le	spun întreb	ceva

(c)

mi ni i li	se pare că	am ai a aţi au	făcut	o greşeală un lucru bun

*4. *Translate* (unless otherwise indicated, use the perfect tense for the English past):

It was (*imperfect*) towards (*către*) evening when Patricia returned from town. She rang at the door and waited a little. Sandu opened the door. She said 'Good evening' to him. After answering her (*trans.* after he answered her), he asked her, 'How are you?'. She answered (*add* him), '(Very) well, thank you'. Then she told him how she (had) entered a shop selling (*trans.* with) all kinds of things and how she had begun (*trans.* began) to ask a shop-assistant what some of the things (*trans.* articles) in the shop were called (*trans.* are called) in Romanian. She wrote them down in her notebook while the shop-assistant watched (*imperfect*) her, curiously (*trans.* looked curiously at her).

Lesson 25

25.1 Vocabulary

altfel *adv.* otherwise
a ameninţa *vb.* to threaten
a apărea *vb.* to appear
artă — arte *F* art
autobuz /a-u-to-buz/ — autobuze *N* bus
bulevard — bulevarde *N* boulevard, avenue
cer — ceruri *N* sky, heaven
direct *adv.* straight, direct
floare — flori *F* flower
galerie — galerii *F* gallery
iarbă — ierbĭ[1] *F* grass
a ieşi (din) *vb.* to go out, to come out (of)
istorie — istorii *F* history
kilometru — kilometri /ki-lo-me-tri/ *M* kilometre
monument — monumente *N* monument
muzeu /mu-zeu/ — muzee /mu-ze-e/ *N* museum, art-
  gallery
natural, naturală, naturalĭ, naturale *adj.* natural
naţional, naţională, naţionalĭ, naţionale *adj.* national
nor — norĭ *M* cloud
parc — parcuri *N* park
pădure — pădurĭ *N* wood(s)
pe cînd *conj.* while
pictură — picturĭ *F* painting
a se plimba *vb.* to walk, to go for a walk
a ploua *vb.* to rain
sat — sate *N* village
staţie — staţii *F* bus-stop, tram-stop
a se strica *vb.* to break, to deteriorate, to get worse, to get
  broken
şosea — şosele *F* high-road, roadway
taxi /taksi/ — taxiurĭ *N* taxi
troleibuz — troleibuze *N* trolley-bus
universal, universală, universalĭ, universale *adj.* inter-
  national, world-, universal

[1] C-form root.

253

a se urca *vb.* to climb, to get (on, in)

vizitare — vizitări *F* visit, visiting

vreme — vremuri (*or* vremi) *F* weather, time

vreun /vre-*un*/, vreo /vrɛo/, vreunii /vre-*u*-ni/, vreunele
   det. a, some (. . . or other)

vreunul /vre-*u*-nul/, vreuna /vre-*u*-na/, vreunii, vreunele
   pron. one, some

Proper Names

București	Bucharest

vreunul din parcurile București
   Bucureștiului
   /bu-ku-resh-tĭu-luĭ/
	one of the parks of
	   Bucharest

pădurea Băneasa	the Băneasa woods
orașul București	the city of Bucharest
Snagov	Snagov
Muzeul Satului	the Village Museum
Muzeul Zambaccian /zambakčĭan/	the Zambaccian Museum

Phrases

aș fi . . ., ar fi . . ., am fi . . .	(I, he, we) would have
am fi avut mai mult de mers	we'd have had further to go, walk

am fi putut ajunge	we could have arrived,
	   would have been able to
	   arrive

dacă am fi luat	if we had taken
ce-am putea vizita?	what could we visit?
așa de bine	so well
bulevardele cele mari	the big boulevards
ce păcat!	what a pity!

de la Șosea	*i.e.* in the Șosea Kiseleff
	   (a well-known avenue in
	   Bucharest)

e numai la patruzecĭ de kilometri de Bucureştĭ	it's only 40 km. from Bucharest (*lit.* it's only at 40 . . .)
ies /ịes/ din muzeu	they come out of the museum
între timp	meanwhile, in the meantime
la timp	in time
pînă acum	up to now
să mă gîndesc	let me think

25.2 Prin Bucureşti

Cei patru prieteni pleacă într-o zi prin oraş să continue vizitarea muzeelor şi monumentelor de artă.

P: Ce-am putea vizita azi, Sandule?

S: Să mă gîndesc. Am fost pînă acum la Galeria Naţională de Pictură, la Muzeul Zambaccian, la Muzeul de Artă Universală, de Artă Naţională, de Istoria Oraşului Bucureşti, la Muzeul Satului. . . .

A: Să mergem la unul din muzeele de la Şosea. Să luăm pentru asta un troleibuz sau un autobuz, fiindcă cu maşina mergem prea repede şi nu mai putem vedea nimic din oraş.

   La una din staţiile de autobuze şi troleibuze prietenii noştri se urcă într-un troleibuz.

A: Cred că ar fi fost mai bine dacă am fi luat un autobuz; am fi putut ajunge mai repede.

S: Nu ştiu dacă ar fi fost totuşi aşa de bine, deoarece am fi avut mai mult de mers chiar dacă am fi mers mai repede. Autobuzul nu merge direct, pe cînd troleibuzul merge direct, pe bulevardele cele mari, din centru.

W: Aş fi vrut să mergem şi la pădurea Băneasa sau să ne plimbăm în vreunul din parcurile sau grădinile Bucureştiului.

   Ana priveşte cerul pe care au apărut între timp nori negri.

A: Ce păcat că s-a stricat vremea şi ameninţă să plouă,
fiindcă altfel am fi putut merge la Snagov, care e
numai la 40 de kilometri de Bucureşti.

S: Nu ştiu dacă ştiţi, dar la Snagov e un lac mare şi o
pădure foarte mare şi frumoasă cu iarbă verde şi
flori multe.

La Şosea prietenii noştri coboară din troleibuz şi
se duc la Muzeul de Istorie Naturală. Cînd ies din
muzeu începe să plouă, dar Sandu vede la timp un
taxi liber. — Iată un taxi care vine la timp, zice el.
Repede înăuntru!

25.3 Grammar

25.3/1 Determiners: *cel, cea, cei, cele*

The plural forms *cei, cele* are used before numeral
modifiers; the noun does not take the article suffix:

cei patru prieteni	the four friends
cele două prietene	the two friends
iată camerele celor trei băieţi	here are the three boys' rooms

Both the singular and plural forms may occur before
adjective-modifiers. The meaning they convey lies some-
where between that conveyed by the definite article and
that conveyed by the demonstrative *acel(a)*:

bulevardele mari	the big boulevards
bulevardele cele mari	the, those big boulevards
bulevardele acelea mari	those big boulevards

See also 30.3/2.

25.3/2 Verbs: The Conditional Mood, Past Tense[1]

This tense is formed by means of the present conditional
(see 22.3/3) of *a fi* together with the past participle of
the verb to be conjugated. It may be translated '. . .'d
have . . .', '. . . should have . . .', '. . . would have . . .':

---

[1] The Conditional Past is often replaced by the Imperfect.

(eu) aş	
(tu) ai	
(el) ar	fi + past participle (invariable)
(noi) am	
(voi) aţi	
(ei) au	

ar fi mai bine	it would be better
ar fi fost mai bine	it would have been better (*lit.* it would be been better)
am avut mai mult de mers	we had further to go
am avea mai mult de mers	we would have further to go
am fi avut mai mult de mers	we would have had further to go

Don't confuse the following:

(eu, noi) am avut	I, we (have) had
(noi) am fi avut	we would have had, we'd have had

The past conditional is also used in *dacă*-clauses:

cred că ar fi fost mai bine dacă am fi luat un autobuz	I think it would have been better if we had (*lit.* would have) taken a bus

Further examples:

am fi putut ajunge mai repede	we could have got there quicker
am fi putut merge la Snagov	we could have gone to Snagov
aş fi vrut să mergem şi la pădurea Băneasa	I'd have liked to go, I'd like to have gone, I'd have liked to have gone to the Băneasa woods

When the verb is in the conditional (present or past), the pronoun *o* follows the main part of the verb, just as it does in the case of the perfect:

dacă i-ai trimite-o	if you sent it to her
/tri-mi-teo/	
dacă i-ai fi trimis-o	if you'd sent it to her

25.3/3 Verbs: *a trebui*

Further examples:

trebuie să mă duc acolo	I must go there
a trebuit să mă duc acolo	I had to go there
n-a trebuit să mă duc acolo	I didn't have, need to go there
n-ar fi trebuit să mă duc acolo	I needn't have gone there
n-aş vrea să trebuiască să mă duc acolo	I shouldn't like to have to go there

25.3/4 Conjunctions

The following examples contain conjunctions equivalent to English *as, when, while*. Some of the forms are near-synonyms. With some, the imperfect is commonly used in past-tense constructions.

(după) cum spuneam
    as I was saying
cum auzea un cuvînt nou, îl scria în caiet
    when he heard a new word, he wrote it down in his exercise-book
pe măsură ce înaintam spre nord, se făcea tot mai rece
    as we advanced northwards, it grew colder and colder (*a înainta* 'to advance', *a se face* 'to become', *tot mai* 'more and more')

cînd
după ce } termin (*present tense*) cartea, am să ţi-o dau şi ţie

    when I'm through with the book, when I've read the book, I'll pass it on to you (*şi ţie* suggests 'so that you'll be able to read it too')

pe cînd
în timp ce $\Big\}$ mă întorceam acasă . . .

    while returning home, on my way home, as I was returning home . . .

în timpul cît ai fost în concediu

    while you were on holiday, on leave

cît ai lipsit am terminat lucrarea

    while you were away I finished the work (*a lipsi* 'to be away', *lucrare F* 'work')

Note also the translations of 'as' (*dacă* and *aşa cum*) in Exercises 4 and 5.

25.4 Exercises

  1. Copy out the Text of the Lesson and read it aloud

  2. Answer the following questions:

(1) Ce muzee au vizitat pînă acum soţii Roberts?

(2) Unde vreau ei să se ducă azi cu prietenii lor?

(3) Cu ce se pot duce ei la Şosea?

(4) Unde ar fi vrut să se plimbe William?

(5) Ce ar fi vrut Ana să facă?

(6) Ce spune Sandu că este (*there is*) la Snagov?

(7) Unde coboară cei patru prieteni?

  3. Make sentences with the help of the following tables:

(a)

să	luăm urcăm într-	un	autobuz troleibuz taxi
am	luat venit cu		

(b)

e ai aveţi avem au	mult puţin destul	de	mers urcat coborît citit scris învăţat

| (c) | cîţi kilometri sînt | pînă
de | la | Bucureşti?
Londra?
Constanţa?
Sinaia?
Braşov? |

| (d) | să | mergem
ne plimbăm
stăm | în | grădină
parc
pădure
curte |

Note the meanings here:

| e mult de mers | it's a long way, we have a long way to go |
| avem destul de mers | it's far enough, we have a fair distance to cover |

*4. Change the tense of the verbs in the following sentences into (a) the present conditional, and (b) the past conditional. (In the first two sentences as they stand, *dacă* means 'as', 'because'; with the conditional (as with the future) it means 'if'.)

(1) Dacă am plecat devreme am ajuns la timp (1st pers. sg.).
(2) Dacă m-ai ajutat am terminat exerciţiile mai repede.
(3) Dacă mă întrebi îţi răspund.
(4) Dacă vei învăţa vei şti lecţia.
(5) Poţi să ajungi la timp dacă te duci mai repede.
(6) Ana va primi telegrama pînă (by) joi dacă i-o trimiţi azi.

*5. The translation text below includes a number of new words. Study the new vocabulary first, before attempting the exercise.

Vocabulary

amabilit*a*te — amabilit*ăţ*ĭ *F* kindness, friendliness
arhitect*u*ră — arhitect*u*rĭ *F* architecture
atrăgăt*o*r, atrăgăt*o*are, atrăgăt*o*rĭ, atrăgăt*o*are *adj.* nice, pleasant, attractive
bucureşt*e*an — bucureşt*e*nĭ *M* Bucharestian
căld*u*ră — căld*u*rĭ *F* heat
cu adev*ă*rat *adv.* truly, really
cunosc*u*t, cunosc*u*tă, cunosc*u*ţĭ, cunosc*u*te *adj.* well-known
a impresion*a* *vb.* to impress
interes*a*nt, interes*a*ntă, interes*a*nţĭ, interes*a*nte *adj.* interesting
larg, l*a*rgă, l*a*rgĭ, l*a*rgĭ *adj.* wide
a merit*a* *vb.* to be worth, to merit
o*a*menĭ *M pl.* people
obiect*i*v — obiect*i*ve *N* objective, target, aim
obişn*u*it, obişn*u*ită, obişn*u*iţĭ, obişn*u*ite (cu, să) *adj.* used (to), accustomed (to)
stat*u*ie — stat*u*i /stat*u*ĭ/ *F* statue
tur*i*stic, tur*i*stică, tur*i*sticĭ, tur*i*stice *adj.* tourist

ceva loc*u*rĭ	any places
a m*e*rge pe m*u*nte, a m*e*rge pe m*u*nţĭ	to walk in the mountains
mer*i*tă văz*u*t	(it) is worth seeing
obiect*i*v tur*i*stic	sight

— Did you have time to see any really interesting places on (*în*) your trip to Bucharest?
— Yes, of course. We saw all the more important buildings, museums, parks, statues—all the well-known sights. But of course we didn't have time to see everything that's worth seeing.
— What impressed you most?
— Oh, the wonderful wide boulevards, the parks, the flowers, the architecture, the food—and especially the kindness of the people.
— And what did you like least?
— That's (*iată*) a very difficult question to answer (*la*

care e greu de răspuns)! Perhaps the heat, which we're not used to in England. Summer is not the best time to (*pentru a*) visit the Romanian capital (*trans.* the capital of Romania). Bucharest (*Bucureştiul*) is pleasantest in spring and autumn. It's better to go (*să mergi*) to Mamaia, for example, or Sinaia in summer—swim (*să înoţi*) in the Black Sea or walk in (*pe*) the mountains. Do as the Bucharestians do (*trans.* do as (*fă aşa cum*) do the B.)!

Lesson 26

26.1 Vocabulary

a adăug*a* /a-dă-u-g*a*/ *vb.* to add
ajut*or* — ajut*oare* *N* help, assistance
a*ş*ad*ar adv.* then, therefore
bog*at*, bog*ată*, bog*aţĭ*, bog*ate adj.* rich
br*avo int.* well done, well said, bravo
cîmp*ie* — cîmp*ii F* plain
co*astă* — co*aste F* coast
a cuno*aş*te *vb.* to know
se cuno*aş*te *vb.* one can see, it is noticeable, clear
de*al* — de*alurĭ N* hill
d*eltă* — d*elte F* delta
a despăr*ţi vb.* to divide, to separate
desp*arte vb.* (he, she, it) divides, separates
en*orm*, en*ormă*, en*ormĭ*, en*orme adj.* enormous, huge
est *N* east
a se f*ace* (din) *vb.* to be made (from)
flu*viu* — flu*vii N* (major) river
a form*a vb.* to form
ia /j*a*/ *int.* come, now
in*el* — in*ele N* ring
a izvor*î vb.* to spring, to rise
izvor*ăş*te *vb.* (it) rises
în j*u*rul (+ gen.) *prep.* (a)round
mănăst*ire* — mănăst*irĭ F* monastery
mediev*al*, mediev*ală*, mediev*alĭ*, mediev*ale adj.* mediaeval
a menţion*a vb.* to mention
n*u*me — n*u*me *N* name
pod*iş* — pod*işurĭ N* plateau, table-land
pr*in prep.* through
pr*intre prep.* among
regi*une* /re-ǧi-*u*-ne/ — regi*unĭ F* region, district
rîu /r*î*u̦/ — r*î*ur*ĭ* /r*î*-ur*ĭ*/ *N* river
a săr*i vb.* to jump
stuf *no pl. N* reed
sud *N* south
sud-*est N* south-east

263

ştiinţă /shti-*i*n-tsă/ — ştii*n*ţe *F* knowledge, science
*to*cmai *adv.* just, precisely, as far (away) as
a se vărs*a vb.* to flow, to pour
vărs*a*re — vărs*ă*r*ĭ F* (river) mouth, flowing
vec*i*n, vec*i*nă, vec*i*n*ĭ*, vec*i*ne (cu) *adj.* neighbouring,
   bordering (on), adjacent (to)
vest *N* west
vest*i*t, vest*i*tă, vest*i*ţ*ĭ*, vest*i*te *adj.* famous, renowned

Phrases

ar m*a*i f *i* de adăug*a*t cîtev*a* n*u*me	there are (*lit.* would be) some names to add, to be added, one ought to add
să te ved*e*m c*u*m st*a*i cu . . .	let's see how it is with . . ., how you stand regarding . . ., how good you are at . . .
e*ş*ti t*u* t*a*re la . . .	*you*'re good at . . .
fo*a*rte b*i*ne	very good, quite correct, right
i*a* să v*ă*d	let me see now, come let's see
în c*e*ntrul Român*i*ei	in the centre, middle of Romania
în j*u*rul pod*i*şului	round the plateau
în sud-*e*stul Eur*o*pei /e-u-r*o*-pe*ĭ*/	in the south-east of, in south-east Europe
la vărs*a*rea *e*i în m*a*re	at its mouth, where it flows into the sea
m*a*i e cev*a* de sp*u*s	there's something more to say, to be said
n*o*ta z*e*ce la to*a*te lecţiile	ten out of ten in all the lessons, every lesson
să-m*ĭ* s*a*r*ĭ* în ajut*o*r	to come to my rescue, jump to my aid
vre*a* să-m*ĭ* ar*ă*t *e*u şti*i*nţa	she wants me to display *my* knowledge

William fii gata . . . | William be ready . . ., you be ready, William . . .

vestita regiune a mănăstirilor | the famous region of the monasteries

Nume Geografice — Geographical Names

Africa	Africa
America	America
Asia /a-si-ja/	Asia
Australia /a-u-stra-li-ja/	Australia
Europa /e-u-ro-pa/	Europe
Albania /al-ba-ni-ja/	Albania
Anglia /an-gli-ja/	England
Austria /a-u-stri-ja/	Austria
Belgia /bel-ǧi-ja/	Belgium
Bulgaria	Bulgaria
Cehoslovacia /če-ho-slo-va-či-ja/	Czechoslovakia
Danemarca	Denmark
Elveția /el-ve-tsi-ja/	Switzerland
Finlanda	Finland
Franța	France
Germania	Germany
Grecia /gre-či-ja/	Greece
Irlanda	Ireland
Islanda	Iceland
Italia	Italy
Iugoslavia	Yugoslavia
Marea Britanie	Great Britain
Norvegia	Norway
Olanda	Holland
Polonia	Poland
Portugalia	Portugal
România /ro-mâ-ni-ja/	Romania
Rusia /ru-si-ja/	Russia
Scoția /sko-tsi-ja/	Scotland
Spania	Spain
Suedia	Sweden

Nume Geografice — Geographical Names

Turcia	Turkey
Ţara Galilor	Wales
Ungaria	Hungary
Uniunea Sovietică	U.S.S.R.
Africa de Sud	South Africa
America de Sud	South America
Argentina	Argentina
Brazilia	Brazil
Canada	Canada
China /ki-na/	China
Egipt	Egypt
India	India
Iran	Iran
Izrael	Israel
Japonia /zhaponija/	Japan
Mexic	Mexico
Noua Zelandă	New Zealand
Pakistan	Pakistan
Statele Unite ale Americii /-či/ (S.U.A.)	U.S.A.

Rivers

Argeşul	the Argeş
Dunărea /dunărea/	the Danube
Mureşul	the Mureş
Oltul	the Olt
Prahova	the Prahova
Prutul	the Prut
Siretul	the Siret
despre Dunăre	about the Danube
din nordul Dunării /dunări/	north of the Danube

Regions, etc.

Moldova	Moldavia
Muntenia	Muntenia, Wallachia

Transilvania	Transylvania
din nordul Moldovei	of, in northern Moldavia
podișul Transilvaniei	the plateau of Transylvania
Carpații /-tsi/	the Carpathians
munții Carpați	the Carpathian mountains
cîmpia Bărăganului	the Bărăgan plain

26.2 O lecție de geografie

S: Ia să văd, Patricia, ce știi tu despre România? Ești tu tare la matematică, dar să te vedem cum stai cu geografia.

P: Poftim întreabă-mă. William fii gata să-mi sari în ajutor.

S: Unde este România?

P: România este în sud-estul Europei, pe coasta Mării Negre.

S: Care sînt țările vecine cu România?

P: La sud Bulgaria, la est și nord Uniunea Sovietică . . . William ajută-mă!

W: La vest Ungaria și Iugoslavia.

S: Foarte bine. Acum ceva despre munți, dealuri, rîuri și cîmpii.

P: În centrul României sînt munții Carpați care formează un inel în jurul podișului Transilvaniei. Mai departe îți răspunde William.

W: Credeți că nu știe? Știe, dar vrea să-mi arăt eu știința. Așadar să continuăm. Cel mai mare rîu al României este Dunărea, *fluviul* Dunărea, cum se spune pe românește unui rîu foarte mare. Dunărea izvorăște tocmai din Germania și trece prin Austria, Cehoslovacia, Ungaria, Iugoslavia, apoi desparte România de Bulgaria, și după ce trece prin România, o desparte de Uniunea Sovietică și se varsă în Marea Neagră.

A: Foarte bine. Se cunoaște că avem printre noi un profesor de geografie. Dar, William, mai e ceva de spus despre Dunăre.

W: Desigur. La vărsarea ei în mare Dunărea formează
    o deltă enormă, bogată în peşte şi stuf din care se
    face hîrtie. Ar mai fi de adăugat cîteva nume de
    rîuri: Olt, Mureş, Siret, Prut . . . şi de menţionat
    cîmpia Bărăganului, toată cîmpia din nordul Dunării.
P: William, nu uita vestita regiune a mănăstirilor
    medievale din nordul Moldovei.
A: Bravo, Patricia, nota zece la toate lecţiile.

26.3 Grammar

26.3/1 Nouns

(a) *Geographical Names*
Those in -a are F, others are M:

	B-form	*C-form*
M	Bucureşti(ul) /-tĭ, -tĭul/	Bucureştiului
M	Olt(ul)	Oltului
F	Dunăre(a) /-re, -rĕa/	Dunării /-ri/
F	Prahova	Prahovei
F	Transilvania	Transilvaniei

After a preposition the article suffix is omitted in the
case of names of M-gender and *Dunărea* if the noun is
not modified:

despre Dunăre	about the Danube
în Olt	in the Olt

Other F-nouns retain the article:

în Prahova	in the Prahova
prin România	through Romania

See further 32.5.

Note the following examples:

la sud	to the south
în sud-est	in the south-east
în sud-estul Europei	in the south-east of Europe
(fluviul) Dunărea	the (River) Danube (*lit.* (the River) the Danube)
Oltul, rîul /rî-ul/ Olt	the (River) Olt

| toată cîmpia din nordul Dunării | all the plain, the whole (of the) plain (to the) north of the Danube |
| mănăstirile medievale din nordul Moldovei | the mediaeval monasteries in northern Moldavia |

Note how *din* is used to link the one noun phrase to the other; it may be convenient to think of it as being equivalent in this use to *de* + *în*.

(b) Invariable Forms

Some nouns are invariable as to number, that is, the same form is used for both the singular and the plural; there is no distinctive plural suffix:

M	un *mu*şch*ĭ*	a steak
	*mu*şchiul /-kĭu(l)/	the steak
	(ni*ş*te) *mu*şch*ĭ*	(some) steaks
	*mu*şchii /-ki/	the steaks
N	un n*u*me	a name
	n*u*mele	the name
	(ni*ş*te) n*u*me	(some) names
	n*u*mele	the names
F	o vînzăto*are*	a sales-assistant
	vînzăto*are*a /-r*ę*a/	the sales-assistant
	(ni*ş*te) vînzăto*are*	(some) sales-assistants
	vînzăto*are*le	the sales-assistants

The C-forms with the article:

*mu*şchiului /*mu*shkĭului/, *mu*şchilor; n*u*melui, n*u*melor; vînzăto*are*i, vînzăto*are*lor

Generally the modifiers present and/or a verb-form indicate(s) the number in question, but there may be ambiguity in the case of invariable N-nouns with the sing./pl. article suffix *-le* (*numele* 'the name' or 'the names').

(c) A noun governed by the preposition *cu* takes the article suffix in many cases, even when unmodified:

| a face semn cu mîna | to wave (*lit.* to make sign with the hand) |

cu avionul   by plane, by air
cum stai cu geografia?   how's your geography?

But:

o cafea cu lapte   a white coffee
cu plăcere   with pleasure

26.3/2 The Possessive Marker

As we saw in 24.3/1, the possessive marker *al, a, ai, ale*
is used to link a C-form noun to its head when the latter
is modified by an adjective:

cel mai mare rîu al   the largest river in Romania
    României   (*lit*. of Romania)
vestita regiune a   the famous region of the
    mănăstirilor   monasteries

26.3/3 Pronouns: Unaccented Dative

We have already seen that these pronouns are frequently
used where English uses possessive determiners (*my,
your*, etc.). Some further examples:

să-mi arăt ştiinţa   (let me) show (off) my
                    knowledge
să-ţi faci lecţiile   do your lessons, homework
să ne punem cărţile pe masă   (let's) put our books on the
                    table

26.3/4 Word-Order

Note the inversion of subject and verb:

eşti tu tare la matematică, dar să te vedem cum stai cu
geografia
    you are good at maths (that we know), but let's see
    what your geography is like (*lit*. but let's see how
    you stand with geography)
mai departe îţi răspunde William
    William will carry on from there
vrea să-mi arăt eu ştiinţa
    you want me to air *my* knowledge

26.4 Exercises

1. Make sentences or phrases with the help of the following tables:

(a)

aceasta unde care	e regiunea	dealurilor? munţilor? pădurilor? lacurilor? mănăstirilor?

(b)

în	nordul estul vestul sudul	Angliei României Franţei Uniunii Sovietice

(c)

la	nord sud est vest sud-vest nord-est	de	Londra Constanţa Liverpool Bucureşti

(d)

în	centrul		Angliei României Europei
	jurul		podişului Transilvaniei cîmpiei Bărăganului deltei Dunării regiunii mănăstirilor

(e)

vă	rog rugăm	să	le -i	citiţi daţi luaţi trimiteţi	scrisoarea cartea romanul

*2. Insert the correct form of the verb given in brackets. If the tense or mood is not entirely conditioned by the context, use the one suggested.

(1) Aş cumpăra acest dicţionar dacă —— bani la mine (*on me*). (*a avea*)
(2) Eu —— acest dicţionar ieri. (*a cumpăra*, perfect)
(3) Ne —— la Bucureşti poimîine. (*a se întoarce*, voi-future)
(4) Cînd l-am întîlnit pe George, —— acasă. (*a se duce*, imperfect)
(5) Aş fi venit la voi dacă m- ——. (*a invita*)
(6) Sandule, —— la mine (*to see me*) la birou. (*a veni*)
(7) Dacă vreţi, Paul vă —— acum cărţile. (*a da*, voi-future)
(8) Am crezut că Ana şi Sandu —— săptămîna trecută telegrama. (*a primi*, perfect)

*3. Translate:

Romania is a country on the coast of the Black Sea, in the south-east of Europe. The countries bordering on Romania are: to the east and north the Soviet Union, to the west Yugoslavia and Hungary, and to the south Bulgaria. Through Romania passes the river Danube, the second longest river (*fluviu*) in (*din*) Europe. The Danube rises in central Europe (*trans.* in (*din*) the centre of Europe), in Germany, and flows (*trans.* passes) through eight countries: Germany, Austria, Czechoslovakia, Hungary, Yugoslavia, Bulgaria, Romania and the Soviet Union. In Romania there are high mountains and large rivers and woods. On the sea-coast, Mamaia, to the north of Constanţa, and Eforie, to the south, are renowned throughout (*trans.* in all) Europe for their beach(es), sun and sea.

Lesson 27

27.1 Vocabulary

adăpost — adăposturĭ *N* shelter

apăru *vb.* (he, she, it) appeared (*past historic*)

apărător — apărătorĭ *N* defender, guard

a bate *vb.* to knock, to beat, to blow

bătea *vb.* (he, she, it) blew, was blowing (*imperfect*)

bătu *vb.* (he, she, it) knocked, beat (*past historic*)

biserică — biserici *F* church

căută /kă-u-tă/ *vb.* (he, she, it) looked for, sought (*past historic*)

cerînd *pres. part.* asking, requesting, begging, demanding

citi *vb.* (he, she, it) read (*past historic*)

a construi *vb.* to build, to construct

domnitor — domnitorĭ *M* hospodar, voivode, ruling prince

Dumnezeu *M* God

fereastră — ferestre *F* window

fiu /fiŭ/— fii / fiĭ/ *M* son

istoric, istorică, istoricĭ, istorice *adj.* historical, historic

în cele din urmă *adv.* in the end, at last

în total *adv.* in all, altogether

a înălţa *vb.* to raise, to build, to erect

înălţă *vb.* (he, she) erected (*past historic*)

a se înălţa *vb.* to be erected, to stand (high), to rise

se înalţă *vb.* (he, she, it) stands, rises, (they) stand, rise

a înştiinţa *vb.* to inform, to notify

înştiinţară *vb.* (they) informed (*past historic*)

întoarse *vb.* (he, she, it) returned (*past historic*)

întrebînd *pres. part.* asking

a învinge *vb.* to defeat, to conquer

învins, învinsă, învinşĭ, învinse *adj.* defeated, conquered

învinse *vb.* (he, she, it) conquered (*past historic*)

legendă — legende *F* legend

luptă — lupte *F* battle, fight

mamă — mame *F* mother

mulţumire — mulţumiri *F* satisfaction, gratitude, thanks

să moară *vb.* (to) die

273

a mur*i* *vb.* to die
neamţ /nẹamts/ — nemţĭ *M* German
nimenĭ *pron. sg.* nobody, no one
peste *adv.* over, more than
să piardă *vb.* (to) lose
a pierde *vb.* to lose
pierzînd *pres. part.* losing
poartă — porţĭ *F* gate
a prim*i* *vb.* to get, to receive, to accept
răn*it*, răn*i*tă, răn*i*ţĭ, răn*i*te *adj.* wounded
răspunse *vb.* (he, she, it) answered (*past historic*)
ruşin*at*, ruşin*a*tă, ruşin*a*ţĭ, ruşin*a*te *adj.* ashamed
secol — secole *N* century
turc — turcĭ *M* Turk
turn — turnurĭ *N* tower
unuia /unuịa/ *M/N*, uneia /uneịa/ *F* C-form *pron.* of
   one, to one, for one
vînt — vînturĭ *N* wind
voie /voịe/ — voi *F* will, permission, consent

Phrases

ca semn de mulţumire	as a token of gratitude
care se întoarce . . . şi cere . . .	who was returning (*lit.* is returning) . . . and requesting . . .
că e el, fiul /fi-ul/ ei	that it was he, her son
a-şi căuta adăpost	to look for seek shelter (for oneself)
a cere voie înăuntru	to ask permission to enter (*lit.* to ask permission inside)
Cetatea Neamţului	Neamţ Citadel (*or* 'Teuton's Fortress', near the town of Tîrgu Neamţ)
domnitorul bate la poartă	the prince was beating (*lit.* is beating) on the gate
legenda spune	the story goes, the legend tells

să-şi piardă ţara   to lōse his country

Ştefan (*or* Ştefan) cel Mare   Stephen the Great (Prince
                                        of Moldavia, 1454–1504)

unde erau soţia şi mama sa   where his wife and mother
                                        were

27.2 O legendă istorică

Iată ce citi William într-o carte cu legende istorice:

Nu departe de regiunea mănăstirilor din nordul
Moldovei se înalţă ruinele Cetăţii Neamţului.

Legenda spune că în secolul al XV-lea Ştefan cel Mare,
domnitorul Moldovei, pierzînd o luptă cu turcii, îşi
căută adăpost în Cetatea Neamţului unde erau soţia şi
mama sa.

Era noapte şi bătea un vînt rece cînd Ştefan bătu
la poarta cetăţii, cerînd voie înăuntru. Nimeni nu-i
răspunse.

Apărătorii cetăţii înştiinţară pe cele două doamne că
domnitorul bate la poartă. Mama lui Ştefan apăru la
fereastra unuia din turnuri, întrebînd cine bate.

Ştefan îi răspunse că e el, fiul ei, care se întoarce rănit
şi învins din luptă şi cere adăpost în cetate.

Mama lui însă îi răspunse că el nu poate fi Ştefan,
deoarece fiul ei nu se întoarce niciodată învins din luptă.
Dacă însă el e Ştefan cu adevărat şi a fost învins de turci,
atunci ea nu-l primeşte în cetate, şi îi spune că e mai
bine să moară în luptă decît să-şi piardă ţara.

Ruşinat, Ştefan se întoarse iar la luptă şi în cele din
urmă îi învinse pe turci. Iar ca semn de mulţumire lui
Dumnezeu înălţă o mănăstire.

În total Ştefan cel Mare a construit peste 40 de
mănăstiri şi biserici în Moldova.

27.3 Pronunciation

You will have noticed that two adjacent vowels may
either (*a*) form or belong to separate syllables, or (*b*)

form a diphthongal glide within a single syllable. In
normal fast speech, diphthongs occur across word
boundaries:

ce ați făcut /če atsĭ făkut/?
ce-ați făcut /čatsĭ făkut/?

The most regular syllable reductions, particularly
those involving grammatical words, are indicated in
writing by means of a hyphen between the two vowels
forming a glide.

The Romanian orthography has no special means of
differentiating the two possibilities within a word. Note
the following standard contrasts:

a căuta /a kă-u-ta/	ruină /ru-i-nă/
rău /rău̯/	uite /ui̯-te/
străin /stră-in/	fiul /fi-u(l)/
răi /răi̯/	fiu /fiu̯/
real /re-al/	leul /le-u(l)/
rea /rea/	leu /leu̯/

Note that the orthography uses a hyphen to indicate
a vowel glide or the omission of a sound-segment. In our
transcriptions we occasionally use a hyphen, as in the
examples above, to indicate a syllable boundary. Be
careful not to confuse the two! (Thus: *ce-ați*: one syllable;
/re-al/: two syllables.) For a few more details see
Appendix 1.

27.4 Grammar

27.4/1 Determiners: *cel, cea*

In the names of kings, etc., the determiner *cel, cea* is
equivalent to English *the*:

Ștefan cel Mare	Stephen the Great
Alexandru cel Bun	Alexander the Good
Caterina cea Mare	Catherine the Great

27.4/2 Pronouns: *unul, una, unii, unele*

The C-forms of these pronouns (see 23.3/1) are the same as those of the indefinite article with the addition of a suffix -*a*:

	M/N	F
sg.	*u*nuia	*u*neia
pl.	*u*nora	

Examples:

unul din turnuri	one of the towers
unuia din turnuri	of one of the towers
una din doamne	one of the ladies
uneia din doamne	of, to, for one of the ladies
unii din ei unele din ele }	some of them
unora din ei unora din ele }	of, to, for some of them
Ştefan apăru la fereastra unuia din turnuri	Stefan appeared at the window of one of the towers

Note the use and omission of the definite article in this example. The article is used with nouns preceded by markers and (most) prepositions only when the nouns are modified.

Thus *la fereastră*, but *la fereastra unuia din turnuri*, in which *unuia din turnuri* modifies *fereastra*, and in which *turnuri* is without the article because it is unmodified.

Similarly:

bate la poartă	he beats on the gate
bătu la poarta cetăţii	he beat on the gate of the citadel, the citadel gate

27.4/3 Numerals: Use of the Ordinals

Roman figures are used for writing the number of a monarch or a century:

Elisabeta a II-a — Elizabeth II
Henric al V-lea — Henry V
secolul al XX-lea — the twentieth century

27.4/4 Verbs

(a) The Past Historic Tense

In Standard Romanian the tenses used for indicating that an action took place in the past are the perfect (for a completed action) and the imperfect (for emphasizing the continuity of an action in relation to other actions). In some dialects, and (in its past-tense use) in the standard written medium in non-informal styles, the perfect is replaced by another tense, which we shall call the Past Historic. (Other names for this tense are: past definite, simple past, simple perfect, and preterite.)

The past historic is rarely used in standard spoken Romanian, so that, unless you wish to write formally, you do not need to master its forms; you do need to learn to recognize them, however, for you will see them in print. Its characteristic endings are:

stressed vowel + -i /ĭ/, -şĭ, -(*zero*), -răm, -răţĭ, -ră

Examples:

a căut*a*: căut*ai*, căut*a*şĭ, căut*ă* (note -*ă*[1]), căut*a*răm, căut*a*răţĭ, căut*a*ră

a apăr*ea*: apăr*ui*, apăr*u*şĭ, apăr*u*, apăr*u*răm, apăr*u*răţĭ, apăr*u*ră

a av*ea*: av*ui*, av*u*şĭ, av*u*, av*u*răm, av*u*răţĭ, av*u*ră

a put*ea*: put*ui*, put*u*şĭ, put*u*, put*u*răm, put*u*răţĭ, put*u*ră

a fi: fui, fuşĭ, fu, f*u*răm, f*u*răţĭ, f*u*ră

a cit*i*: cit*i*i /-tiĭ/, cit*i*şĭ, cit*i*, cit*i*răm, cit*i*răţĭ, cit*i*ră

a cobor*î*: cobor*î*i, cobor*î*şĭ, cobor*î*, cobor*î*răm, cobor*î*răţĭ, cobor*î*ră

---

[1] Verbs in -*ia* like *a apropia* take -*e* here in place of -*ă*.

a începe: începu*i*, începu*şi*, începu, începu*răm*, începu*răţi*,
    începu*ră*

The stressed vowel of the ending is generally the same
as the stressed vowel of the ending of the past participle
(cf. the past participles *căutat, apărut, avut, putut, citit,
coborît, început*). Verbs whose infinitives end in un-
stressed *-e* and their past participles in *-s* generally
follow this pattern:

a merge: merse*i*, merse*şi*, merse (*note stress*), merse*răm*,
    merse*răţi*, merse*ră* (*note stress*)
a scr*ie*: scrise*i*, scrise*şi*, scrise, scrise*răm*, scrise*răţi*,
    scrise*ră*

The verb *a fi* may also follow this pattern:

fuse*i*, fuse*şi*, fuse, fuse*răm*, fuse*răţi*, fuse*ră*

Note the following:

a da: dădu*i*, dădu*şi*, dădu, dădu*răm*, dădu*răţi*, dădu*ră*
a sta: stătu*i*, stătu*şi*, stătu, stătu*răm*, stătu*răţi*, stătu*ră*

    Uses in the Text:

i*a*tă c*e* cit*i* William	here is what William read
îş*i* căut*ă* ad*ă*post	he sought shelter
Ştefan băt*u* la p*o*artă	Stephen beat on the gate
Ştefan îi răsp*u*nse că e *e*l	Stephen replied that it was he

Pick out the seven other occurrences in the Text (the
stress is marked in all these). Don't confuse this tense
with the present or imperfect.

(b) The Imperfect Tense
Note the use of the imperfect in the Text:

er*a* n*o*apte	it was night (= a continu-ing state of affairs at the time, contrasting with the occurrence of other, shorter events)
şi băt*ea* un vînt r*e*ce	and a cold wind was blowing

unde erau soția și mama sa   where his wife and mother
                                        were

(c) Present Participles

Verbs whose infinitives end in *-i, -ia* and *-ie* form their
present participle by adding *-ind* to their root:

a cit*i*: cit*i*nd 'reading'
a scr*ie*: scri*i*nd 'writing'

Other verbs add *-înd* to their root:

a căut*a*: căut*î*nd 'seeking'
a bat*e*: băt*î*nd 'beating'

English verb-forms in *-ing* (e.g. *running*) may be used
in all kinds of ways, for example, as nouns ('he's good at
running'), as noun modifiers ('the running man'), as
adverbials ('he fell over running'), and in certain kinds
of tenses ('he was running'). Romanian present participles
are generally only used adverbially in clause-like phrases
(in fairly formal style):

Ștefan cel Mare, pierz*î*nd o lupt*ă*, își căut*ă* adăpost . . .
      Stephen the Great, losing a battle, sought shelter . . .
Ștefan băt*u* la po*a*rtă, cer*î*nd vo*i*e înăuntru
      Stephen beat on the gate, requesting permission to
      enter
mama lui apăr*u* la fere*a*stră, întreb*î*nd c*i*ne bate
      his mother appeared at the window, asking who was
      knocking (*lit.* who is knocking)

A pronoun used with a present participle *follows* it,
just as it does with a verb in the imperative. In such
cases, the ending of the present participle takes an extra
-u, except before *-o*:

pierz*î*nd ban*ii*   losing the money
pierz*î*ndu-i /-du̯i/   losing it
pierz*î*nd l*u*pta   losing the battle
pierz*î*nd-o   losing it

Present participles are invariable. The prefix *ne-* is
used to make them negative, e.g. *nepierzînd-o* 'not losing
it'.

Some others:

fiind	being
venind	coming
vorbind	speaking
avînd	having
bînd	drinking
deschizînd	opening
dînd	giving
făcînd	doing
luînd	taking
mergînd	going
plecînd	leaving
punînd	putting
putînd	being able to
stînd	staying
văzînd	seeing
vrînd *or* voind	wanting

(d) Past Participles

We saw in Lesson 10 that the past participle was used in the formation of the passive voice:

a fost învins de turci	he was defeated by the Turks

(Note that the agent marker *de* 'by' functions like a preposition, in other words, the following noun, if unmodified, does not take the definite article. This is also the case with nouns following the direct-object marker *pe*:

Ştefan îi învinse pe turci	Stephen defeated the Turks

See also 28.3/1 (*a*).)

Past participles may be used to modify nouns. As when used in the passive, they agree in number and gender with the noun referred to or modified:

se întoarse rănit şi învins	he returned wounded and defeated
ruşinat, Ştefan ɔ întoarse iar la luptă	ashamed, Stephen went back to the battle again

While we would say:

ruşinaţi, Ştefan şi Sandu . . .
ruşinată, Maria . . .

27.4/5 Sequence of Tenses

Note the examples of reported speech in the Text. In
Romanian you retain the original tense of the speech
situation, whereas in English we commonly turn it back
into the past:

înştiinţară pe cele două doamne că domnitorul bate la
poartă

> he told the two ladies that the prince was knocking
> (*lit*. is knocking) at the gate

întrebînd cine bate	asking who was knocking
îi răspunse că e el	he replied that it was he

Pick out several other uses of the present tense in the
Text which would normally be rendered by a past tense
in English.

In a similar way the perfect may be used where in
English the pluperfect (past perfect) would be preferred:

dacă însă el e Ştefan cu adevărat şi a fost învins de turci . . .

> if, however, he really was Stephen and had been
> defeated by the Turks . . .

27.5 Exercises

1. Copy out the Text of the Lesson and read it aloud.

2. Make sentences with the help of the following
tables:

(a)	Mama	merse veni sosi plecă		la	gară Bucureşti
	Sandu				acasă
	el		se	duse	repede
	ea			întoarse	

(b)

am	construit	o	casă gară
a			
ați		un	bloc sat oraș
au			

(c)

cine	bate a bătut bătu	la	ușă? fereastră? poartă?

*3. Change the verbs in the following sentences from the perfect to the past historic:

(1) Mi-a cerut o carte ('he asked me for a book').
(2) I-am dat dicționarul.
(3) Ne-a întrebat unde locuim.
(4) Nu ne-a răspuns nimic.
(5) Nu le-a plăcut nimic.
(6) Au citit foarte mult.
(7) Cum ne-au văzut, au venit la noi.

*4. Translate:

— Who is knocking at the gate?
— Me (*trans.* I), Stephen.
— Which Stephen?
— Stephen, the prince. I have been defeated by the Turks. Open the gate for me (*dat.*).
— You can't be Stephen. Stephen never returns defeated from (a) battle.
— Mother, it *is* me, your son Stephen. I'm wounded.
— You are no longer my son if you let yourself (be) defeated. Better it is to die in battle than to lose your country.

— I'll obey you (*te ascult*), mother. I'll return (*trans.* leave again) to the battle.

5. Retell the story in writing, without consulting the Text if possible. Then try to tell it orally from memory.

Lesson 28

28.1 Vocabulary

acum . . . *adv*. . . . ago
a asculta *vb*. to listen to, to obey
aspirină — aspirine *F* aspirin
a bea *vb*. to drink
bei *vb*. (you) drink
bolnav, bolnavă, bolnavĭ, bolnave *adj*. ill, sick
cam *adv*. a little, rather, somewhat, about
cap — capete *N* head
caz — cazurĭ *N* case
a chema *vb*. to call
cît *conj*. as long as, while
dentist — dentiştĭ *M* dentist
doare *vb*. (it) hurts, aches
doctorie — doctoriĭ *F* medicine
dor *vb*. (they) hurt, ache
a durea *vb*. to hurt, to ache
durere — durerĭ *F* ache, pain
ficat — ficaţĭ *N* liver
fier /fįer/ — fiare *N* iron
gît — gîturĭ *N* neck, throat
inimă — inimĭ *F* heart
a se îmbolnăvi *vb*. to become ill, to be ill
a îngriji *vb*. to take care of, to look after
lămîie — lămîĭ *F* lemon
operetă — operete *F* musical comedy, operetta
perfect *adv*. perfectly
piept — piepturĭ *N* chest, breast
pilulă — pilule *F* pill
pînă *prep*. by
policlinică — policliniciĭ *F* (poly)clinic
răceală — răcelĭ *F* cold
a răci *vb*. to catch (a) cold
rinichĭ — rinichĭ *M* kidney
rom — romurĭ *N* rum
sănătate — sănătăţĭ *F* health
sănătos, sănătoasă, sănătoşĭ, sănătoase *adj*. healthy, well

285

a schimba *vb.* to change
serios, serioasă, serioşĭ, serioase *adj.* serious
a se simţi *vb.* to feel
slavă — slăvĭ *F* glory, praise
spate (*no pl.*) *N* back
spital — spitale *N* hospital
stomac — stomacurĭ *N* stomach
ştrand — ştrandurĭ *N* (open-air) swimming-pool
ud, udă, uzĭ, ude *adj.* wet

Phrases

are să trebuiască să mă vadă un doctor	I'll have to see a doctor (*lit.* it will be necessary for a doctor to see me)
ce e cu mine?	what's the matter with me?
dacă-i aşa	if that's the case, if it's like that
i-a trecut	it (has) passed, he (has) got over it, he's all right again (*lit.* it has passed to him)
îi chemăm acasă	we send for them (to come and see us) (*lit.* we call them home)
lasă că . . .	don't worry, rest assured that . . .
mă doare capul	I have a headache
mă doare în gît	I have a sore throat
n-ai nimic	you're all right, there's nothing wrong with you
nu am nimic din toate acestea	I haven't got any of those things
nu e cazul să mergĭ	you don't have to go (*lit.* it's not the case that you go)
sau să ieĭ doctoriĭ	or take any medicine (*lit.* or take medicines)

parc-a şi-nceput să-mǐ fie mai bine	I think I've already begun to feel better (*lit.* it seems it has already started to be better to me)
parcă mă doare şi puţin în spate	I think I've got a bit of a pain in my back too, my back seems to be hurting, aching a bit too
pînă dupǎ-masǎ îţǐ trece durerea de cap	by this afternoon your headache will have gone, your headache will go by this afternoon
să ştii	I'm sure; it's clear; you know
o sănătate de fier	a cast-iron constitution, excellent health
a se simţi bine	to feel well
a se simţi rău	to feel ill, bad
slavă Domnului	praise the Lord, thank heavens, thank goodness
şi-mi pare rău	and I regret it

28.2 Patricia e puţin bolnavă

P: Ana, mă doare capul şi mă doare în gît. Nu ştiu ce e cu mine. Nu mă simt bine.

A: Să ştii că ai răcit ieri la ştrand. Eu ţi-am spus că ai să răceşti dacă nu-ţi schimbi costumul de baie, care era ud, fiindcă bătea vîntul şi era cam rece, dar nu m-ai ascultat. Acum să stai în casă, să bei un ceai fierbinte cu rom şi lămîie şi să iei o aspirină.

P: Parcă mă doare şi puţin în spate. Cred că m-am îmbolnăvit şi are să trebuiască să mă vadă un doctor. Unde pot găsi un doctor?

A: Lasă că nu e nimic serios. Dar, dacă vrei să ştii, doctorii îi găsim la spitale şi policlinici sau îi chemăm acasă. Dar tu n-ai nimic. Acum te cunosc bine. Şi tu şi William sînteţi perfect sănătoşi. Dacă te-ar durea

stomacul, sau ficatul, sau rinichii, sau în piept, sau
inima, aş înţelege, dar aşa, pentru o mică răceală,
nu e cazul să mergi la doctor, sau să iei doctorii.

P: Slavă Domnului că nu am nimic din toate acestea!
Nici dinţii nu mă dor, aşa că nu am să am nevoie de
dentist cît sînt aici.

A: Eu nu-mi prea îngrijesc sănătatea şi-mi pare rău.

P: Acum cîteva zile nici William nu s-a simţit bine.
A luat însă nişte pilule şi i-a trecut. El nu e niciodată
bolnav. Are o sănătate de fier.

A: Lasă că nici tu n-ai nimic. Pînă după-masă îţi trece
durerea de cap şi mergem deseară la Teatrul de
Operetă.

P: Dacă-i aşa, parc-a şi-nceput să-mi fie mai bine.

28.3 Grammar

28.3/1 Nouns

(*a*) As noted in 7.3/1 (*d*), nouns may be used in the
plural generically, that is, without having any reference
to a restricted number of items. Nouns used in such a
sense may take the definite article in Romanian:

îmi plac copiii	I like children (*lit.* the children)
doctorii îi găsim la spitale	you find doctors at (the) hospitals (*lit.* the doctors)

Note that the direct-object marker *pe* is not always
used before human nouns (*pe doctori* is also possible
here, though). But remember that the definite article is
regularly omitted in the case of unmodified nouns after
prepositions and markers, where English has an article:

îi învinse pe turci	he conquered the Turks
nu am să am nevoie de dentist	I shan't need a dentist
la restaurant	at a, the restaurant
la restaurante	at (the) restaurants

But:

unul din restaurantele de la lacuri	one of the lakeside restaurants

(b) In the Text the form *doctorii* occurs twice. The written form in isolation is ambiguous, unless the stress is marked:

a doctor	un d*o*ctor
the doctor	d*o*ctorul
doctors	d*o*ctorĭ
the doctors	d*o*ctorii /-ri/

a medicine	o doctor*i*e
the medicine	doctor*i*a
medicines	doctor*i*i /-rii̯/
the medicines	doctor*i*ile /-rii̯le/

28.3/2 Verbs: Tenses

(a) Study the tenses of the verbs in the following sentence:

Eu ţi-am spus că ai să răceşti dacă nu-ţi schimbi costumul de baie, care era ud, fiindcă bătea vîntul şi era cam rece, dar nu m-ai ascultat.

We might translate this:

I told you you'd catch cold if you didn't change your swimming costume, which was wet, because the wind was blowing and it was quite cold, but you didn't listen to me.

Note that in Romanian the tenses used in the words actually spoken are retained when the speech is reported. The words spoken were:

— Ai să răceşti dacă nu-ţi schimbi costumul de baie.

The other verbs in the sentence are in either (a) the perfect tense, used for single completed actions in the past (the Text is informal, so the past historic is not used):

eu ți-am spus   nu m-ai ascultat

or (*b*) the imperfect tense, used for actions or conditions prevailing at the time the others occurred and presumably continuing after the others were completed:

era ud   bătea vintul   era cam rece

(*b*) Note the use of the present tense after such adverbials as *pînă după-masă*, where English prefers the future or future perfect:

pînă după-masă îți trece   by this afternoon your
   durerea de cap   headache will have gone

The perfect tense may also be used (*ți-a trecut*).

28.3/3 Adverbs: *cît, ce, cum*

The adverb *cît* is used in a variety of senses. Here are a few examples:

cît costă asta?	how much does this cost?
cît e ceasul?	what's the time?
cît mai stați aici?	how long are you going to stay here?
nu știu cît	I don't know (how long)
pe cît știu	as far as I know
cît e pînă acolo?	how far is it?
cît mai e pînă acolo?	how much further is it?
cît e de vechi acest vin?	how old is this wine?
(*cf.* cîți ani aveți?	how old are you?)
cît de lung e drumul acasă!	what a long way we have to go to reach home!
cît e de bine!	how lucky it is!
cît e de tînăr!	how young he is!
mergi cît mai ușor!	walk as lightly as possible!
eu vreau cît mai sus	I want to be as high up as possible
cu cît mai curînd, cu atît mai bine	the sooner the better

In a question *cît mai* may mean 'how much' or 'how much more', and in a statement or exclamation 'as . . . as possible', 'very'.

Ce may be used in place of *cît de* in the sense of 'how!':

ce cald a fost! ⎫
cît de cald a fost! ⎬   how warm it's been!
cît a fost de cald! ⎭

ce bine vorbeşte! ⎫
cît de bine vorbeşte! ⎬   how well he speaks!
cît vorbeşte de bine! ⎭

The subject if present follows the verb in such exclamations:

ce tînăr e el! ⎫
cît de tînăr e el! ⎬   how young he is!
cît e el de tînăr! ⎭

Cum is used when it is a verb that is modified (and not an adjective or adverb):

cum îi place să înoate!   how he enjoys swimming!
cum trece timpul!   how time flies!

28.3/4 Word-Order

Note the position of *prea* in the following:

eu nu-mi prea îngrijesc   I don't take much care of
  sănătatea   my health

28.3/5 Markers: *pe*

The direct-object marker is, as we have seen, used before proper names and sometimes before other human nouns. It is also used with the accented accusative pronouns (17.3/1) and with certain other pronouns such as *cine, care, acesta, unii, toţi, altul*, etc., especially with reference to persons:

am invitat pe altul   I invited another (man, boy) nu le pot menţiona pe toate   I can't mention them all

For *altul* see next paragraph.

28.3/6 Determiners and Pronouns: 'Other'

(*a*) To translate 'another', 'others' there are two sets of forms. The following are those of the non-pronominal determiner:

(un) alt, (o) *a*ltă, *a*lţi, *a*lte
(*C-forms*: *a*ltui, *a*ltei, *a*ltor, *a*ltor)

Examples:

daţi-mi (un) alt stilou, vă   give me another pen, please
rog

*a*lţi o*a*meni sînt m*a*i discreţi   other people are more
discreet

The following are those of the non-determiner pronoun (cf. the forms of *unul*):

*a*ltul, *a*lta, *a*lţii /*a*ltsi/, *a*ltele
(*C-forms*: *a*ltuia, *a*lteia, *a*ltora, *a*ltora)

Example:

unul mi-a spus una, altul   one person told me one
alta   thing, another another
(thing)

(*b*) To translate 'the other(s)', 'the other one(s)' the following may be used as a determiner pronoun:

cel*ă*lalt, ce*a*laltă, ceil*a*lţi, c*e*lelalte
(*C-forms*: c*e*luilalt, c*e*leilalte, celorl*a*lţi, c*e*lorlalte)

Examples:

prefer celălalt dicţionar   I prefer the other dictionary
unele sînt aici, celelalte sînt   some are here, the others
acolo   are there

Don't confuse the non-determiner pronoun *altul* 'another (one)' with the determiner pronoun *celălalt* 'the other (one)'.

28.4 Exercises

1. Make sentences with the help of the following tables:

(a)

mă vă îl o îi le te	doare	capul spatele mîna stomacul ficatul un dinte în gît

(b)

mi- ne i- le	e	mai mult mai puţin mai tot mai foarte	bine rău
mă simt se simt ne simţim			

(*tot mai* 'more and more')

*2. Rewrite the following sentences, changing the tense of the verb to:

    (a) the imperfect,
    (b) the perfect,
    (c) the past historic,
    (d) the future with *voi*,
    (e) the future with *am să*,
and (f) the conditional.

    (1) Mă duc la un cinema.
    (2) Se întoarce acasă.
    (3) Mergem cu voi.
    (4) Vă rog ceva.
    (5) Ei îşi cumpără un dicţionar.
    (6) Venim şi noi la voi.

*3. Translate, using as far as possible structures from the Lesson; use *dvs.* for 'you':

(1) How are you feeling?
(2) I shan't need a doctor.
(3) I have a headache and toothache.
(4) You must change your swimming costume.
(5) Have a hot drink of tea with rum.
(6) You'll have to see a doctor.
(7) If you want to know, I'll tell you.
(8) You don't need any medicine.
(9) Take care of your health.
(10) *I* didn't feel well, either, a few days ago.
(11) Your backache will have gone (*trans.* goes) by tomorrow.
(12) Don't worry, there's nothing the matter with them.
(13) You'll catch cold if you aren't careful.

*4. Translate, paying particular attention to the tenses:

One day Patricia didn't feel (*perfect or imperfect*) too well. She had a slight headache and also had a sore throat. She wanted to go to the doctor('s) but Ann stopped (*past historic*) her. Ann told (*past historic*) her to take an aspirin and to drink one or two cups of tea with rum and lemon. Patricia obeyed (*past historic*) her and soon felt (*past historic*) better (*trans.* well). In the evening the two friends went (*perfect or past historic*) with their husbands to the operetta (*trans.* operetta theatre).

Lesson 29

29.1 Vocabulary

alcool /al-co-ol/ — alcooluri *N* alcohol
altceva *pron.* something else, anything else
antinevralgic — antinevralgice *N* antineuralgia pill,
  headache pill
anume *adv.* namely, exactly
bancă — bănci *F* bank, bench
bancnotă — bancnote *F* banknote
cititor — cititori *M* reader
a se coafa /co-a-fa/ *vb.* to have one's hair done
coafat — coafaturi *N* hairdo, hairdressing
coafor — coafori *M* (ladies') hairdresser
coafură — coafuri *F* hairdo, hairdressing
cuvînt — cuvinte *N* word
ei /ei/ *int.* well
expresie — expresii *F* expression, phrase
a se face *vb.* to be done, to be made (up), to become
farmacie — farmacii *F* chemist's, pharmacy
femeie — femei *F* woman
fie *conj.* be it, whether, either (. . . or)
frizer — frizeri *M* barber
frizerie — frizerii *F* men's hairdresser's, barber shop
a lipsi *vb.* to be absent, to be omitted, to be missing, to
  lack, to be away
manual — manuale *N* textbook, manual
medicament — medicamente *N* medicine, drug
oriunde *adv.* anywhere, wherever
pansament — pansamente *N* dressing, bandage
păr — peri *M* hair
pierdut, pierdută, pierduţi, pierdute *adj.* lost
pildă — pilde *F* example, model
poştă — poşte *F* post, post-office
prin *prep.* in
a (se) rade *vb.* to shave (oneself), to have a shave, to get
  a shave
ras — rasuri *N* shave
rest — resturi *N* rest, remainder, change

rețetă — rețete *F* prescription, recipe
a rîde *vb.* to laugh
salon — saloane *N* drawing-room, saloon
a (se) spăla *vb.* to wash (oneself)
a se tunde *vb.* to have one's hair cut, to have a haircut
tuns — tunsurĭ *N* haircut
vată — vate[1] *F* cotton-wool
a vopsi *vb.* to dye, to colour, to paint
vopsit — vopsiturĭ *N* dyeing, painting

Phrases

adesea sînteţĭ întrebaţĭ	you're often asked
al nostru	ours
anume ce?	what, then?
biroul obiectelor pierdute	the lost-property office
de multe orĭ	many times, often
de pildă	for instance
dragă Sandule	my dear Sandu
femeile îşĭ spală părul	(the) women wash their hair, have their hair washed
înainte de a te duce	before going, before you go
la frizer	at the barber's
mare lucru	very much, a great deal
ne lipseşte ceva	we're omitting something, some things; something is missing, some things are missing (*lit.* something is lacking to us)
se poate	it may be, possibly, perhaps
nu se poate altfel	it can't be otherwise, there's no alternative, we'll have to
un salon de coafură	a ladies' hairdresser's
şi ce-i cu asta?	and what's wrong with that, what of it, so what?

[1] C-form root.

29.2 Alte cuvinte şi expresii

W: Dragă Sandule, ne lipseşte ceva.

S: Anume ce?

W: N-am pus în manualul nostru nimic despre: la frizer, la coafor, la farmacie, la dentist, la doctor, la poştă, la bancă, la biroul obiectelor pierdute, la. . . .

S: Ei, şi ce-i cu asta? Fiindcă ai văzut toate acestea prin alte manuale, crezi acum că trebuie să le punem şi noi într-al nostru?

A: Nu se poate altfel, dragă. Vrei să spună cititorii noştri că am uitat de aceste lucruri?

P: Uite, de pildă, de ce se duc bărbaţii la frizer şi femeile la coafor?

S: Bărbaţii se tund şi se rad la frizer, iar femeile îşi spală părul, şi-l vopsesc şi se coafează la coafor. Nu-ţi trebuie să ştii mare lucru cînd te duci la o frizerie sau la un salon de coafură. Tot ce trebuie să ştii este: 'Cît costă un tuns?' 'Cît costă un ras, vă rog?' 'Cît costă un coafat sau vopsitul părului, vă rog?' Bineînţeles, trebuie să mai ştii să numeri pe româneşte şi să nu uiţi să-ţi iei restul cînd plăteşti cu o bancnotă de o sută de lei sau douăzeci şi cinci de lei.

W: Bine, şi ce trebuie să ştim să spunem cînd intrăm într-o farmacie?

A: Întîi 'Bună ziua'. (*Toţi rîd.*)

W: Bine, asta ştim. Asta spunem oriunde intrăm, fie într-un birou, fie într-o prăvălie sau magazin.

A: Apoi spui: 'Vă rog să-mi daţi nişte antinevralgice,' dacă ai dureri de cap sau de dinţi, sau 'Unde se fac reţetele, vă rog?', dacă ţi-a dat doctorul o reţetă. La farmacie se găsesc pilule, medicamente, pansamente, vată, alcool, etc. Şi nu uitaţi, adesea sînteţi întrebaţi: 'Altceva mai doriţi?'.

S: Cum vedeţi, nu e greu de loc. Dar de multe ori înainte de a te duce la farmacie trebuie să te duci la doctor.

P: Aş propune să lăsăm doctorii şi doctoriile pentru altădată.

29.3 Grammar

29.3/1 Pronouns: Possessive Forms

We saw in 20.3/2 that forms equivalent to English *mine*, *yours*, *hers*, etc., consisted of the marker *al, a, ai, ale* (to agree with the gender and number of the noun whose referent is the thing(s) possessed) together with the possessive determiners (agreeing similarly in form). In the Text we had:

crezi acum că trebuie să le punem și noi într-al nostru?
     do you think that we should also put them in ours?

. The form *al nostru* agrees in gender and number with *manual* (N-noun, singular). (Note, incidentally, that the form *într-* is selected before the possessive pronouns, not *în*.) The complete table is as follows:

	'mine'	'yours'	'his'	'hers'
al +	meu	tău	lui	ei
a +	mea	ta	lui	ei
ai +	mei	tăi	lui	ei
ale +	mele	tale	lui	ei

	'his', 'hers'	'ours'	'yours'	'theirs'
al +	său	nostru	vostru	lor
a +	sa	noastră	voastră	lor
ai +	săi	noștri	voștri	lor
ale +	sale	noastre	voastre	lor

The forms with *lui* and *ei* are much more common than the *său*-forms.

The second person sg. polite forms are: *al, a, ai, ale* + *dvs.*

29.3/2 Verbs: Past Participles and Infinitives

Past participles may be used as adjectives and as nouns. For example:

a spăla 'to wash':   spălat *adj.* 'washed'
                      spălat *N* 'washing', 'laundering'
a rade 'to shave':   ras *adj.* 'shaved', 'shaven'
                      ras *N* 'shave'
a tunde 'to cut (hair)': tuns *adj.* 'cut', 'trimmed', 'shorn'
                      tuns *N* 'haircut'

Other nouns of this type (all N-nouns):

coafat 'hairdressing', vopsit 'dyeing', rîs 'laugh(ter)'

Thus past participles used as nouns in Romanian often correspond to present participles used as nouns in English (gerunds). Romanian infinitives may also correspond in use to English gerunds:

de multe ori înainte de a te   many times before going to
  duce la farmacie   the chemist's

Prepositions such as *înainte de, fără, pentru* may be followed by infinitives in this way. Further examples:

înainte de a pleca acasă   before leaving for home,
                     before going home
înainte de a pleca de acasă before leaving home, before
                     going away
înainte de a veni în România before coming to Romania
fără a întreba pe cineva   without asking someone
fără a ruga pe nimeni   without asking anyone
obiectul acesta e pentru a   this thing's for opening
  deschide sticle   bottles (with)

29.3/3 Verbs: Tenses

In 6.3/4 it was noted that certain time adverbs require the verb to be in the present tense where the corresponding English prefers a perfect tense. The table in 24.3/2 (*b*)

contains examples of similar time expressions with the
verbs in the perfect tense, as in English. You will notice
that the verbs in each case are of a different kind. The
present tense is used only if the action can be conceived
as not having been concluded at the time of speaking
(e.g. 'living', 'learning','knowing'). Consider the sentences
in the following table. You will see that, according to the
sense, *de mult*, for instance, may be equivalent to 'for a
long time' or 'a long time ago'; *din anul 1965* to 'since
1965' or 'in 1965', and so on. The system is much
simpler in Romanian than in English. The table will
repay careful study.

locuiesc aici învăţ engleza îl cunosc pe Nicu		de mult de puţin timp de multă vreme de mai mulţi ani
am plecat de aici am luat diploma		de şase luni din anul 1965 din toamna trecută de astă toamnă
nu	l-am văzut i-am întîlnit le-am scris	

Note the following:

odată	once, sometime
de două ori	twice
de multe ori	many times, frequently
de mai mulţi ani	for several years, several years ago
de astă toamnă	this autumn, since this autumn
din toamna trecută	last autumn, since last autumn

29.4 Exercises

1. Copy out the Text of the Lesson and read it aloud.

*2. Insert three or four nouns in each of the blank

squares in the following table and read off some of the completed pairs of sentences:

Am	cumpărat	un		E	al	meu nostru
	primit	o			a	mea noastră
	adus				ai	mei noştri
	găsit	nişte		Sînt	ale	mele noastre

Example: Am cumpărat un stilou. E al meu.

3. Read off some more sentences from the above (completed) table, substituting *aţi* for *am*, *dvs.* for *meu, mea, mei, mele*, and *vostru* (etc.) for *nostru* (etc.).

*4. Add a sentence to each of the following on the model:

Am cumpărat un ceas. E al meu.

(1) Dvs. aţi primit un dicţionar. E. . . .
(2) Sandu şi Ana au nişte reviste. Sînt. . . .
(3) Patricia are în mînă nişte ochelari.
(4) Prieteni noştri locuiesc într-un apartament.
(5) Voi aţi cumpărat nişte ţigări.
(6) Toma mi-a arătat nişte fotografii.
(7) Tu ai primit un carnet.
(8) Ana citeşte o carte englezească.

*5. Translate:

— What do you do (*tu*-form) when you are ill?
— I go to the doctor.
— And what does the doctor give you?
— He gives me a prescription.
— What do you do with the prescription?

— I take it (*trans.* go with it) to the chemist's.

— But if you haven't been to the doctor's what do you do?

— I go to the chemist's and buy medicines that one can buy without a prescription.

— What kind of drugs can you buy at the chemist's?

— For example, aspirin, pills—I don't know any others (*trans.* others I don't know more)!

— You should make yourself (*Să-ţi faci*) a list so that you know what the various (*diferitele*) kinds of drugs and medicines are called in Romanian. You may (*poate să*) need them some day (*odată*).

— I shan't need them. I never get ill.

— Are you *so* (*chiar aşa de*) sure?

— Yes, I have a very strong constitution.

— Good for you (*bravo*)! But then why did we have this talk (*trans.* dialogue)?

— So we could have (*ca să facem*) some (*puţină*) conversation in Romanian. You know I need that (*aşa ceva*).

6. Compose a short dialogue between yourself and a shop-assistant.

Lesson 30

30.1 Vocabulary

acoperit, acoperită, acoperiți, acoperite (de) *adj.* covered (with)

adînc, adîncă, adînci, adînci *adj.* deep

ascensiune — ascensiuni *F* mountain climbing, climb, ascent

astă-seară *adv.* this evening

cabană — cabane *F* chalet, cabin

coastă — coaste *F* coast, slope

creastă — creste *F* ridge, crest, summit

a se culca *vb.* to go to bed, to lie down

a curge *vb.* to flow

decor — decoruri *N* setting, scenery, décor

diferit, diferită, diferiți, diferite (de) *adj.* different (from), various

a dormi *vb.* to sleep

echipament — echipamente *N* equipment, outfit, kit, gear

foame *F* hunger

ger — geruri *N* frost

iarnă — ierni /ierni/ *F* winter

iarna *adv.* in winter

în jur *adv.* all around

a ninge *vb.* to snow

ori de cîte ori *conj.* whenever, every time (that)

patinaj *N* skating

păcat — păcate *N* sin, (it's a) pity

plimbare — plimbări *F* walk, hike

plin, plină, plini, pline *adj.* full

a porni *vb.* to start, to begin

primăvară — primăveri *F* spring

primăvara *adv.* in spring

program — programe *N* programme

răspoimîine *adv.* the day after the day after tomorrow, in three days' time

repede, repede, repezi, repezi *adj.* quick, fast

a se sătura *vb.* to have one's fill, to have enough

schi /ski/ — schiuri *N* ski, skiing

sete *F* thirst
somn *N* sleep
a sper*a* *vb.* to hope
a speri*a* *vb.* to frighten
splendid, splendidă, splendizĭ, splendide *adj.* splendid
sport — sporturĭ *N* sport
stațiune — stațiunĭ *F* (holiday, health) resort
to*a*mna *adv.* in autumn
uneorĭ *adv.* sometimes
*u*ra *int.* hurray, hurrah
val*e* — văi *F* valley
v*a*ra *adv.* in summer
vîrf — vîrfurĭ *N* top, peak, summit

Phrases

c*a*re e progr*a*mul n*o*stru?	what's our programme, what are our plans, what are we going to do?
c*e* frum*o*s e s*u*s!	how lovely it is up there, high up
echip*a*ment de m*u*nte	mountaineering equipment
a f*a*ce o ascensi*u*ne	to climb a mountain
frum*oa*sa stați*u*ne de m*u*nte Sin*a*ia	the beautiful mountain resort of Sinaia
în pl*i*nă v*a*ră	at the height of summer
a lu*a* m*a*sa	to lunch, to dine, to have a meal
m-am sătur*a*t de hot*e*lurĭ	I'm fed up with (staying at) hotels
mai b*i*ne z*i*s	or rather (*lit.* better said)
mi-e /m*i*e/ fo*a*me	I'm hungry
mi-e s*e*te	I'm thirsty
mi-e s*o*mn	I'm sleepy
m*u*nțĭi Buceg*ĭ*	the Bucegi mountains
n*u* ne speri*a* prietenii	don't frighten our friends
pe c*î*t(e) șt*i*u	as far as I know
st*a*i să-mi amint*e*sc	stop, let me try to remember

o stațiune de munte | a mountain resort
poimîine și răspoimîine | the day after tomorrow and the day after that, the next day and the day after
valea Prahovei | the Prahova valley

30.2 O plimbare la munte

P: Ce zi e mîine, Ana?

A: Mîine e duminică.

P: Și care e programul nostru pentru mîine?

A: Mîine, poimîine și răspoimîine mergem la munte.

P: Stai să-mi amintesc. Urcăm pe valea Prahovei pînă la frumoasa stațiune de munte Sinaia, și ajungem în munții Bucegi. Ce facem acolo, Sandule? Facem vreo ascensiune?

S: Cum vreți voi. În mașină putem să ne luăm echipament de munte și pardesiu de ploaie, așa că facem, dacă vreți, și o ascensiune, bineînțeles pe unul din vîrfurile mai mici.

P: Ah, ce frumos e sus, pe un vîrf de munte, de unde poți privi în jur numai creste înalte și coaste acoperite de păduri, în timp ce jos prin văile dintre munți curg rîuri repezi!

A: Splendid, Patricia!

W: Și în acest decor minunat, sper că vom dormi la cabane, sus pe munte. M-am săturat de hoteluri ori de cîte ori călătorim.

S: Desigur. Două nopți dormim la cabane. Mașina o lăsăm jos în vale și noi mergem pe creste.

A: Să sperăm că nu plouă, mai bine zis, că nu plouă prea mult. La munte plouă adesea. Uneori chiar și ninge în plină vară.

S: Nu ne speria prietenii, dragă! Au să creadă că e și ger vara în Bucegi. Asta se întîmplă iarna și uneori și primăvara, dar nu vara. Chiar și toamna avem vreme frumoasă la munte.

P: Păcat că nu am venit iarna în România. Am putea
  face schi la munte.

A: Şi patinaj la Bucureşti.

W: Dragele mele, să lăsăm acum sporturile de iarnă.
  Mie mi-e foame, mi-e sete şi mi-e somn, şi pe cîte
  ştiu, astă-seară luăm masa la restaurant. Ar fi bine
  să plecăm de acasă mai repede şi să nu ne culcăm
  prea tîrziu, fiindcă mîine ne sculăm devreme şi
  pornim la munte.

P: Ura!

30.3 Grammar

30.3/1 Nouns

(a) The full forms of *femeie* 'woman' are as follows:

o femeie /fe-me-ịe/ $\longrightarrow$ unei femei
femeia /fe-me-ịa/ $\longrightarrow$ femeii /fe-me-(i)i/
femei /fe-meị/ $\longrightarrow$ unor femei
femeile /fe-me-i-le/ $\longrightarrow$ femeilor /fe-me-i-lor/

(b) *Compounds with* de

The word *de* is used in many functions, one of which is
to link two nouns to form a compound, as we saw in
19.3/2 (a):

o masă de lemn	a wooden table
o sănătate de fier	a strong constitution
o staţiune de munte	a mountain resort
echipament de munte	mountaineering equipment
sporturi de iarnă	winter sports
un pardesiu de ploaie	a raincoat, mackintosh
nori de ploaie	rain-clouds
o durere de cap	a headache

Make a list of a few more.

30.3/2 Noun-Phrase Word-Order

It was mentioned in 20.3/1 that in a structure com-
prising the definite article, an adjective and a noun

whichever comes first, the adjective or the noun, takes the article and C-form suffixes:

stațiunea frumoasă frumoasa stațiune }	the beautiful resort
stațiunii frumoase frumoasei stațiuni }	of the beautiful resort
stațiunile frumoase frumoasele stațiuni }	the beautiful resorts
stațiunilor frumoase frumoaselor stațiuni }	of the beautiful resorts

The adjective generally follows the noun, but it may precede, for instance, when modifying the first element in a compound, as in:

frumoasa stațiune de munte	the beautiful mountain resort
diferitele feluri de medicamente	the various kinds of drugs

When we have a noun phrase that includes both a possessive determiner and an adjective, the elements may be ordered in two different ways:

(1) adj. + article suffix—poss. det.—noun.

(2) noun + article suffix—poss. det.—*cel*—adj.

The second method lays stress on the adjective and is the more common. For 'your new car' we may say, then, either:

noua ta mașină

or:

mașina ta cea nouă

Turning these into the plural:

noile tale mașini } mașinile tale cele noi }	your new cars

As we are dealing here with an F-noun, plural forms will be used in both singular and plural C-forms:

noii /noǐi/ tale maşinǐ
maşinii tale celei noi } of your new car

noilor /noilor/ tale maşinǐ
maşinilor tale celor noi } of your new cars

Example:

care e culoarea (*F*) noii tale
maşini?
care e culoarea maşinii tale
celei noi? } what's the colour of, what colour's your new car?

Note the forms of *cel* in the above examples.

30.4 Exercises

*1. Rewrite the following sentences changing the tense of the verbs into:

   (*a*) the imperfect,
   (*b*) the perfect,
   (*c*) the *voi*-future,
and (*d*) the *am să*-future.

(1) Ne culcăm devreme şi ne sculăm devreme.

(2) Plouă şi ninge în fiecare zi la munte.

(3) E frumoasă toamna la Sinaia.

(4) Mă gîndesc adesea la voi.

(5) Prietenii noştri se plimbă prin pădure la munte.

(6) Vă e foame şi sete după atîta plimbare, nu?

*2. Complete the following tables yourself with the types of words suggested. Compare your answers with those suggested in the Key, then read off again a number of sentences in each.

   (*a*) Insert verbs or verbal phrases in the last column that say something about the weather:

nu	-mi -ţi -i ne vă le	place cînd	

(b) Insert nouns in the second column that say where you suggest we take a walk:

să ne plimbăm prin	

(c) Insert verbs (first person plural present-tense forms) in the third column:

vrem sperăm ne gîndim ne-am hotărît	să		la	mare munte Bucureşti Mamaia

*3. Translate:

It took us a long time to decide (*ne-a trebuit mult pînă cînd ne-am hotărît*) where to (*unde să*) go first. Some of us wanted (*imperfect tense*) to go to the mountains (*la munte*), others to the sea. Some wanted to climb up (*să urce pe*) the mountains, others wanted to stay down in the valley. Some of us wanted to sleep at the chalets, others wanted (to sleep) at the hotel, where there are large rooms, (a) bath and hot water all day, and you don't (*trans.* one doesn't) have to wash often in (*cu*) cold water. Then up on the peaks and ridges the wind blows very hard and it rains a lot—sometimes there's even snow (*chiar ninge*).

As you see, it wasn't (*perfect tense*) so (*prea*) easy to decide what to do, but in the end we had to (*perfect tense*) agree, because otherwise we would never have started (*nu mai plecam*) for the mountains.

30.5 Supplementary Dialogue

Vocabulary

abia *adv.* hardly, only (. . . up to now)
a aprinde *vb.* to light, to switch on (the light)
a ascunde *vb.* to hide
brichetă — brichete *F* lighter
a se căsători *vb.* to marry, to get married
de cînd *conj.* since
a iubi *vb.* to love
pe atunci *adv.* then, at that time
a promite *vb.* to promise
a stinge *vb.* to put out, to switch off
a treia   the third
o țigară de foi   a cigar

Ea: Iar ai aprins o țigară! Te rog s-o stingi!

El: Dar e abia a treia azi după-masă.

Ea: Știi că nu-mi place cînd fumezi. Apropo, unde ai găsit chibriturile? Credeam că le-am ascuns bine.

El: N-am găsit chibriturile. Mi-am cumpărat însă o brichetă.

Ea: Vezi, înainte de a ne căsători mi-ai promis că n-ai să mai fumezi. Pe atunci mă iubeai.

El: Te iubesc și acum, dar pe atunci fumam țigări de foi și de cînd ne-am căsătorit nu mai fumez țigări de foi.

Lesson 31

31.1 Vocabulary

albastru, albastră, albaştri, albastre *adj.* blue
a alege *vb.* to choose, to select
ales *past part.* chosen, selected
bătrîn, bătrînă, bătrînĭ, bătrîne *adj.* old
bătrîn — bătrînĭ *M* old man
bătrînă — bătrîne *F* old woman
culoare — culorĭ *F* colour
deşi *conj.* although
drăguţ, drăguţă, drăguţĭ, drăguţe *adj.* nice, cute, sweet
exemplu — exemple *N* example
a folosi *vb.* to use
galben, galbenă, galbenĭ, galbene *adj.* yellow
gînd — gîndurĭ *N* thought
gol, goală, goi, goale *adj.* empty
gras, grasă, graşĭ, grase *adj.* fat
gri, gri, gri, gri *adj.* grey
haină — haine *F* coat, (*pl.*) coats, clothes
harnic, harnică, harnicĭ, harnice *adj.* hard-working,
  industrious
important, importantă, importanţĭ, importante *adj.*
  important
a îmbogăţi *vb.* to enrich
început — începuturĭ *N* beginning, start
literatură — literaturĭ *F* literature
lung, lungă, lungĭ, lungĭ *adj.* long
neplăcut, neplăcută, neplăcuţĭ, neplăcute *adj.* unpleasant,
  nasty
obosit, obosită, obosiţĭ, obosite *adj.* tired
a omite *vb.* to omit
pantof — pantofĭ *M* shoe
a povesti *vb.* to relate, to tell, to narrate
povestire — povestirĭ *N* story, anecdote
radio /ra-di-o/ — radiourĭ /ra-di-o-urĭ/ *N* radio, wireless
a răsfoi *vb.* to look, to glance, to skim
rochie — rochii *F* dress
roşu, roşie, roşii, roşii *adj.* red

311

sărac, săracă, săracĭ, sărace *adj.* poor
scurt, scurtă, scurțĭ, scurte *adj.* short
a se sfîrși *vb.* to end, to come to an end
slab, slabă, slabĭ, slabe *adj.* thin, weak
televizor — televizoare *N* television-set
a traduce *vb.* to translate
ultimul, ultima, ultimii /-mi/, ultimele *adj.* the last
urît, urîtă, urîțĭ, urîte *adj.* ugly, nasty
viață /vi̯a-tsă/ — vieți /vi̯etsĭ/ *F* life

Phrases

am să vă dau să adăugați printre lecții listele mele	I'll give you my lists to put between the lessons
ca cititorii noștri să poată…	for our readers to be able to …
ca românii	like (the) Romanians
de acum	from now on
dintr-o limbă într-alta	from one language into another, the other
dragă William	my dear William, William old boy
fără să vrem	without wanting to
n-avem ce face	we can't help it, we can't do anything about it, we have no choice
ne era gîndul la …	we were thinking of …
ne lipsesc încă o mulțime de cuvinte	a lot of words are still missing, there are a lot of words we haven't put in yet
pe de altă parte	on the other hand
singurĭ	on our own, by ourselves
viața	life (*lit.* the life)

31.2 Ultima lecție

W: Știi ceva, Sandule. Ne lipsesc încă o mulțime de cuvinte românești ca să putem vorbi ca românii.

S: Știu, dragă William, dar n-avem ce face. Nu puteam folosi prea multe cuvinte în lecțiile noastre. De aceea

le-am ales. Am omis de exemplu, fără să vrem, unele
cuvinte ca: *obosit, urît, sărac, gras, slab, scurt, gol,*
fiindcă nouă ne era gîndul numai la lucruri plăcute,
deşi sînt şi destule lucruri neplăcute în viaţă.

A: Da, dar răsfoind prin carte vedem că nu găsim toate
cuvintele importante. Unde sînt de pildă: *drăguţ,*
lung, harnic, bătrîn? Unde sînt culorile: *albastru,*
galben, gri, roşu? Pe de altă parte nu credeţi că e
important ca cititorii noştri să poată povesti uşor
ceva sau să traducă o povestire dintr-o limbă
într-alta sau să citească puţină literatură română?

P: Cuvintele pe care le-ai spus sînt de acum aici şi le
vom putea învăţa! Dar să nu uităm că ne-am
îmbogăţit vocabularul şi singuri. Crezi că ascultînd
la radio, privind la televizor sau mergînd prin
prăvălii nu am învăţat destule? Am să vă dau să
adăugaţi printre lecţii listele mele de cuvinte în care
găsiţi: *haine, rochii, pantofi.* . . .

W: Stai, Patricia, mai încet. Nu trebuie să te grăbeşti
aşa în viaţă, fiindcă atunci viaţa se sfîrşeşte prea
repede. Cartea noastră e numai un început în
învăţarea limbii române.

31.3 Grammar

31.3/1 Adjectives

(*a*) Some adjectives are invariable, that is, they do not
change their form or take any endings for gender or
number. Examples are: *gri* 'grey', *maro* 'brown', *şic*
'smart', 'elegant', 'chic'. Thus we say:

o haină gri	a grey coat
nişte pantofi gri	some grey shoes
un pardesiu gri	a grey overcoat
două rochii gri	two grey dresses

They normally always follow the noun they modify.

(*b*) Before names (in the vocative) the M-form *drag*
'dear' is replaced by the F-form *dragă*:

dragă William   dragă Sandule   dragă Patricia

This adjective is regularly used between men as between women and between women and men, so that *dragă William* can be variously translated as 'dear William', 'my dear William', 'William old chap', 'William dear', etc. On the other hand, if we address William simply as 'my dear', we may say *dragul meu* (pl. *dragii mei* 'my dears').

31.3/2 *Să*-Clauses

Note the uses of *ca* + *să*. First, *ca să* in the sense of 'in order that', 'so that' (see 23.3/5):

am avut nevoie de mult timp ca să învăţ engle-zeşte	I needed a lot of time, it took me a long time to learn English
ca să fiu mai exact, e şase şi douăzeci	more precisely, to be precise it's 6.20
ne lipsesc o mulţime de cuvinte romaneşti ca să putem vorbi ca românii	we need to know a lot more words before we can speak, in order to speak like Romanians

Secondly, *ca . . . să* with a noun-subject in between:

totul e numai ca vînzătorii să nu fie ocupaţi cu clienţii	provided that the shop-assistants aren't occupied with the customers
e important ca cititorii noştri să poată povesti uşor ceva	it's important for our readers to be able to relate, tell something without too much difficulty, easily

Note the position of the noun-subject in these two examples, viz. between *ca* and *să* (cf. the English 'for . . . to . . .'). This is the rule when you want a noun-subject to precede the verb in a *să*-clause (*ca* + noun + *să* + verb). Thus we may say:

vreau ca Sandu să plece la Londra	I want Sandu to leave for, go to London

Alternatively:

| vreau să plece Sandu la Londra | I want Sandu (and no one else) to go to London |
| Sandu vreau să plece la Londra | It's Sandu I want to go to London (he's the one I meant) |

We already had an example of the first alternative in Lesson 29:

| vrei să spună cititorii noştri ... | do you want our readers to say ... |

31.4 Exercises

*1. In each of the following substitution tables one column has been left blank for your own insertions. Examples of possible insertions will be found in the Key; compare your own with these, then recite as many of the examples as you can from memory.

(a) Insert five colour-adjectives:

| am | cumpărat
văzut
primit | o | haină
rochie
umbrelă
pălărie | |

(b) Insert ten adjectives:

| care e mai | | dintre noi | doi?
patru?
toţi? |

(c) Insert five adjectives:

| Lucia /lučiịa/
Maria
Diana
Roxana
sora mea | e | |

(*d*) Insert five adjectives:

drumul pînă la	Sinaia Braşov	e		pe	aici acolo

(*pe aici* 'this way', 'along here')

(*e*) Insert five adjectives:

vreau să	-ţi vă -i le	spun povestesc	ceva	

(*f*) Insert five N-nouns and five F-nouns:

aş am	vrea să	mergem ne ducem mergeţi vă duceţi	deseară mîine seara sîmbăta viitoare într-o seară	la	un	
					o	

*2. Insert the adjectives in their correct form:

(1) Cît costă haina aceea ——? (negru)

(2) Care e preţul rochiei ——? (roşu)

(3) Care e preţul acelor pantofi ——? (alb)

(4) Vreau o umbrelă ——. (gri)

(5) Apa mării e ——. (albastru)

(6) Şi cerul e ——. (albastru)

(7) Norii nu sînt ——. (negru)

(8) Iarba trebuie să fie —— ca să fie ——. (verde, frumos)

(9) Blocurile —— sînt foarte ——. (modern, înalt)

(10) Cabanele sînt în general ——. (mic)

(11) Care e culoarea —— dvs. maşini? (nou)

(12) Soţiile noastre sînt foarte ——. (drăguţ)

*3. Translate:

When we go to (*trans*. into) a foreign country it is good to (*să*) be able to speak a little of the language (*trans*. a little the language) of that country. Only in that way (*aşa*) may (*trans*. can) we find a hotel easily. We can agree (*trans*. understand each other) about (*în privinţa* + gen.) the room: whether (*trans*. if) it should have (*trans*. has) one bed or two, whether it should have (a) bathroom or not, whether it should cost a lot or a little. Then, when we go to a (*trans*. the) restaurant, we have to be able to understand at least a few of (*din*) the names of the dishes (*mîncărurilor*) on (*de pe*) the menu.

When we go round (*prin*) the shops we must know what (*ce să*) to ask for, understand the prices (*trans*. which is the price) of articles and things (*trans*. the things and articles), and where we (should) pay. We must be able to ask where the railway station is, where the airport is, where we (may) find a taxi or which (*trans*. what) buses or trolleybuses go to the station or airport. And there are many other (*trans*. and more are still many) things (which we ought) to mention (*de* + past part.) but we cannot mention them all (*pe toate*) here now.

31.5 Supplementary Dialogue

Vocabulary

a afla *vb*. to hear (of, about)
bridge /brigǐ/ *N* bridge, a game of bridge
a cîştiga *vb*. to win, to earn, to gain
fotbal *N* football (= the game)
a se juca *vb*. to play
meci /mečǐ/ — meciurǐ *N* match, game
minge — mingǐ *F* ball
rezultat — rezultate *N* result

Roma	Rome
ai noştri	ours, our side
ce-ar fi să invităm	how would it be if we invited, how about inviting

cu doi la zero	two nil
a face un bridge	to have a game of bridge
s-a făcut	done, settled, agreed, right, fine
fiindcă veni vorba de	talking about

El: Unde sînt copiii?

Ea: Se joacă cu mingea în grădină.

El: Apropo, ai aflat rezultatul meciului de fotbal de la Roma?

Ea: Nu. Au cîştigat ai noştri?

El: Da. Cu doi la zero.

Ea: Fiindcă veni vorba de 'a juca': n-am mai jucat de mult bridge. Ce-ar fi să invităm nişte prieteni şi să facem mîine seară un bridge?

El: S-a făcut.

Lesson 32

32.1 Vocabulary

a se acoper*i* *vb.* to cover oneself, to become overcast
se acoper*ise* *vb.* (it) had become overcast
activit*ate* — activit*ăţĭ* *F* activity.
a se anunţ*a* *vb.* to announce oneself, to be announced
se anunţ*ase* *vb.* (he, she, it) had been announced
a (se) arunc*a* *vb.* to throw (oneself)
baz*in* de în*ot* — baz*ine* de în*ot* *N* swimming-pool
bucur*os*, bucur*oasă*, bucur*oşĭ*, bucur*oase* *adj.* glad
cît*e* un, cît*e* o *det.* some (. . . or other), a
concediu — concedii *N* holiday, leave
de asemen*ĭ* *adv.* also, too, likewise
dec*urs* *N* course
a deschid*e* *vb.* to open, to arouse, to give
a se despărţ*i* *vb.* to separate, to part, to say goodbye
a deven*i* *vb.* to become
din n*ou* *adv.* anew, again, once more
dor — d*orurĭ* *N* longing, love
drag *N* love, affection
dr*agoste* — dr*agoste* *F* love
a exist*a* *vb.* to exist
feric*it*, feric*ită*, feric*iţĭ*, feric*ite* *adj.* happy
furt*ună* — furt*unĭ* *F* storm
fus*ese* *vb.* (he, she, it) had been
impres*ie* — impres*ii* *F* impression
împreun*ă* *adv.* together
în f*ine* *adv.* in fine, in short; at last, finally
în străinăt*ate* *adv.* abroad
în urma (+ *gen.*) *prep.* after, following, as a result of, behind
înapoi*ere* — înapoi*erĭ* *F* return
a se încălz*i* *vb.* to warm (up), to get warm
întîmpl*are* — întîmpl*ărĭ* *F* happening, occurrence, chance
a întoarc*e* *vb.* to return
(în)totdeaun*a* *adv.* always
a se învăţ*a* cu *vb.* to get used to, to get to know
învăţ*aserăm* *vb.* (we) had got used

a lipsi *vb.* to be missed by
mîncare — mîncărurĭ *F* food, dish
nerăbdare — nerăbdărĭ *F* impatience
pe aicĭ *adv.* this way, over here
plouase *vb.* it had rained
poftă de mîncare — pofte de mîncare *F* appetite
practică — practicĭ *F* practice
a relua *vb.* to resume, to take up again
a reuşi *vb.* to succeed, to manage
schimbare — schimbărĭ *F* change
tînăr, tînără, tinerĭ, tinere *adj.* young
trecuse *vb.* (he, she it) had passed, had gone past
a se usca *vb.* to dry, to get dry, to dry oneself
se uscaseră *vb.* (they) had dried
vizită — vizite *F* visit
zilnic, zilnică, zilnicĭ, zilnice *adj.* daily

Phrases

am călătorit bine la înapoiere	we had a good journey back
căldura de la Mamaia	the heat at Mamaia
cînd ne întoarceţĭ vizita în Anglia?	when are you going to repay our visit and come to England?
cu cîtă plăcere	with how much pleasure, how pleased, glad we were to . . ., how lovely it was to . . .
cu mult dor şi drag	(with) all our love, best wishes and love
destul de bine	(well) enough, quite well, a fair amount (of)
drumul cel bun	the right road
după plăcutul nostru concediu	after our nice holiday
era de aşteptat aşa ceva	this was to be expected, such was to be expected

ne gîndim adesea cu drag la voi	we're often thinking of you (with affection, fondly)
iată-ne din nou	here we are again
în decursul timpului petrecut cu voi	during (*lit.* in the course of) the time spent with you
în urma practicii făcute în România	as a result of the practice we had in Romania
într-o zi fierbinte de vară	on a hot summer day
ne învăţaserăm numai cu plimbări	we'd got used to just going for walks
ne-am învăţat unii cu alţii	we got accustomed to each other, got to know each other very well
la soare	in the sun
ne veţi lipsi	we shall miss you
şi noi vă vom lipsi vouă	and you will miss us too
ne-a părut foarte rău	we were very sorry
pe viitor	in the future
am pornit, în fine, . . .	we've at last started . . .
să ştiţi	we want you to know

32.2 O scrisoare

Londra, 30 august

Dragă Ana şi Sandu,

După plăcutul nostru concediu în România iată-ne din nou acasă. Am călătorit bine la înapoiere, deşi ne-am întîlnit cu ploaie şi furtună. Înainte de a pleca de la Paris cerul se acoperise şi la aeroport se anunţase schimbarea vremii. Fusese o zi foarte caldă aşa că era de aşteptat aşa ceva. Cînd am sosit însă la Londra ploaia trecuse iar străzile se uscaseră deşi plouase şi acolo.

Ne-am reluat activitatea zilnică deşi ne-a fost greu la început, fiindcă ne învăţaserăm numai cu plimbări şi excursii.

Ne gîndim adesea cu drag la voi şi la timpul petrecut în România. Să ştiţi că ne-a părut foarte rău cînd ne-am despărţit, fiindcă în decursul timpului petrecut cu voi am devenit şi mai buni prieteni.

Ne-am învăţat unii cu alţii şi ne veţi lipsi mult pe viitor. Sîntem siguri că şi noi vă vom lipsi vouă.

Avem impresia că am reuşit să învăţăm destul de bine româneşte şi că, în urma practicii făcute în România, am pornit, în fine, pe drumul cel bun pentru învăţarea limbii române.

Ne aducem aminte, cu multă plăcere, de locurile vizitate, de mîncărurile româneşti şi de pofta de mîncare pe care acestea ne-o deschideau.

Ne amintim şi de căldura de la Mamaia. Pe aici nu e niciodată aşa de cald, vara, ca în România. . . . Dar cu cîtă plăcere ne aruncam în apă după ce ne încălzeam la soare, pe plajă, sau chiar la Bucureşti, cînd mergeam la cîte un ştrand sau bazin de înot, într-o zi fierbinte de vară.

Am fost foarte fericiţi în concediul petrecut cu voi şi ne vom aduce întotdeauna aminte cu plăcere de frumoasele zile petrecute împreună.

Cînd ne întoarceţi vizita în Anglia?

Vă aşteptăm cu nerăbdare.

> Cu mult dor şi drag,
> Patricia şi William

32.3 Grammar

32.3/1 Prepositions

(a) A noun or pronoun following a preposition is normally in the accusative case (B-form noun). However, a small number of prepositions and preposition-like phrases require the noun or pronoun to be in the genitive case, which means that a noun is in its C-form, while in the case of a pronoun the corresponding possessive determiner is used. Such prepositions and the heads of preposition-like phrases are treated as F-nouns if they end in -a, while *jur* in *în jurul* and *spate* in *în spatele* are N-nouns. Examples:

contra	against
deasupra	above, over

dinaintea	before
împotriva	against, versus
înaintea	before, in front of
în dreapta	to, on the right of
în faţa	in front of
în stînga	to, on the left of
în urma	after, behind
în jurul	round
în spatele	behind, at the back of

Examples:

deasupra	casei
în dreapta	hotelului
în fata	grădinii
în spatele	masinilor
în stînga	nostru

contra	mea
împotriva	lui
în dreapta	ei
	lor
	fratilor săi
	noastră

	meu
în jurul	ei
în spatele	nostru
	vostru

(b) A few prepositions govern the dative case (C-forms in the case of nouns):

datorită	owing to, because of
graţie	owing to, thanks to
mulţumită	thanks to

Examples:

datorită grație mulțumită	lui ție acestui om fratelui meu doamnei Soare	am reușit am găsit casa aceasta

(c) The prepositions *în* 'in', *din* (= *de + în*) 'from', *prin* (= *pe + în*) 'through' are replaced by *dintr-, într-, printr-* before the indefinite article:

locuiesc	în acest întru-un	sat oraș hotel
stau	în această întru-o	casă nouă cameră vilă

(*vilă-vile F* villa)

sînt	din acest dintr-un	sat oraș
vin	din această dintr-o	provincie bogată țară africană

(*provincie-provincii F* province)

trecem	prin prin acest printr-un	sat oraș
	prin printr-o	pădure grădină

(d) As a revision exercise, check that you understand the following phrases and compose suitable contexts for some of them:

1. *Cu*

cu mine; cu mîna; cu fratele meu; cu trenul; cafea cu
lapte; o cană cu apă; o sticlă cu bere; cu adevărat; cu
plăcere; cu trei la zero.

2. *De*

de lemn; de fier; o haină de iarnă; greu de răspuns; de
aceea; timp de; de ajuns; de ce; de altfel; de loc; în loc de;
un loc de parcare; de obicei; de pildă; de acum; de cînd;
de unde; de mult; de la Mamaia; de la Mamaia la
București; de la lacuri; de pe listă; tot așa de; apropo de;
a se apropia de; mai mult de.

3. *Din*

din Anglia; din nordul Angliei; din nou; din cauza; din
greșeală ('by mistake'); din cînd în cînd.

Note: *din* is frequently used instead of *în* to link an
în-phrase to a preceding noun; think of it as being
equivalent (in this use) to *de + în* (cf. *de la, de lîngă,
de pe,* etc.).

4. *În*

în apă; în mai; în aer liber; în dreapta; în glumă ('as a
joke', 'in fun'); în schimb; în România; în timp ce;
în același timp; în gît; în urma; în oraș; în felul acesta;
în fiecare zi.

5. *La*

la Londra; la munte; la fratele meu; la ei; la ora trei;
la 1 mai; la anul ('next year'); la timp; la soare; la
grătar; la cinema; la nord de; tare la.

6. *Pe*

pe masă; pe litoral; pe cer ('in the sky'); pe stradă; pe
aici; pe jos ('on foot'); pe viitor; pe braț; pe românește;
pe urmă; pe dreapta; pe dinafară; pe mine.

32.3/2 Verbs: The Pluperfect Tense

The Pluperfect or Past Perfect tense is formed by adding
certain endings to a stem which in most cases is the

same as the infinitive. The endings are: *-sem, -seşĭ, -se,*
-serăm, -serăţĭ, -seră.

Example:

întreb*a*sem c*e* e de făc*u*t   I had asked what was to be
                                    done

Note the place of the stress, which is constant
throughout:

(tu) întreb*a*seşĭ   you had asked
(voi) întreb*a*serăţĭ   you had asked

Read off some more from the following table:

(eu)	căut*a* cit*i* cobor*í*	-sem
(tu, d-ta)	cumpăr*a* încerc*a* învăţ*a*	-seşĭ
(el, ea)	locu*i* lu*a* plăt*i*	-se
(noi)	prefer*a* ven*i* vorb*i*	-serăm
(voi, dvs.)		-serăţĭ
(ei, ele)		-seră

The stem of verbs whose infinitives end in *-e* and *-ea*
ends in *-u* (cf. the past participle and the past historic
stem):

put*u*sem   I had been able
cer*u*sem   I had asked
văz*u*sem   I had seen
vr*u*sem   I had wanted
făc*u*sem   I had made
bă*u*sem   I had drunk
şti*u*sem   I had known
crez*u*sem   I had thought

Note also:

dădusem	I had given
stătusem	I had stayed

The stem may end in -*se*:

avusesem (*or* avusem)	I had had
răspunsesem	I had replied
scrisesem	I had written
fusesem	I had been
mersesem	I had gone

The use of the pluperfect in Romanian often corresponds to the use of the pluperfect in English. However, it is not used so much in indirect speech; the perfect is generally used instead:

mi s-a spus că aţi cumpărat dicţionarul	I was told you had bought the dictionary
n-am îndrăznit să-i spun Anei ce-mi s-a întîmplat	I didn't dare to tell Ann what had happened to me

Pick out half a dozen uses in the Text.

32.3/3 *Iată*

In our Text we have:

iată-ne din nou acasă	here we are back home again

Some further examples of *iată*:

iată-mă	here I am
iată-l că vine	here he comes, there he is
iată-vă împreună	there you are, together (at last)
iată-i şi în fotografia asta	here they are in this photo too
iată-le cînd erau tinere	here they are when they were young

32.3/4 Letter-Writing

How to write the date is explained in 21.3/1. In private correspondence it is customary to write only the name of the place you are writing from at the top of the page and the full address on the back of the envelope. You begin a letter to a friend with *dragă* plus the Christian name. In a formal letter you use the following adjective:

stim*a*te, stim*a*tă, stim*a*ţi,   esteemed, respected, Dear
   stim*a*te

So you may begin:

Stimate domn	Dear Sir
Stimate ⎫ domnule profesor Dragă ⎭	Dear Sir, Dear Mr X, Dear Professor X
Stimate ⎱ domnule Ion*e*scu Dragă ⎰ /ion*e*sku/	Dear Mr Jones
Stimată doamnă	Dear Madam
Stimată ⎫ doamnă Dragă ⎭ profesoară	Dear Madam, Dear Mrs X, Dear Professor X

You end a familiar letter with, for example:

cu b*i*ne	yours (ever), cheerio
cele mai b*u*ne ur*ă*rĭ	best wishes
cu dr*a*g ⎫ cu d*o*r ⎭	love
cu to*a*tă dr*a*gostea	(with) all my, our love

A formal letter with:

cu st*i*mă ⎫ cu to*a*tă st*i*ma ⎭	yours sincerely, faithfully

On the envelope you use abbreviated C-forms:

D-lui George Stănescu	(to) Mr G. S.
D-nei Maria Stănescu	(to) Mrs M. S.
D-(şoa)rei Ana Stănescu	(to) Miss A. S.

32.3/5 Vocatives

Some distinctive forms exist in the two mediums. Consider the following:

Non-vocative   *Vocative (speech and writing)*
domnul 'the gentleman'   → domnule! 'sir!'
doamna 'the lady'   → doamnă! 'madam!'
domnişoara 'the young lady' → domnişoară! 'miss!'

Non-vocative   *Vocative*

		Speech	Writing
domnul Ionescu 'Mr Jones'	→	domnul Ionescu!	domnule Ionescu!
doamna Ionescu 'Mrs Jones'	→	doamna Ionescu!	doamnă Ionescu!
domnişoara Ionescu 'Miss Jones'	→	domnişoara Ionescu!	domnişoară Ionescu!

32.4 Exercises

1. Copy out the Text of the Lesson and read it aloud.

*2. Insert words and phrases into the following substitution tables and read off some of the completed sentences or phrases. (Sample insertions in the Key.)

(a) Insert five or six human nouns or noun phrases:

cînd	am	ajuns	acasă		tocmai	plecase
	aţi	sosit	la Sinaia		încă nu	venise

(b) Insert three or four verbs in the pluperfect tense:

(el) nu		niciodată mai înainte totdeauna	acolo la munte la mare la Mamaia în străinătate

*3. Convert the tense of all the verbs in the following sentences into the pluperfect:

(1) Am terminat de citit cartea ('I've finished reading the book').
(2) Ne-am dus la plimbare în parc.
(3) Credeam că n-ai dreptate.

(4) Nu s-au văzut de-o lună.
(5) Mama a primit de mult scrisoarea mea.
(6) Nimeni nu a ajutat-o.
(7) Copiii nu au venit încă acasă.

4. Go through the Text once more, and note the uses
of different tense forms in the verbs.

*5. Insert the correct form of *acest(a)* in the blanks:

(1) —— stilou e al meu.
(2) Al cui e stiloul ——?
(3) Cine sînt oamenii ——?
(4) Am citit şi eu povestea ——.
(5) Oaspeţii sînt aici, în —— sală. (o*aspete* — o*aspeţi* *M*
      guest)
(6) I l-am dat —— om.
(7) Fetelor —— le place cel mai mult îngheţata.

*6. Insert the correct form of *acel(a)* in the blanks:

(1) Cine e —— doamnă?
(2) —— e maşina mea.
(3) —— e fratele meu.
(4) —— sînt vecinii mei. (vec*in* — vec*ini* *M* neighbour)
(5) Cine e —— tînăr?
(6) Numele soţiei —— om e Maria.
(7) —— fete le place cel mai mult îngheţata.

*7. Translate:

Bucharest, 11th September.
Dear Patricia and William,
    Many thanks for (*trans.* we received) your kind
(*frumoasa*) letter, which reminded (*a reamintit*) us too
of the nice days we spent together here last month.
    We are glad (*bucuroşi*) your visit to Romania helped
you a lot (*trans.* very much) with (*în*) the learning of
Romanian, but all (*tot ceea ce*) you have to do now is to
(*să*) read a lot of Romanian and speak Romanian to
each other (*unul cu altul*) at home. Listen, too (*de
asemeni*), to Radio (*radio*) Bucharest and write us long

letters in Romanian. Next year (*la anul*) when we'll (*vom*) return your visit and come to England, we want to find you speaking (*vorbind*) our language like us.

We'll write you another, longer letter soon, as we are leaving Bucharest today (*chiar azi*) for a few days (*trans.* for a few days, today).

All our love,
Ana and Sandu

8. Write another letter, longer than the one above, from Ana and Sandu to Patricia and William. Don't be too ambitious—as far as possible use only phrases that you *know* are right or which you can at least check somewhere in the book.

32.5 Supplementary Dialogue

El: Cum să terminăm cartea?
Ea: Cu un dialog.
El: De ce?
Ea: E mult mai plăcut.
El: Bine. Fie cum vrei. Să începem atunci.
Ea: Să începem.
El: Ce-ai vrea să facem mîine?
Ea: Să mergem la Snagov.
El: Unde e Snagovul?
Ea: Cum? Nu ştii? Nu departe de Bucureşti.
El: Şi cum ne ducem acolo?
Ea: Cu maşina ta fiindcă cu autobuzul se merge (*it takes*) o oră.
El: Şi ce putem face la Snagov?
Ea: Numai lucruri minunate. Ne plimbăm prin pădure. Ne culcăm pe iarbă, privim la flori şi sus printre pomi la cerul albastru. Putem sta la soare — fiindcă sperăm să fie soare ca azi — şi putem înota în lac, iar seara luăm masa la restaurantul de la Snagov.
El: Minunat. Excelent. Şi cum în lac e peşte servim (*we'll have*) o ciorbă de peşte şi peşte prăjit.
Ea: Poate vrei şi o prăjitură de peşte? Ce bine (*thank*

goodness) că aşa ceva nu există în limba română,
aşa că te opreşti numai la primele două feluri de
mîncare de peşte!

Notes on the Text

1. The use of *să* in *cum să terminăm cartea?* implies that
the speaker is asking for suggestions rather than known
facts:

'how shall we end the book?', 'how do you suggest we
should end the book?'

Contrast:

| cum terminăm cartea? | how do we finish the book? |

Further examples:

ce să vă dau?	what shall I give you?
unde să mă duc?	where shall, should I go?
cînd să mă întorc?	when shall I return?
ce să facem?	what shall we do?
nu ştiu ce să fac	I don't know what to do, what I should do

2. Geographical names of M-gender usually take the
definite article when not preceded by a preposition, that
is, when, for example, they are used as the subject of a
clause. Thus we say:

	să mergem la Snagov	let's go to Snagov
But:	unde e Snagovul?	where is Snagov?
	acest rîu se varsă în Olt	this river flows into the Olt
But:	Oltul e un rîu mare	the Olt is a big river
	sînt din Braşov	I'm from Brasov
But:	acesta e Braşovul	this is Brasov
	vin de la Bucureşti	I come from Bucharest
But:	îmi place Bucureştiul	I like Bucharest
And:	Bucureştiul e cel mai atrăgător primăvara	Bucharest is nicest in spring

Geographical names of F-gender do not change
(e.g. *Prahova, Constanţa, Anglia*).

3. The plural forms of *primul, prima* are *primii* /primi/
(*M*), *primele* (*N/F*):

primele două feluri de mîncare	the first two kinds of food
primii băieți care să sosească	the first boys to arrive

(Cf. *ultimul, ultima, ultimii, ultimele* 'the last'.)

APPENDIX 1

Alphabet and Pronunciation

1. THE ALPHABET

The standard graphemes or letters and their names are as follows:

Letter	Pronunciation of Name	Letter	Pronunciation of Name
A a	/a/	N n	/ne/
Ă ă	/ă/	O o	/o/
Â â	/î/	P p	/pe/
B b	/be/	Q q	/kju/
C c	/če/	R r	/re/
D d	/de/	S s	/se/
E e	/e/	Ş ş	/she/
F f	/fe/	T t	/te/
G g	/ge/	Ţ ţ	/tse/
H h	/ha/	U u	/u/
I i	/i/	V v	/ve/
Î î	/î/	W w	/dublu ve/
J j	/zhe/	X x	/iks/
K k	/ka/	Y y	/igrec/
L l	/le/	Z z	/ze/
M m	/me/		

Notes

(1) *Â â* and *Î î* are both equivalent to /î/; *Â â* is only used today in proper names and in the word *român* and its derivatives (*România, românesc*, etc.).

(2) *K k*, *Q q*, *W w* and *Y y* only occur in proper names and in certain recent borrowings from other languages (e.g. *kilogram*, *whisky*).

2. THE SOUND-SYSTEM

2.1 Vowels (see Lessons 1 and 2)

Phonemes and graphemes:

	Front	*Central*	*Back* (*rounded*)
Close	/i/ *i* (*mic*)	/î/ *î, â* (*cît, român*)	/u/ *u* (*nu*)
Half-open	/e/ *e* (*des*)	/ă/ *ă* (*măr*)	/o/ *o* (*loc*)
Open		/a/ *a* (*lac*)	

2.2 Pseudo-Vowel (Lesson 2)

/ĭ/ *i* (*bani*)

/ĭ/ may be regarded as a symbol indicating palatalization of the preceding consonant. Considered as a separate sound, it is voiceless and non-syllabic. It is dropped or replaced by /i/ when a (second) suffix or an enclitic is added: /pomĭ/ (*pomi*), /pomi/ (*pomii*), /strǎzĭ/ (*strǎzi*), /strǎzile/ (*strǎzile*), /datsĭ/ (*daţi*), /datsimĭ/ (*daţi-mi*).

2.3 Semi-Vowels (Lessons 2–5)

	Front	*Back*
Close	/i̯/[1] *i*, zero (*iar, el*)	/u̯/[2] *u* (*lua*)
Half-open	/ę/ *e* (*deal*)	/ǫ/ *o* (*foame*)

With the addition of a suffix or enclitic a semi-vowel may be replaced by the corresponding vowel: /leu̯/ (*leu*), /leu(l)/ (*leul*), /kofetǎri̯/ (*cofetǎrii*), /kofetǎriile/ (*cofetǎriile*).

2.4 Vowel Glides (Lessons 2–5 and 27)

Examples:

Rising diphthongs
/i̯e/ *ie, e*[3] (*ieri, el*)
/i̯a/ *ia*[3] (*iar*)   /ęa/ *ea* (*deal*)

---

[1] Cf. Eng. *y* in *yet*.
[2] Cf. Eng. *w* in *wet*.
[3] Also *e, a* after a syllabic /i/ in a word, as in *prieten* /pri-i̯e-ten/, *România* /ro-mî-ni-i̯a/.

/i̯u/ *iu* (*iute*)

/i̯o/ *io* (*ghiol*)   /e̯o/ *eo* (*vreo*)

/u̯ă/ *uă* (*luăm*)

/u̯a/ *ua* (*luaţi*)   /o̯a/ *oa* (*soare*)

Falling diphthongs

— glides to /i̯/:   — glides to /u̯/:

/ii̯/ *ii* (*fii*)   /iu̯/ *iu* (*ştiu*)

/ei̯/ *ei* (*lei*)   /eu̯/ *eu* (*leu*)

/îi̯/ *îi* (*pîine*)   /îu̯/ *îu* (*rîu*)

/ăi̯/ *ăi* (*tăi*)   /ău̯/ *ău* (*rău*)

/ai̯/ *ai* (*ai*)   /au̯/ *au* (*au*)

/ui̯/ *ui* (*lui*)   /uu̯/ *uu* (*continuu*
                                              'continuous')

/oi̯/ *oi* (*doi*)   /ou̯/ *ou* (*birou*)

Triphthongs

/i̯ei̯/ *iei, ei*[1] (*miei* 'lambs', *ei*)

/i̯eu̯/ *eu* (*eu*)

/i̯ai̯/ *i-ai*[1] (*i-ai*)

/i̯au̯/ *iau* (*iau*)

/i̯o̯a/ *ioa* (*creioane*)

/e̯ai̯/ *eai* (*beai*)

/e̯au̯/ *eau* (*beau*)

/o̯ai̯/ *oai* (*englezoaică* 'English woman')

/u̯ai̯/ *uai* (*luai*)

Other vowel glides arise in fast speech, especially
across word-boundaries. Many speakers use an on-glide
before vowels in word-initial position, e.g. *om* /u̯om/,
un /u̯un/; such pronunciations are regarded as non-
standard.

---

[1] Also *ei, ai* after a syllabic /i/ in a word, as in *cofetăriei*
/kofetării̯ei̯/, *speriai* /perii̯ai̯/. A semi-vowel often occurs between
other sequences of two vowels, especially when the second is
stressed, e.g. in *Izrael* /izrai̯el/.

Notes

(1) The letter *i* and the group *ii* represent various sounds:

i = /ĭ/ (*străzi*)
i = /i/ (*inel, metri* 'metres', *străzile*)
i = /i̯/ (*apoi*)
i = zero (*ciocolată*)
i (+ *e, a*) = /i̯ (e, a)/ (*prieten, speria*)
ii = /i/ (*pomii, metrii*)
ii = /i i̯/ (*cofetării, copii*)
ii = /i-i/ (*cofetăriile*)

A single final -*i* after consonants is pronounced /ĭ/ unless stressed or preceded by the group consonant + *l, r* (after which both -*i* and -*ii* (= -*i* + article suffix, not pl. suffix) are pronounced /i/).
Note also: *copiii* /kopi(i̯)i/.

(2) Note the following:

car ('cart') /kar/
chiar /ki̯ar/ (where /ki̯/ indicates a palatal /k/)
ceai /čai̯/
Grecia /grečii̯a/
geamantan /ǧamantan/
geografie /ǧeografii̯e/ (= /ǧe-o-gra-f*i*-i̯e/)
regiune /reǧiune/

(3) The symbols used in this book for the vowel phonemes are the same as those of the alphabet, with the addition of diacritics for the pseudo-vowel and semi-vowels. î and ă correspond to the symbols ɨ and ə of the International Phonetic Association; for the symbol suggested by the IPA for showing palatalization, viz. j, we use ĭ (in a broader transcription, showing morpheme boundaries, j or y can be used for both /ĭ/ and /i̯/).

2.5 Consonants (Lessons 1–4)

The twenty consonant phonemes are as follows:

Manner of articulation	Place of articulation					
	Bilabial	Labio-dental	Dental	Palato-alveolar	Palatal/Velar	Glottal
plosives	p, b		t, d		k, g	
affricates			ts	č, ğ		
fricatives		f, v	s, z	sh, zh		h
nasals	m		n			
lateral			l			
trill			r			

Where a pair of symbols occurs in the same box, the first represents a voiceless consonant, the second its voiced counterpart.

The graphemes used are the following:

/p/ *p* (*pun*)
/b/ *b* (*bun*)
/t/ *t* (*ta*)
/d/ *d* (*da*)
/k, g/ are palatals ([c, ɟ]) before front vowels and /ĭ/; the occurrence of [c, ɟ] before central and back vowels is shown by the insertion of a front semi-vowel:

palatal /k/ (+ front semi-vowel) *ch*, *k* (+ *i, e*) (*chem* /kem/, *chiar* /ki̯ar/, *kilogram*, the second *k* in *kaki* /kaki/ 'khaki')
velar /k/ *c*, *k* (+ *î, ă, a, u, o*) (*caz*, *car*, the first *k* in *kaki*)
palatal /g/ (+ front semi-vowel) *gh* (+ *i, e*) (*ghem* 'ball (of wool, string)', *ghiol* /gi̯ol/)
velar /g/ *g* (+ *î, ă, a, u, o*) (*gaz* 'gas', *gol* 'gap')
/ts/[1] *ţ* (*ţară*)
/č/ *c* (+ *i, e*) (*cer*)
/ğ/ *g* (+ *i, e*) (*ger*)

---

[1] The distribution of the sequence /d/ + /z/ is limited and is not regarded as constituting a single voiced phoneme corresponding to voiceless /ts/.

/f/   f   (*fin* 'fine')
/v/   v   (*vin*)
/s/   s   (*sac* 'bag')
/z/   z   (*zac* 'I lie')
/sh/ ş   (*şoc* 'shock')
/zh/ j   (*joc* 'game')
/h/   h   (*hol*, *şah* 'chess')
/m/   m   (*muc* 'wick')
/n/   n   (*nuc* 'walnut tree')
/l/   l   (*lac*)
/r/   r   (*rac* 'crayfish')

Notes

(1) Unlike English /h/, Romanian /h/ occurs finally in syllables, as in *şah*. It is strongly pronounced and may have some supra-glottal friction and be voiced. /h/ does not occur after a consonant (in the same word), but *h* occurs in the diagraphs *ch*, *gh* in the orthography, and h occurs in our notation in sh and zh.

(2) The sound [ŋ] (as *ng* in Eng. *sing*) occurs only as a conditioned variant of /n/ before /k, g/. A final /g/ *g* is always pronounced [g], thus *lung* /lung/ = [luŋg] (and not [luŋ]).

(3) Final plosives are fully released and frequently aspirated; initial plosives on the other hand are not aspirated (this is the reverse of the realization of the corresponding English plosives).

(4) The symbols used in this book for the consonants are the same as those of the IPA with the exception of č, ğ, sh and zh (IPA tʃ, dʒ, ʃ and ʒ). For these four tš, dž, š and ž could also be used.

2.6 Regular Sound Changes (Lessons 5 and 6)

Many different kinds of sound alternations occur in the roots of Romanian words with the addition of suffixes and/or when the stress shifts from one syllable to another. You will have noticed, for example, how a

stressed /a/ in a word may become /ă/ when the stress
changes: /las/ 'I let', /lăsatsĭ/ 'you let'. Similarly: /pot/
'I can', /putem/ 'we can'. A final /i/, /ĭ/, /e/ or /ă/
may cause a change to a preceding vowel and/or con-
sonant: /fată/ — /fete/, /stradă/ — /străzĭ/, /kuvînt/ —
/kuvinte/. Vowels may alternate with diphthongs:
/întreb/ — /întrębă/, /negru/ — /nęagră/, /frumos/ —
/frumǫasă/, /florĭ/ — /flǫare/. Consonants alone may
change: /merg/ — /merğĭ/, /vorbesk/ — /vorbeshte/,
/ashtept/ — /ashteptsĭ/, and (optionally) /englez/ —
/englezhĭ/. Not all such changes apply to the whole
corpus of the Romanian vocabulary, so that one can
only note the changes that do occur and try to remember
them. The most regular ones are easily assimilated
(e.g. -s(t) + -i → -s(t)i, -d + -i → -zi, etc.).

2.7 Connected Speech

2.7/1 Vowels and Consonants (e.g. Lesson 18)

Vowels across word- (or morpheme-) boundaries in
close-knit phrases may be reduced or form diphthongs
and triphthongs, usually with the loss of a syllable:
/čaŭ spus/ (*ce-au spus?*), /undęatsĭ fost/ (*unde-aţi fost?*).
The vowels /i, e, u, o/ are commonly reduced to /ĭ, ę,
ŭ, ǫ/. Regular syllable reductions may be shown in
writing by means of a hyphen, as in *ce-au spus?, nu-i aşa?*
(/nuĭ/ from /nuĭe/; in this case the vowel grapheme is
also changed). Also certain vowel *elisions* are regularly
made, for instance, in pronoun combinations (*ni-l* from
ni + il). But sometimes (e.g. in imperative + enclitic
pronoun constructions) an elision occasions an addition,
so that the original number of syllables is retained or
increased: /da-tsimĭ/ (*daţi-mi*) from /datsĭ/ + /îmĭ/,
/datsimă/ from /datsĭ/ + /mă/. Note the omission of
initial and final vowels in the following: *parc-a şi-nceput
să-mi fie mai bine.* Regular omissions in Standard
Romanian are indicated in writing by means of a hyphen,
but other omissions, especially those of consonants, and

which do not necessarily result in word coalescences, are generally shown by means of an apostrophe (e.g. *da'* = *dar*). The definite article suffix *-ul* is written thus but is usually pronounced /u/.

Just as in English, adjacent consonants in close-knit phrases frequently change one of their features. In English, it is generally the place of articulation that is affected, so that, for example, *shot-gun* may sound like *shock-gun*. In Romanian, it is the *voicing* that is regularly affected, so that /p/ and /b/, /t/ and /d/, /č/ and /ğ/, etc., may interchange: /obzečĭ/ (*optzeci*), /l(u)u̯adzĭ biletu(l)/[1] (*luaţi biletul*), /vă rok sămĭ datsĭ lista/ (*vă rog să-mi daţi lista*). Note that this kind of assimilation is *regressive*: a consonant affects a *preceding* consonant, not vice versa. As a rule, we may say that voiceless consonants are only preceded by voiceless consonants (or by vowels), while in the case of voiced consonants the assimilation is optional (thus either /opzečĭ/ or /obzečĭ/). If a pause intervenes between the two or more consonants in question, assimilation does not take place (e.g. in slow counting: /opt/ . . . /zečĭ/ . . . /do̯ishpe/).

2.7/2 Accentuation (see especially Lessons 1, 16 and 19)

As in English, certain words in an utterance are more prominent than others. Such words are accented or stressed on a particular syllable—their stressed syllable. Non-prominent words, on the other hand, may lose the stress they have in isolation or when accented. However, the distinction between strong and weak syllables is much less marked in Romanian than in English, and unstressed syllables usually maintain their quality whatever the speed of delivery. (In this respect it is difficult to distinguish between style and dialect, e.g. the alternation between certain unstressed vowels, especially between /e/ and /ă/, may be more stylistic than dialectal:

[1] Note how the pseudo-vowel does not operate as an intervening sound segment.

/kelner/ — /kelnăr/   (*chelner*),   /două(ze)zhdoi̯/ —
/două(ză)zhdoi/ (*douăzeci și doi*), /deunăzi̯/ — /dăunăzi̯/
(*deunăzi*).) If you are uncertain of the stress of a word,
give each syllable equal prominence and you will in-
variably be understood.

A change in word-order or the addition of certain
words, with or without a resulting change in accentua-
tion, often corresponds only to a variation in accentua-
tion in English (see the paragraphs on Word-Order).

2.7/3 Intonation (Lessons 1, 3–5, 15, 19, 26)

Not much is formally known about the intonation of
Romanian, but certain features are clear. As in English,
a rising tone (↑) indicates an incomplete utterance or
raises a query ('it's true (if) . . .', 'it might be true', 'is it
true?', etc.):

are o ↑ carte?

This contrasts with:

are o ↓ carte,

which would most frequently fill a context requiring a
statement or assertion. In such short questions, especially,
the object and verb may be reversed:

o ↑ carte aveți? ⎫
o ↓ carte ↑ aveți? ⎭   have you got a ↑ book?[1]

More subtly, these contrast with:

o carte ↑ aveți?   you've (actually) ↑ got a
                             book?

Non-polarity questions (clauses beginning with *care,
cine, ce*, etc.) generally have a falling tone:

pe ↓ cine ați văzut?   ⎰ who did you ↓ see?
                          ⎱ who did you ↑ see?

pe cine ați ↑ văzut?   ⎧ ↓ who did you ↑ see?
                          ⎨ ↑ who did you see?
                          ⎩ ↑ who did you say you
                                saw?

[1]With a strong accent querying 'book'.

Note these last examples. In English, ' ↓ who did you see?' sounds impatient or disbelieving, whereas the same kind of intonation used with the Romanian utterance may not, and may therefore be equivalent to a different kind of intonation and/or voice quality in English. It is at this point that the comparison begins to get a little complicated and technical. In the long run, it is more profitable and quicker to rely on your ear: listen to as much Romanian as you can and try to *mimic* Romanian voices.

APPENDIX 2

Verb List

Note carefully:

(1) The *Infinitives* are listed in alphabetical order, together with their central meanings.

(2) The *Present Indicative* is given in full. Where a single form appears it is either the third person singular (e.g. *plouă*) or the sole form used for each person (e.g. *trebuie*). Where two forms appear, the first is the third person singular and the second is the third person plural. In the second person singular the final *-i* may be pronounced /i/, /ĭ/, or /ĭ/: preceded by a vowel it is pronounced /ĭ/ (e.g. *spui*); preceded by a consonant + *l, r* it is pronounced /i/ (e.g. *intri*); in other cases it is pronounced /ĭ/ and written -ĭ in this List.

(3) The second person plural positive and negative forms of the *Imperative* (*Imp.*) are identical with the corresponding present indicative forms (e.g. *spuneți, nu spuneți*). The second person singular negative is identical in form with the infinitive (e.g. *nu spune*), with the same stress pattern but without the infinitive marker *a*. The second person singular positive is in most cases identical with either the second person or the third person singular form of the present indicative (see 15.3/4); in some cases the form varies according to whether the verb is being used transitively or intransitively. In this List the usual (or more frequently occurring) form of the second person singular positive is given; remember that it is a singular and positive form only. Some verbs have no imperative form.

(4) Except in the case of *a fi*, the forms of the finite verb in a *să*-clause differ from the present indicative in only one respect: the third person singular and plural employ an identical form which is regularly different from the form(s) used for these persons in the present indicative. Thus the *Subjunctive* (*Subj.*) form given in

this List is that used for the third person singular and plural.

(5) The *Past Participle* (*Pp.*) is used in the formation of the Present Perfect, the Conditional Past, the Subjunctive Past, and the Passive Voice (the subjunctive past, e.g. *să fi spus* (for all persons), is not introduced in this work).[1] Many past participles are also used as adjectives.

(6) *Omissions.* You will notice that many verbs (of different roots) follow similar patterns in their conjugations. We have listed the forms in full, however, to facilitate learning. It is a simple matter to conjugate the few verbs we *have* left out, e.g. *a deveni* (conjugated in the same way as *a veni*), *a relua* (as *a lua*), *a închide* (as *a deschide*), *a apărea* (as *a părea*), and so on. Verbs are only given in their *Reflexive* form if this is the sole form introduced. Note that in many of the uses of the verbs an accusative or dative reflexive pronoun is required.

(7) *Traditional Classification.* On a basis of differences in the endings of the infinitives and present indicative conjugations, Romanian (cf. Latin) verbs are traditionally grouped into four classes: I infinitives in *-a*, II infinitives in *-ea*, III infinitives in *-e*, IV infinitives in *-i* and *-î*. A useful exercise, as an aid to memory, would be for you to re-group them in this way, on paper or mentally, noting any root changes as you go, and then to subgroup them (e.g. Class I: (*a*) root + ending, (*b*) root + *-ez-* + ending; Class IV: (*a*) root + ending, (*b*) root + *-esc/ăsc-* + ending; etc.); alternatively, sub-group them on other bases (e.g. Group A_1: first person singular = third person plural, Group A_2: third person singular = third person plural; Group B_1: root vowel change, Group B_2: no root vowel change; Group C_1: verbs used transitively (in the Lessons), Group C_2: verbs used intransitively; etc.).

---

[1] One example:

| să fi spus eu asta, cum te-ai fi supărat! | had I said that, how cross you'd have been! |

a acoperi: acopăr, acoperi, acoperă, acoperim, acoperiți, acoperă
'to cover'   *Imp.* acoperă   *Subj.* să acopere   *Pp.* acoperit

a adăuga: adaug, adaugi, adaugă, adăugăm, adăugați, adaugă
'to add'   *Imp.* adaugă   *Subj.* să adauge   *Pp.* adăugat

a adresa: adresez, adresezi, adresează, adresăm, adresați, adresează
'to address'   *Imp.* adresează   *Subj.* să adreseze   *Pp.* adresat

a aduce: aduc, aduci, aduce, aducem, aduceți, aduc
'to bring'   *Imp.* adu (adă)   *Subj.* să aducă   *Pp.* adus

a afla: aflu, afli, află, aflăm, aflați, află
'to hear'   *Imp.* află   *Subj.* să afle   *Pp.* aflat

a ajunge: ajung, ajungi, ajunge, ajungem, ajungeți, ajung
'to arrive'   *Imp.* ajunge   *Subj.* să ajungă   *Pp.* ajuns

a ajuta: ajut, ajuți, ajută, ajutăm, ajutați, ajută
'to help'   *Imp.* ajută   *Subj.* să ajute   *Pp.* ajutat

a alege: aleg, alegi, alege, alegem, alegeți, aleg
'to choose'   *Imp.* alege   *Subj.* să aleagă   *Pp.* ales

a amenința: amenint, ameninți, amenință, amenințăm, amenințați, amenință
'to threaten'   *Imp.* amenință   *Subj.* să amenințe   *Pp.* amenințat

a aminti: amintesc, amintești, amintește, amintim, amintiți, amintesc
'to remind'   *Imp.* amintește   *Subj.* să amintească   *Pp.* amintit

a anunţa: anunţ, anunţi, anunţă, anunţăm, anunţaţi, anunţă
'to announce'   *Imp.* anunţă   *Subj.* să anunţe   *Pp.* anunţat

a aplica: aplic, aplici, aplică, aplicăm, aplicaţi, aplică
'to apply'   *Imp.* aplică   *Subj.* să aplice   *Pp.* aplicat

a aprinde: aprind, aprinzi, aprinde, aprindem, aprindeţi, aprind
'to light'   *Imp.* aprinde   *Subj.* să aprindă   *Pp.* aprins

a se apropia: mă apropii /-pii/, te apropii, se apropie, ne apropiem, vă apropiaţi, se apropie
'to approach'   *Imp.* apropie-te   *Subj.* să se apropie   *Pp.* apropiat

a arăta: arăt, arăţi, arată, arătăm, arătaţi, arată
'to show'   *Imp.* arată   *Subj.* să arate   *Pp.* arătat

a arunca: arunc, arunci, aruncă, aruncăm, aruncaţi, aruncă
'to throw'   *Imp.* aruncă   *Subj.* să arunce   *Pp.* aruncat

a asculta: ascult, asculţi, ascultă, ascultăm, ascultaţi, ascultă
'to listen'   *Imp.* ascultă   *Subj.* să asculte   *Pp.* ascultat

a ascunde: ascund, ascunzi, ascunde, ascundem, ascundeţi, ascund
'to hide'   *Imp.* ascunde   *Subj.* să ascundă   *Pp.* ascuns

a aştepta: aştept, aştepţi, aşteaptă, aşteptăm, aşteptaţi, aşteaptă
'to wait'   *Imp.* aşteaptă   *Subj.* să aştepte   *Pp.* aşteptat

a atrage: atrag, atragi, atrage, atragem, atrageţi, atrag
'to attract'   *Imp.* atrage   *Subj.* să atragă   *Pp.* atras

a auzi: aud, auzi, aude, auzim, auzim, auziți, aud
'to hear'   Imp. auzi   Subj. să audă   Pp. auzit

a avea: am, ai, are, avem, aveți, au
'to have'   Imp. ai   Subj. să aibă   Pp. avut

a bate: bat, bați, bate, batem, bateți, bat
'to beat'   Imp. bate   Subj. să bată   Pp. bătut

a bea: beau /beau/, bei, bea, bem, beți, beau
'to drink'   Imp. bea /bea/   Subj. să bea   Pp. băut

a se căsători: mă căsătoresc, te căsătorești, se căsătorește, ne căsătorim, vă căsătoriți, se căsătoresc
'to marry'   Imp. căsătorește-te   Subj. să se căsătorească   Pp. căsătorit

a căuta: caut, cauți, caută, căutăm, căutați, caută
'to look for'   Imp. caută   Subj. să caute   Pp. căutat

a cere: cer, ceri, cere, cerem, cereți, cer
'to ask'   Imp. cere   Subj. să ceară   Pp. cerut

a cheltui: cheltuiesc, cheltuiești, cheltuiește, cheltuim, cheltuiți, cheltuiesc
'to spend'   Imp. cheltuiește   Subj. să cheltuiască   Pp. cheltuit

a chema: chem, chemi, cheamă, chemăm, chemați, cheamă
'to call'   Imp. cheamă   Subj. să cheme   Pp. chemat

a circula: circul, circuli, circulă, circulăm, circulați, circulă
'to circulate'   Imp. circulă   Subj. să circule   Pp. circulat

a citi: citesc, citeşti, citeşte, citim, citiţi, citesc
'to read'   *Imp.* citeşte   *Subj.* să citească   *Pp.* citit

a câştiga: câştig, câştigi, câştigă, câştigăm, câştigaţi, câştigă
'to win'   *Imp.* câştigă   *Subj.* să câştige   *Pp.* câştigat

a se coafa: mă coafez, te coafezi, se coafează, ne coafăm, vă coafaţi, se coafează
'to do one's hair'   *Imp.* coafează-te   *Subj.* să se coafeze   *Pp.* coafat

a coborî: cobor, cobori, coboară, coborîm, coborîţi, coboară
'to get off'   *Imp.* coboară   *Subj.* să coboare   *Pp.* coborît

a constata: constat, constaţi, constată, constatăm, constataţi, constată
'to find out'   *Imp.* constată   *Subj.* să constate   *Pp.* constatat

a construi: construiesc, construieşti, construieşte, construim, construiţi, construiesc
'to construct'   *Imp.* construieşte   *Subj.* să construiască   *Pp.* construit

a continua: continui, continui, continuă, continuăm, continuaţi, continuă
'to continue'   *Imp.* continuă   *Subj.* să continue   *Pp.* continuat

a costa: cost, coşti, costă, costăm, costaţi, costă
'to cost'   *Subj.* să coste   *Pp.* costat

a crede: cred, crezi, crede, credem, credeţi, cred
'to believe'   *Imp.* crezi   *Subj.* să creadă   *Pp.* crezut

a se culca: mă culc, te culci, se culcă, ne culcăm, vă culcaţi, se culcă
'to go to bed'   *Imp.* culcă-te   *Subj.* să se culce   *Pp.* culcat

a cumpăra: cumpăr, cumperi, *cumpără*, cumpărăm, cumpăraţi, *cumpără*
'to buy'   *Imp*. cumpără   *Subj*. să cumpere   *Pp*. cumpărat

a cunoaşte: cunosc, cunoşti, cunoaşte, cunoaştem, cunoaşteţi, cunosc
'to know'   *Imp*. cunoaşte   *Subj*. să cunoască   *Pp*. cunoscut

a *curge*: curge, curg
'to flow'   *Subj*. să curgă   *Pp*. curs

a da: dau, dai, dă, dăm, daţi, dau
'to give'   *Imp*. dă   *Subj*. să dea /dea/   *Pp*. dat

a depinde: depind, depinzi, depinde, depindem, depindeţi, depind
'to depend'   *Imp*. depinde   *Subj*. să depindă   *Pp*. depins

a deschide: deschid, deschizi, deschide, deschidem, deschideţi, deschid
'to open'   *Imp*. deschide   *Subj*. să deschidă   *Pp*. deschis

a despărţi: despart, desparţi, desparte, despărţim, despărţiţi, despart
'to separate'   *Imp*. desparte   *Subj*. să despartă   *Pp*. despărţit

a dori: doresc, doreşti, doreşte, dorim, doriţi, doresc
'to wish'   *Imp*. doreşte   *Subj*. să dorească   *Pp*. dorit

a dormi: dorm, dormi, doarme, dormim, dormiţi, dorm
'to sleep'   *Imp*. dormi   *Subj*. să doarmă   *Pp*. dormit

a *duce*: duc, duci, duce, ducem, duceţi, duc
'to take'   *Imp*. du   *Subj*. să ducă   *Pp*. dus

a durea: doare, dor
'to hurt'   *Subj.* să doară   *Pp.* durut

a exista: exist, exişti, există, existăm, existaţi, există
'to exist'   *Subj.* să existe   *Pp.* existat

a face: fac, faci, face, facem, faceţi, fac
'to do'   *Imp.* fă   *Subj.* să facă   *Pp.* făcut

a fi: sînt, eşti, este, sîntem, sînteţi, sînt
'to be'   *Imp.* fii   *Subj.* să fiu, să fii, să fie,   *Pp.* fost
                                                să fim, să fiţi, să fie

a folosi: folosesc, foloseşti, foloseşte, folosim, folosiţi, folosesc
'to use'   *Imp.* foloseşte   *Subj.* să folosească   *Pp.* folosit

a forma: formez, formezi, formează, formăm, formaţi, formează
'to form'   *Imp.* formează   *Subj.* să formeze   *Pp.* format

a fuma: fumez, fumezi, fumează, fumăm, fumaţi, fumează
'to smoke'   *Imp.* fumează   *Subj.* să fumeze   *Pp.* fumat

a fura: fur, furi, fură, furăm, furaţi, fură
'to steal'   *Imp.* fură   *Subj.* să fure   *Pp.* furat

a găsi: găsesc, găseşti, găseşte, găsim, găsiţi, găsesc
'to find'   *Imp.* găseşte   *Subj.* să găsească   *Pp.* găsit

a ghici: ghicesc, ghicești, ghicește, ghicim, ghiciți, ghicesc
'to guess'
    Imp. ghici   *Subj.* să ghicească   *Pp.* ghicit

a se gîndi: mă gîndesc, te gîndești, se gîndește, ne gîndim, vă gîndiți, se gîndesc
'to think'
    Imp. gîndește-te   *Subj.* să se gîndească   *Pp.* gîndit

a se grăbi: mă grăbesc, te grăbești, se grăbește, ne grăbim, vă grăbiți, se grăbesc
'to hurry'
    Imp. grăbește-te   *Subj.* să se grăbească   *Pp.* grăbit

a hotărî: hotărăsc, hotărăști, hotărăște, hotărîm, hotărîți, hotărăsc
'to decide'
    Imp. hotărăște   *Subj.* să hotărască   *Pp.* hotărît

a ieși: ies, ieși, iese, ieșim, ieșiți, ies
'to go out'
    Imp. ieși   *Subj.* să iasă   *Pp.* ieșit

a impresiona: impresionez, impresionezi, impresionează, impresionăm, impresionați, impresionează
'to impress'
    Imp. impresionează   *Subj.* să impresioneze   *Pp.* impresionat

a intra: intru, intri, intră, intrăm, intrați, intră
'to enter'
    Imp. intră   *Subj.* să intre   *Pp.* intrat

a invita: invit, inviți, invită, invităm, invitați, invită
'to invite'
    Imp. invită   *Subj.* să invite   *Pp.* invitat

a iubi: iubesc, iubești, iubește, iubim, iubiți, iubesc
'to love'
    Imp. iubește   *Subj.* să iubească   *Pp.* iubit

a izvorî: izvorăşte, izvorăsc
'to rise'
           Subj. să izvorască   *Pp.* izvorît

a îmbogăţi: îmbogăţesc, îmbogăţeşti, îmbogăţeşte, îmbogăţim, îmbogăţiţi, îmbogăţesc
'to enrich'   *Imp.* îmbogăţeşte   *Subj.* să îmbogăţească   *Pp.* îmbogăţit

a se îmbolnăvi: mă îmbolnăvesc, te îmbolnăveşti, se îmbolnăveşte, ne îmbolnăvim, vă îmbolnăviţi,
se îmbolnăvesc
'to get ill'   *Imp.* îmbolnăveşte-te   *Subj.* să se îmbolnăvească   *Pp.* îmbolnăvit

a se îmbrăca: mă îmbrac, te îmbraci, se îmbracă, ne îmbrăcăm, vă îmbrăcaţi, se îmbracă
'to dress'   *Imp.* îmbracă-te   *Subj.* să se îmbrace   *Pp.* îmbrăcat

a se îmbrăţişa: ne îmbrăţişăm, vă îmbrăţişaţi, se îmbrăţişează
'to hug each other'   *Imp.* îmbrăţişează-te   *Subj.* să se îmbrăţişeze   *Pp.* îmbrăţişat

a înălţa: înalţ, înalţi, înalţă, înălţăm, înălţaţi, înalţă
'to raise'   *Imp.* înalţă   *Subj.* să înalţe   *Pp.* înălţat

a încălzi: încălzesc, încălzeşti, încălzeşte, încălzim, încălziţi, încălzesc
'to warm'   *Imp.* încălzeşte   *Subj.* să încălzească   *Pp.* încălzit

a începe: încep, începi, începe, începem, începeţi, încep
'to begin'   *Imp.* începe   *Subj.* să înceapă   *Pp.* început

a încerca: încerc, încerci, încearcă, încercăm, încercaţi, încearcă
'to try'   *Imp.* încearcă   *Subj.* să încerce   *Pp.* încercat

a încurca: încurc, încurci, încurcă, încurcăm, încurcaţi, încurcă
'to mix up'   *Imp.* încurcă   *Subj.* să încurce   *Pp.* încurcat

a îndrăzni: îndrăznesc, îndrăzneşti, îndrăzneşte, îndrăznim, îndrăzniţi, îndrăznesc
'to dare'   *Imp.* îndrăzneşte   *Subj.* să îndrăznească   *Pp.* îndrăznit

a îngriji: îngrijesc, îngrijeşti, îngrijeşte, îngrijim, îngrijiţi, îngrijesc
'to look after'   *Imp.* îngrijeşte   *Subj.* să îngrijească   *Pp.* îngrijit

a înota: înot, înoţi, înoată, înotăm, înotaţi, înoată
'to swim'   *Imp.* înoată   *Subj.* să înoate   *Pp.* înotat

a însemna: însemn, însemni, înseamnă, însemnăm, însemnaţi, înseamnă
'to mean'   *Imp.* înseamnă   *Subj.* să însemne   *Pp.* însemnat

a înştiinţa: înştiinţez, înştiinţezi, înştiinţează, înştiinţăm, înştiinţaţi, înştiinţează
'to inform'   *Imp.* înştiinţează   *Subj.* să înştiinţeze   *Pp.* înştiinţat

a se întîmpla: se întîmplă
'to occur'   *Subj.* să se întîmple   *Pp.* întîmplat

a se întîlni: mă întîlnesc, te întîlneşti, se întîlneşte, ne întîlnim, vă întîlniţi, se întîlnesc
'to meet'   *Imp.* întîlneşte-te   *Subj.* să se întîlnească   *Pp.* întîlnit

a întoarce: întorc, întorci, întoarce, întoarcem, întoarceţi, întorc
'to return'   *Imp.* întoarce   *Subj.* să întoarcă   *Pp.* întors

a întreba: întreb, întrebi, întreabă, întrebăm, întrebaţi, întreabă
'to ask'   *Imp.* întreabă   *Subj.* să întrebe   *Pp.* întrebat

a înțelege: înțeleg, înțelegi, înțelege, înțelegem, înțelegeți, înțeleg
'to understand'   Imp. înțelege   Subj. să înțeleagă   Pp. înțeles

a învăța: învăț, înveți, învață, învățăm, învățați, învață
'to learn'   Imp. învață   Subj. să învețe   Pp. învățat

a învinge: înving, învingi, învinge, învingem, învingeți, înving
'to defeat'   Imp. învinge   Subj. să învingă   Pp. învins

a juca: joc, joci, joacă, jucăm, jucați, joacă
'to play'   Imp. joacă   Subj. să joace   Pp. jucat

a lăsa: las, lași, lasă, lăsăm, lăsați, lasă
'to leave'   Imp. lasă   Subj. să lase   Pp. lăsat

a lipsi: lipsesc, lipsești, lipsește, lipsim, lipsiți, lipsesc
'to be missed'   Imp. lipsește   Subj. să lipsească   Pp. lipsit

a locui: locuiesc, locuiești, locuiește, locuim, locuiți, locuiesc
'to live'   Imp. locuiește   Subj. să locuiască   Pp. locuit

a lua: iau /iau/, iei /iei/, ia /ia/, luăm, luați, iau
'to take'   Imp. ia   Subj. să ia   Pp. luat

a lucra: lucrez, lucrezi, lucrează, lucrăm, lucrați, lucrează
'to work'   Imp. lucrează   Subj. să lucreze   Pp. lucrat

a lupta: lupt, lupți, luptă, luptăm, luptați, luptă
'to fight'   Imp. luptă   Subj. să lupte   Pp. luptat

a menţiona: menţionez, menţionezi, menţionează, menţionăm, menţionaţi, menţionează
'to mention'   *Imp.* menţionează   *Subj.* să menţioneze   *Pp.* menţionat

a merge: merg, mergi, merge, mergem, mergeţi, merg
'to go'   *Imp.* mergi   *Subj.* să meargă   *Pp.* mers

a merita: merit, meriţi, merită, meritäm, meritaţi, merită
'to be worth'   *Imp.* merită   *Subj.* să merite   *Pp.* meritat

a mulţumi: mulţumesc, mulţumeşti, mulţumeşte, mulţumim, mulţumiţi, mulţumesc
'to thank'   *Imp.* mulţumeşte   *Subj.* să mulţumească   *Pp.* mulţumit

a muri: mor, mori, moare, murim, muriţi, mor
'to die'   *Imp.* mori   *Subj.* să moară   *Pp.* murit

a ninge: ninge
'to snow'   *Subj.* să ningă   *Pp.* nins

a nota: notez, notezi, notează, notăm, notaţi, notează
'to note'   *Imp.* notează   *Subj.* să noteze   *Pp.* notat

a număra: număr, numeri, numără, numărăm, număraţi, numără
'to count'   *Imp.* numără   *Subj.* să numere   *Pp.* numărat

a oferi: ofer, oferi, oferă, oferim, oferiţi, oferă
'to offer'   *Imp.* oferă   *Subj.* să ofere   *Pp.* oferit

a omite: omit, omiţi, omite, omitem, omiteţi, omit
'to omit'   *Imp.* omite   *Subj.* să omită   *Pp.* omis

a opri: opresc, oprești, oprește, oprim, opriți, opresc   *Subj.* să oprească   *Pp.* oprit
'to stop'   *Imp.* oprește

a parca: parchez, parchezi, parchează, parcăm, parcați, parchează   *Subj.* să parcheze   *Pp.* parcat
'to park'   *Imp.* parchează

a părea: par, pari, pare, părem, păreți, par   *Subj.* să pară   *Pp.* părut
'to seem'   *Imp.* pari

a petrece: petrec, petreci, petrece, petrecem, petreceți, petrec   *Subj.* să petreacă   *Pp.* petrecut
'to spend'   *Imp.* petrece

a pierde: pierd, pierzi, pierde, pierdem, pierdeți, pierd   *Subj.* să piardă   *Pp.* pierdut
'to lose'   *Imp.* pierde

a plăcea: plac, placi, place, plăcem, plăceți, plac   *Subj.* să placă   *Pp.* plăcut
'to like'

a plăti: plătesc, plătești, plătește, plătim, plătiți, plătesc   *Subj.* să plătească   *Pp.* plătit
'to pay'   *Imp.* plătește

a pleca: plec, pleci, pleacă, plecăm, plecați, pleacă   *Subj.* să plece   *Pp.* plecat
'to leave'   *Imp.* pleacă

a se plimba: mă plimb, te plimbi, se plimbă, ne plimbăm, vă plimbați, se plimbă   *Pp.* plimbat
'to walk'   *Imp.* plimbă-te   *Subj.* să se plimbe

a ploua: plouă   *Subj.* să plouă   *Pp.* plouat
'to rain'

a porni: pornesc, pornești, pornește, pornim, porniți, pornesc
'to start'   *Subj.* să pornească   *Pp.* pornit
                       Imp. pornește

a povesti: povestesc, povestești, povestește, povestim, povestiți, povestesc
'to tell'   *Subj.* să povestească   *Pp.* povestit
                       Imp. povestește

a prefera: prefer, preferi, preferă, preferăm, preferați, preferă
'to prefer'   *Subj.* să prefere   *Pp.* preferat
                       Imp. preferă

a pregăti: pregătesc, pregătești, pregătește, pregătim, pregătiți, pregătesc
'to prepare'   *Subj.* să pregătească   *Pp.* pregătit
                       Imp. pregătește

a primi: primesc, primești, primește, primim, primiți, primesc
'to receive'   *Subj.* să primească   *Pp.* primit
                       Imp. primește

a privi: privesc, privești, privește, privim, priviți, privesc
'to look'   *Subj.* să privească   *Pp.* privit
                       Imp. privește

a promite: promit, promiți, promite, promitem, promiteți, promit
'to promise'   *Subj.* să promită   *Pp.* promis
                       Imp. promite

a pune: pun, pui, pune, punem, puneți, pun
'to put'   *Subj.* să pună   *Pp.* pus
                       Imp. pune

a putea: pot, poți, poate, putem, puteți, pot
'can'   *Subj.* să poată   *Pp.* putut

a se rade: mă rad, te razi, se rade, ne radem, vă radeți, se rad
'to shave'   *Subj.* să se radă   *Pp.* ras
                       Imp. rade-te

a răci: răcesc, răceşti, răceşte, răcim, răciţi, răcesc   *Subj.* să răcească   *Pp.* răcit
'to catch cold'   *Imp.* răceşte

a rămîne: rămîn, rămîi, rămîne, rămînem, rămîneţi, rămîn
'to remain'   *Imp.* rămîi   *Subj.* să rămînă   *Pp.* rămas

a răsări: răsar, răsari, răsare, răsărim, răsăriţi, răsar
'to rise'   *Imp.* răsari   *Subj.* să răsară   *Pp.* răsărit

a răsfoi: răsfoiesc, răsfoieşti, răsfoieşte, răsfoim, răsfoiţi, răsfoiesc
'to skim (through)'   *Imp.* răsfoieşte   *Subj.* să răsfoiască   *Pp.* răsfoit

a răspunde: răspund, răspunzi, răspunde, răspundem, răspundeţi, răspund
'to answer'   *Imp.* răspunde   *Subj.* să răspundă   *Pp.* răspuns

a repara: repar, repari, repară, reparăm, reparaţi, repară
'to repair'   *Imp.* repară   *Subj.* să repare   *Pp.* reparat

a reuşi: reuşesc, reuşeşti, reuşeşte, reuşim, reuşiţi, reuşesc
'to succeed'   *Imp.* reuşeşte   *Subj.* să reuşească   *Pp.* reuşit

a rezerva: rezerv, rezervi, rezervă, rezervăm, rezervaţi, rezervă
'to reserve'   *Imp.* rezervă   *Subj.* să rezerve   *Pp.* rezervat

a rîde: rîd, rîzi, rîde, rîdem, rîdeţi, rîd
'to laugh'   *Imp.* rîzi   *Subj.* să rîdă   *Pp.* rîs

a ruga: rog, rogi, roagă, rugăm, rugaţi, roagă
'to ask'   *Imp.* roagă   *Subj.* să roage   *Pp.* rugat

a sări: sar, sari, sare, sărim, săriţi, sar *Subj.* să sară *Pp.* sărit
'to jump', *Imp.* sari

a săruta: sărut, săruţi, sărută, sărutăm, sărutaţi, sărută *Subj.* să sărute *Pp.* sărutat
'to kiss', *Imp.* sărută

a se sătura: mă satur, te saturi, se satură, ne săturăm, vă săturaţi, se satură *Pp.* săturat
'to have enough', *Imp.* sătură-te *Subj.* să se sature

a schimba: schimb, schimbi, schimbă, schimbăm, schimbaţi, schimbă *Pp.* schimbat
'to change', *Imp.* schimbă *Subj.* să schimbe

a scrie: scriu, scrii, scrie, scriem, scrieţi, scriu *Subj.* să scrie *Pp.* scris
'to write', *Imp.* scrie

a se scula: mă scol, te scoli, se scoală, ne sculăm, vă sculaţi, se scoală *Pp.* sculat
'to get up', *Imp.* scoală-te *Subj.* să se scoale

a servi: servesc, serveşti, serveşte, servim, serviţi, servesc *Pp.* servit
'to serve', *Imp.* serveşte *Subj.* să servească

a sfîrşi: sfîrşesc, sfîrşeşti, sfîrşeşte, sfîrşim, sfîrşiţi, sfîrşesc *Subj.* să sfîrşească *Pp.* sfîrşit
'to end', *Imp.* sfîrşeşte

a se simţi: mă simt, te simţi, se simte, ne simţim, vă simţiţi, se simt *Pp.* simţit
'to feel', *Imp.* simte-te *Subj.* să se simtă

a sosi: sosesc, soseşti, soseşte, sosim, sosiţi, sosesc *Pp.* sosit
'to arrive', *Subj.* să sosească

a spăla: spăl, speli, spală, spălăm, spălați, spală
'to wash'   *Imp.* spală   *Subj.* să spele   *Pp.* spălat

a spera: sper, speri, speră, sperăm, sperați, speră
'to hope'   *Imp.* speră   *Subj.* să spere   *Pp.* sperat

a speria: sperii /-rii/, sperii, sperie, speriem, speriați, sperie
'to frighten'   *Imp.* sperie   *Subj.* să sperie   *Pp.* speriat

a spune: spun, spui, spune, spunem, spuneți, spun
'to say'   *Imp.* spune   *Subj.* să spună   *Pp.* spus

a sta: stau, stai, stă, stăm, stați, stau
'to stand'   *Imp.* stai   *Subj.* să stea-/stea/   *Pp.* stat

a stinge: sting, stingi, stinge, stingem, stingeți, sting
'to put out'   *Imp.* stinge   *Subj.* să stingă   *Pp.* stins

a strica: stric, strici, strică, stricăm, stricați, strică
'to break'   *Imp.* strică   *Subj.* să strice   *Pp.* stricat

a suna: sun, suni, sună, sunăm, sunați, sună
'to ring'   *Imp.* sună   *Subj.* să sune   *Pp.* sunat

a ști: știu, știi, știe, știm, știți, știu
'to know'   *Imp.* știe   *Subj.* să știe   *Pp.* știut

a tăia: tai, tai, taie, tăiem, tăiați, taie
'to cut'   *Imp.* taie   *Subj.* să taie   *Pp.* tăiat

a telefona: telefonez, telefonezi, telefonează, telefonăm, telefonați, telefonează
'to telephone'   *Imp.* telefonează   *Subj.* să telefoneze   *Pp.* telefonat

a termina: termin, termini, termină, terminăm, terminați, termină
'to end'   *Imp.* termină   *Subj.* să termine   *Pp.* terminat

a trăi: trăiesc, trăiești, trăiește, trăim, trăiți, trăiesc
'to live'   *Imp.* trăiește   *Subj.* să trăiască   *Pp.* trăit

a trebui: trebuie
'must'   *Subj.* să trebuiască   *Pp.* trebuit

a trece: trec, treci, trece, trecem, treceți, trec
'to pass'   *Imp.* treci   *Subj.* să treacă   *Pp.* trecut

a trezi: trezesc, trezești, trezește, trezim, treziți, trezesc
'to wake'   *Imp.* trezește   *Subj.* să trezească   *Pp.* trezit

a trimite: trimit, trimiți, trimite, trimitem, trimiteți, trimit
'to send'   *Imp.* trimite   *Subj.* să trimită   *Pp.* trimis

a se tunde: mă tund, te tunzi, se tunde, ne tundem, vă tundeți, se tund
'to have a haircut'   *Imp.* tunde-te   *Subj.* să se tundă   *Pp.* tuns

a ține: țin, ții, ține, ținem, țineți, țin
'to hold'   *Imp.* ține   *Subj.* să țină   *Pp.* ținut

a uita: uit, uiți, uită, uitām, uitați, uită
'to forget'   *Imp.* uită   *Subj.* să uite   *Pp.* uitat

a se urca: mă urc, te urci, se urcă, ne urcăm, vă urcaţi, se urcă
'to climb up'   Imp. urcă-te   Subj. să se urce   Pp. urcat

a usca: usuc, usuci, usucă, uscăm, uscaţi, usucă
'to dry'   Imp. usucă   Subj. să usuce   Pp. uscat

a se vărsa: se varsă
'to flow'   Imp. se varsă   Subj. să se verse   Pp. vărsat

a vedea: văd, vezi, vede, vedem, vedeţi, văd
'to see'   Imp. vezi   Subj. să vadă   Pp. văzut

a veni: vin, vii, vine, venim, veniţi, vin
'to come'   Imp. vino   Subj. să vină   Pp. venit

a vizita: vizitez, vizitezi, vizitează, vizităm, vizitaţi, vizitează
'to visit'   Imp. vizitează   Subj. să viziteze   Pp. vizitat

a vopsi: vopsesc, vopseşti, vopseşte, vopsim, vopsiţi, vopsesc
'to paint'   Imp. vopseşte   Subj. să vopsească   Pp. vopsit

a vorbi: vorbesc, vorbeşti, vorbeşte, vorbim, vorbiţi, vorbesc
'to speak'   Imp. vorbeşte   Subj. să vorbească   Pp. vorbit

a vota: votez, votezi, votează, votăm, votaţi, votează
'to vote'   Imp. votează   Subj. să voteze   Pp. votat

a vrea: vreau /vreau/, vrei, vrea, vrem, vreţi, vor
'to want'   Subj. să vrea /vrea/   Pp. vrut

a zice: zic, zici, zice, zicem, ziceţi, zic
'to say'   Imp. zi   Subj. să zică   Pp. zis

Key to the Exercises

Lesson 1

Ex. 3 Am un pahar cu lapte. Am o cană cu apă.
Văd un om sub un pom. Văd o ladă sub masă.
Văd o carte pe masă. Pun o ladă de lemn sub
masă.

Lesson 2

Ex. 3 Am o carte. Am un toc. Am o pisică. Am un cîine.
Am o sticlă cu vin. Văd un om pe stradă. Văd o
fată în curte. Văd doi pomi în curte. Văd o cană
cu apă pe masă. Văd două pisici sub masă. Văd
doi copii în grădină. Nicu are un pahar cu lapte.
Elena are două pîini. Petre are un măr mare. Ana
are o lampă mică pe masă. Pun o carte pe masă.
Pun o sticlă cu vin şi două sticle cu bere sub masă.
Pun două pîini lîngă o cană cu apă pe masă.

Lesson 3

Ex. 3 Dl. Smith e (este) englez. El e din Anglia. El e
profesor. Şi dna. Smith e profesoară. Dvs. sînteţi
profesori. Maria şi Elena sînt doctoriţe. Toma şi
Maria sînt studenţi. Şi dvs. sînteţi studenţi. Dl.
Soare e român. Dumnealui vine din România.
Dumnealui e profesor. Dna. Soare e româncă.
Dumneaei e din România. Şi dumneaei e pro-
fesoară.

Ex. 5 (1) Dl. Soare e profesor (român). (2) Dumnealui e
în grădină (casă, etc.). (3) Şi dumneaei e pro-
fesoară. (4) Dumneaei e din România. (5) Dum-
nealui vine din Anglia. (6) Dumnealui e din
Londra. (7) Eu sînt studentă. (8) Sînt din Bucu-
reşti. (9) Maria şi Toma. (10) Dl. Soare e cu dl.
Smith.

Lesson 4

Ex. 4 Cine vine la cofetărie?   George Stănescu vine la cofetărie.

Unde stau dl. şi dna. Soare?   Ei (dumnealor) stau la o masă într-o cofetărie.

Ce iau ei (dumnealor)?   Ei (dumnealor) iau un ceai.

Ce ia d-şoara Soare?   D-şoara Soare nu ia nimic.

Ce luaţi dvs.?   Eu iau o cafea.

Ce ia George?   El ia o ciocolată cu lapte.

Cît costă două prăjituri?   Două prăjituri costă zece lei.

Şi cît costă cinci chifle mari?   Cinci chifle mari costă trei lei.

Cît costă o cafea?   O cafea costă patru lei.

Unde stau dl. şi dna. Stănescu?   Dl. şi dna. Stănescu (ei, dumnealor) stau la o masă într-o cofetărie.

Lesson 5

Ex. 3 Aveţi un caiet?   Nu, nu am.

Aveţi un stilou?   Nu, nu am; dar am un creion.

Au ei (ele) un profesor sau o profesoară?   Ei (ele) au o profesoară.

Ce aveţi în mînă?   Am un dicţionar.

Cîte cărţi are el pe birou?   (El) are cinci cărţi.

Cîţi băieţi şi fete sînt în grădină?   Sînt zece.

Ce lecţie aveţi azi?   Azi avem o lecţie de gramatică.

Ce sînteţi dvs., dl. Soare?   Sînt profesor.

Unde sînteţi acum?   Sînt în clasă.
Cîţi studenţi sînt în   Sînt cincĭ.
  clasă?
E Ana aicĭ?   Nu, nu e; e acolo.
Cît costă cartea   Costă zece lei.
  aceasta?

Lesson 6

Ex. 5 Văd cincĭ studenţi într-o cofetărie. (Ei) stau la o
         masă. (Ei) stau pe scaune. Trei sînt băieţi şi
         două sînt fete. Ei au cincĭ cafele pe masă. (Ei)
         au şi o sticlă cu vin şi cincĭ pahare pe masă. (Ei)
         vorbesc româneşte. (Ei) sînt englezĭ. (Ei) învaţă
         româneşte şi vorbesc puţin româneşte. (Ei) vorbesc
         şi puţin franţuzeşte şi nemţeşte. (Ei) vorbesc
         patru limbĭ.

Lesson 7

Ex. 2 o cafea, cafeaua, cafele, cafelele;
         un cîine, cîinele, cîinĭ, cîinii /kîĭ-ni/
         o cofetărie, cofetăria, cofetării /-riĭ/, cofetăriile
           /-ri-i-le/;
         un copil, copilul, copii /-piĭ/, copiii /-pi-ĭi/;
         o ladă, lada, lăzĭ, lăzile;
         o masă, masa, mese, mesele;
         un om, omul, oamenĭ, oamenii /-ni/;
         un pahar, paharul, pahare, paharele;
         un sifon, sifonul, sifoane, sifoanele;
         o stradă, strada, străzĭ, străzile /stră-zi-le/.

Ex. 6 Văd o carte românească pe masă. Este un roman
         şi îmĭ place să citesc romane. Este cartea mea.
         E lîngă un caiet. Îmĭ place să scriu şi să citesc mult.
         Îmĭ place să scriu scrisorĭ. Vă place să scrieţi
         scrisorĭ? Vă place să citiţi nuvele? Vă place să
         vorbiţi franţuzeşte? Ştiţi româneşte? Ştiţi să
         scrieţi româneşte? Citiţi mult?

Lesson 8

Ex. 6 Locuim în (la) Londra. Avem un apartament mic. E într-un bloc. (Apartamentul) are patru camere şi un hol. Camerele sînt: un dormitor, o sufragerie, un salon şi un birou. (Apartamentul) are de asemeni o baie, o bucătărie, o camară şi o toaletă. Prietenul meu Toma are o casă mare. Îmĭ place casa lui. E acum acasă cu soţia lui şi ei încearcă să vorbească româneşte. Ei vorbesc puţin româneşte şi au nevoie de un dicţionar englez-român.

Lesson 9

Ex. 4 Patricia îi arată o carte. Să citim acest text. Cred că nu e greu de loc. Ce credeţi? Cred că acest text e uşor. Îmĭ place acest text. Vă place şi dvs.? Da, îmĭ place. Vă plăc aceste cărţĭ? Da, îmĭ plac. Ale cui sînt aceste cărţĭ? Sînt cărţile mele. Aveţi şi cărţĭ româneştĭ? Da, am. Ce alte cărţĭ mai citiţĭ? Citesc şi cărţĭ englezeştĭ şi franţuzeştĭ. Ce alte limbĭ mai ştiţĭ? Ştĭu şi nemţeşte şi ruseşte.

Lesson 10

Ex. 3 a fost, a fost, a făcut, a cumpărat, a cumpărat, a cumpărat, a costat, a costat, aţĭ fost invitaţĭ (*F* invitate), am fost invitaţĭ (invitate), aţĭ fost invitaţĭ (invitate), am fost invitaţĭ (invitate).

Ex. 4 Dl. şi dna. Tomescu locuiesc la Bucureştĭ. Ei locuiesc într-o casă foarte mare. (Casa) e un bloc şi ei locuiesc într-un apartament cu cincĭ camere. Au doi copii: un băiat şi o fetiţă. Băiatul lor învaţă englezeşte şi fetiţa lor învaţă franţuzeşte. Băiatul citeşte bine englezeşte dar nu vorbeşte englezeşte aşa bine. Fetiţa are multe cărţĭ franţuzeştĭ şi încearcă să scrie scrisorĭ în limba franceză.

Lesson 11

Ex. 2 *M* băiat(ul), cîine(le), doctor(ul), englez(ul), nepot(ul), om(ul), pom(ul), prieten(ul), profesor(ul), român(ul), soț(ul), student(ul).

N bloc(ul), dialog(ul), drum(ul), ghid(ul), stilou(l), tren(ul).

F carte(a), convorbire(a), curte(a), greşeală (greşeala), grădină (grădina), lampă (lampa), ladă (lada), limbă (limba), mînă (mîna), pisică (pisica), prăjitură (prăjitura), sală (sala), scrisoare(a), stradă (strada), soră (sora).

Lesson 12

Ex. 3 vorbiţi, rog, scriu, învăţ, citim, scrie, stau.

Ex. 4 Am fost la cofetărie şi am cumpărat opt prăjituri. Îmi place ciocolata foarte mult aşa că am cumpărat şase prăjituri de ciocolată. Am luat acolo o cafea deoarece îmi place şi cafeaua. Am fost cu prietenul meu Toma. El a luat o ciocolată cu lapte. Nu a costat mult. Cred că a costat nouă lei. După-masă am fost invitat la prietenii mei cu fratele meu. Am vorbit despre cărţi şi dicţionare româneşti. Prietenul meu Petre a învăţat mai multe limbi străine şi ştie destul englezeşte, franţuzeşte şi nemţeşte ca să citească nuvele uşoare în aceste limbi. Îi place să citească cărţi şi să scrie scrisori în limbi străine.

Vă place să citiţi (*or*: Îţi place să citeşti) cărţi în limba română sau în alte limbi străine? Cred că vă place să cumpăraţi şi să citiţi cărţi străine (*or*: Cred că îţi place să cumperi şi să citeşti cărţi străine). Dacă vreţi să învăţaţi o limbă străină trebuie să citiţi mult în acea limbă.

Lesson 13

Ex. 3 Vom pleca mîine. Va sosi poimîine. Cred că voi pleca. Credem că veţi primi scrisoarea mîine dimineață. Știu că veți veni poimîine. Știm că veți locui la București.

Ex. 4 veniți, vorbească, învățați, citim, vorbim, vorbească, trimit, fac, cumpărați, scriu.

Ex. 5 Patricia și William au fost invitați de prietenii lor Ana și Sandu în România. Ei au primit cu mare plăcere invitația. (Ei) vor să călătorească cu avionul așa că William a cumpărat două bilete de avion. Patricia a început să facă repede bagajele. Vor pleca poimîine dimineață și în trei sau patru ore vor sosi la București. William a cumpărat un dicționar mare pentru Sandu și Patricia a cumpărat două sau trei romane englezești pentru Ana. William și Patricia știu că Ana și Sandu vor fi la aeroport.

Lesson 14

Ex. 3 Unde vreți să mergem mîine? Fratele dvs. a venit ieri? Cînd vreți să plecați la munte? Ce faceți acum acolo? Ce-ați făcut acolo ieri? Unde-ați cumpărat costumul acesta? Cît costă cartea aceasta? Cînd ați început să învățați românește? Ce le place lor să citească mai mult? Ce trebuie să fac acum?

Ex. 4 Patricia și William vorbesc despre călătoria lor la București. (Ei) vor pleca cu avionul dimineața și în patru ore vor fi la aeroportul de lîngă București. Ei sînt siguri că vor petrece bine în România. (Ei) vor să meargă la munte și la mare și să viziteze multe locuri frumoase. Vor trimite o telegramă și vor anunța pe Ana și Sandu de sosirea lor la București. (Ei) știu foarte bine că prietenii lor îi vor aștepta la aeroport. William vrea să vorbească numai românește în România și să uite limba engleză timp de două sau trei săptămîni. În felul acesta el crede că va învăța mai mult în trei săptămîni în România decît în doi ani acasă la Londra.

Lesson 15

Ex. 3 s-au sculat; s-au îmbrăcat; a pus; l-a întrebat;
i-a răspuns; i-a spus; a ajutat-o; m-am sculat;
m-am pregătit; l-am aşteptat; a venit; v-aţi grăbit;
n-aţi venit.

Ex. 4 se vor scula; se vor îmbrăca; va pune; îl va întreba;
îi va răspunde; îi va spune; o va ajuta; mă voi
scula; mă voi pregăti; îl voi aştepta; el va veni.

Ex. 5 N-am fost; Nu m-am întîlnit; El n-a cumpărat;
Nu mi-a plăcut; Nu vom merge; Nu va veni;
Nu veţi veni; Nu vor veni; Să nu învăţaţi; Să nu
veniţi; Să nu ne sculăm; Să nu se îmbrace.

Ex. 6 — Cînd sosesc Patricia şi William? îl întreabă Ana
pe Sandu. — Nu ştiu exact, răspunde el. William
încă nu ne-a spus. Dar ştiu că vin mîine. Aştept
o telegramă. Va veni azi, sînt sigur. (Ea) trebuie
să vină! Tot ce ştim este că ei vin cu avionul!
— Atunci, spune Ana, ne vom duce la aeroport
mîine dimineaţă şi îi vom aştepta acolo. În patru
ore avionul e aici şi trebuie să plece din Anglia
devreme dimineaţa. Nu va trebui să aşteptăm
prea mult, sînt sigură.

Lesson 16

Ex. 4 am fost; voi cumpăra; au învăţat; aşteaptă; place;
locuiţi; face; ce-aţi spus?; vor pleca; s-au întîlnit.

Ex. 5 (1) Daţi-mi cartea, vă rog. (2) Pune cana aceasta
(această cană) pe masă. (3) Acum pun stiloul în
buzunar. (*N.B. îmi pun . . .* would mean 'I'll put
my pen . . .'). (4) Ia cartea aceasta (această carte)
şi dă-i-o Mariei (lui Maria). (5) V-aţi uitat
mănuşile. (6) Bine, le voi da un răspuns mîine.
(7) Anul trecut am fost în România. (8) Am stat
acasă din cauza ploii /ploii/. (9) Ne-am întîlnit în
faţa gării. (10) Nu uitaţi nimic acasă. (11) S-au
sărutat şi au plecat acasă. (12) El a uitat mănuşile

pe care i le-am dat. (13) E multă lume pe peron. (14) Iute, fă-i semn cu mîna. (15) Prietena mea vine să mă viziteze mîine. (16) Să coborîm aici. (17) Cine-i acest domn (domnul acesta) cu care ați vorbit ieri? (18) Sandu nu-mi spune niciodată nimic. (19) Du-i această cutie (cutia aceasta) lui Peter. (20) Mai dați-i /datsiĭ/ (încă) cîteva bomboane.

Ex. 6 Maşina s-a oprit în faţa casei lui Ana şi Sandu. In momentul coborîrii din maşină William a constatat că nu mai are mănuşile. — Asta nu-i nimic, îi spune Sandu. Vara trecută, cînd am fost în Anglia, mi-am uitat pardesiul în avion.

Lesson 17

Ex. 2 daţi-i; dă-mi; trimiteţi-le; duceţi-vă; lasă-ne; cumpără-i; spuneţi-le; pune-ţi; apropii-te /apropiite/; ajutaţi-ne.

Ex. 3 Ieri ne-am dus cu nişte prieteni la o cofetărie. Prietenul meu Sandu a luat o cafea. Soţiei lui nu-i place cafeaua aşa că ea a luat un ceai. Eu am luat o cafea. Toţi am luat şi nişte prăjituri.

Nu ne-a costat mult.

Ana s-a dus azi dimineaţă la cumpărături.

Ea s-a dus la o alimentară şi a cumpărat mai multe lucruri: pîine, zahăr, orez, untdelemn, vin, oţet, bere, apă minerală, bomboane, marmeladă, cafea, ciocolată, ceai. A întrebat unde trebuie să plătească şi a plătit la casă.

Lesson 18

Ex. 1 o mie o sută zece, o mie o sută unsprezece (unşpe) . . . o mie o sută douăzeci şi unu.

Ex. 4 *A:* Unde ai fost?
  P: După cumpărături.
  A: Şi ce ai cumpărat?

P: Am cumpărat niște alimente.

A: Poți să-mi spui ce alimente ai cumpărat și cît ai plătit pentru ele?

P: Cred că da. Să încerc. Am cumpărat un kilogram de zahăr, și am plătit pentru el nouă lei. Apoi am luat două sticle de untdelemn și am plătit pentru ele douăzeci și trei de lei. Am cumpărat și patru sticle de bere mici fiindcă lui Sandu și lui William le place berea românească. Am plătit pentru ele paisprezece lei. Vînzătoarea a spus că costă paișpe lei.

A: Asta a fost tot?

P: La alimentară, da. Dar m-am dus la o altă prăvălie să-i cumpăr lui William niște mănuși.

A: Și ce-ai făcut?

P: Am cumpărat niște mănuși foarte frumoase pentru care am plătit optzeci și șase de lei.

Lesson 19

Ex. 1 s-a dus; v-a adus; le-au spus; și-a cumpărat; mi-am pus; i-a spus; i-ați așteptat; ne-ați spus; le-ați găsit; le-ați trimis.

Ex. 4 Am niște prieteni în România. Ei locuiesc la București. M-au invitat la ei de mai multe ori și m-am dus cu multă plăcere. De la Londra la București se călătorește foarte bine și repede cu avionul. Nici nu costă mult. În cîteva ore ești la București. Cu trenul îți trebuie aproape trei zile și cred că te costă chiar mai mult decît cu avionul, deoarece cheltuiești totodată o mulțime de bani pe drum. Mie îmi place foarte mult să călătoresc cu avionul. Dar cui nu-i place asta? Azi se călătorește foarte mult cu avionul.

Lesson 20

Ex. 4 vi s-a spus; ni s-a mai spus; i s-a trimis; li s-a părut; ți se pare; i se spune; i s-a dat; li s-a atras; nu ni s-a amintit; vi s-au adus.

Ex. 5 am uitat; ne-am întors — ne întoarcem — ne vom
întoarce; aţi văzut-o; se duc — se vor duce; ştie.

Ex. 6 (*b*) al optsprezecelea, a cinsprezecea, al treizeci şi
unulea, a cinzeci şi patra, a o sută unsprezecea,
al o mie cinci sute patrulea, al şaptezeci şi unulea.

Ex. 7 Ieri dimineaţa ne-am dus cu maşina la mare. Ana
a vrut să meargă cu trenul fiindcă cu trenul se
merge mai repede, dar lui Patricia nu-i place
trenul, aşa că cei patru prieteni au plecat cu maşina
la Mamaia. Mamaia e lîngă Constanţa. Nu
departe de Constanţa sînt Eforie şi Istria. La
Eforie sînt o mulţime de hoteluri şi blocuri noi,
dar la Istria sînt numai ruine.

Lesson 21

Ex. 4 opt (şi) jumătate; unsprezece fără un sfert; două
şi douăzeci; nouă şi cinci; şapte şi douăzeci şi
opt; cinci fără cinci; trei (şi) jumătate noaptea;
patru şi un sfert după-amiază; douăsprezece fără
zece dimineaţa.

Ex. 6 Dna. şi dl. Smith au plecat cu trenul din Londra
la Bucureşti. Ei au plecat într-o marţi dimineaţă
la ora zece şi jumătate de la Gara Victoria şi au
sosit la Paris la ora şapte seara. De la Paris au
plecat la ora douăsprezece fără douăzeci marţi
noaptea şi după ce au călătorit toată ziua de
miercuri şi de joi au sosit joi seara la ora nouă
şi douăzeci şi cinci la Bucureşti în Gara de Nord.
În felul acesta au călătorit cu trenul cincizeci şi
patru de ore şi jumătate sau puţin mai mult de
două zile şi un sfert.

Lesson 22

Ex. 2 (*a*) am citit; aţi locuit; au plecat; am mers; a vrut;
ce-aţi luat; mi-am cumpărat; i-a plăcut.

(*b*) voi citi; veţi locui; vor pleca; vom merge; va
vrea; veţi lua; îmi voi cumpăra; îi va place.

    (*c*) am să citesc; aveţi să locuiţi; au să plece;
        avem să mergem; are să vrea; aveţi să luaţi;
        am să-mi cumpăr; are să-i placă.

    (*d*) aş citi; aţi locui; ar pleca; am merge; ar vrea;
        ce-aţi lua; mi-aş cumpăra; i-ar place.

Ex. 3 — Ce-ai vrea să facem mîine seară?

       — Aş vrea să mergem la un restaurant. Nu am
         mai fost de mult la restaurant şi aş vrea ceva la
         grătar.

       — Foarte bine. Mergem la un restaurant în centru
         ca să fim mai aproape de hotel. Ştiu eu un
         restaurant unde fac nişte mititei şi nişte
         fripturi foarte bune şi unde au nişte vinuri
         româneşti excelente.

       — Cînd vrei să mergem? Mai devreme sau mai
         tîrziu?

       — Cred că e mai bine mai devreme ca să ne
         putem întoarce acasă mai repede. Ştiu că
         nu-ţi place să mergi noaptea prin oraş.

Lesson 23

Ex. 2 Aş cumpăra . . . dacă aş primi . . .
       Am merge . . . dacă am găsi . . .
       S-ar duce . . . dacă ar avea . . .
       S-ar întoarce . . . dacă ar găsi . . .
       Dacă nu ar trebui . . . ar pleca . . .
       Dacă nu ne-aţi ajuta . . . n-am putea . . .
       Dacă nu i-aţi invita . . . n-ar veni . . .
       Dacă n-ar fi rece . . . ne-am duce . . .

Ex. 3 (1) Stiloul meu are aceeaşi culoare ca al tău.
       (2) Stiloul tău e la fel ca al meu.
       (3) Citesc aceeaşi carte ca tine.
       (4) E acelaşi lucru.
       (5) E la fel de (*or* tot aşa de) mare ca fratele meu.
       (6) S-a întîmplat la fel cu mine.

Ex. 4 *Ana:* Patricia, te rog să ne spui pe româneşte ce ai
        făcut duminica trecută.

P: Cu plăcere. Să încerc. Duminica trecută am
fost la mare. Dar mai întîi trebuie să vă spun
că ne-am înțeles foarte greu cu ce să mergem.
Eu am vrut să mergem cu mașina dar Ana a
vrut cu trenul, fiindcă cu trenul se călătorește
mult mai repede, bineînțeles dacă trenul nu se
oprește prin gări de la București la Constanța.
Deci am luat trenul din Gara de Nord. Trenul
nostru nu a oprit în nicio gară așa că în aproape
două ore și jumătate am sosit la Constanța.
Ne-am dus de acolo la Eforie la un hotel
unde am luat două camere cu cîte două paturi
fiecare la etajul întîi. Apoi ne-am dus la plajă
unde am stat cîteva ore pe nisip, la soare.
După aceea am înotat mult în mare.

A: Patricia! Ce e cu tine? Nimic din ce spui nu
e adevărat!

P: Sigur că nu e adevărat. Nici nu e nevoie să
fie adevărat. Ce facem noi acum e un exercițiu
de conversație. Eu încerc să vorbesc românește,
să spun ceva pe românește.

A: Și nu pot spune decît că ai vorbit foarte
frumos și corect.

Lesson 24

Ex. 4 Era către seară cînd Patricia s-a întors din oraș.
Ea a sunat la ușă și a așteptat puțin. Sandu i-a
deschis ușa.

Ea i-a spus, 'Bună seara'.

După ce i-a răspuns el a întrebat-o 'Ce mai
faci?'

Ea i-a răspuns, 'Bine mulțumesc'.

Apoi i-a spus cum a intrat într-un magazin cu
tot felul de lucruri și cum a început să întrebe pe
o vînzătoare cum se cheamă pe românește unele
articole din magazin.

Ea le-a notat în carnetul ei în timp ce vînză-
toarea se uita curios la ea.

Lesson 25

Ex. 4 (*a*) Dacă aş pleca . . . aş ajunge . . .
             Dacă m-ai ajuta aş termina . . .
             Dacă m-ai întreba ţi-aş răspunde.
             Dacă ai învăţa ai şti . . .
             Ai putea să . . . dacă te-ai duce . . .
             Ana ar primi . . . dacă i-ai trimite-o . . .

      (*b*) Dacă aş fi plecat . . . aş fi ajuns . . .
             Dacă m-ai fi ajutat aş fi terminat . . .
             Dacă m-ai fi întrebat ţi-aş fi răspuns.
             Dacă ai fi învăţat ai fi ştiut . . .
             Ai fi putut să . . . dacă te-ai fi dus .` . .
             Ana ar fi primit . . . dacă i-ai fi trimis-o . . .

Ex. 5 — Aţi avut timp să vedeţi ceva locuri cu adevărat
        interesante în călătoria la Bucureşti?
      — Da, desigur. Am văzut toate clădirile mai
        importante, muzeele, parcurile, statuile — toate
        obiectivele turistice cunoscute. Dar, desigur,
        nu am avut timp să vedem tot ce merită (să
        fie) văzut.
      — Ce v-a impresionat cel mai mult?
      — A, minunatele bulevarde largi, parcurile,
        florile, arhitectura, mîncarea — şi mai cu
        seamă amabilitatea oamenilor.
      — Şi ce v-a plăcut cel mai puţin?
      — Iată o întrebare la care e greu de răspuns!
        Poate căldura cu care noi nu sîntem obişnuiţi
        în Anglia. Vara nu e cel mai bun timp pentru
        a vizita capitala României. Bucureştiul e cel
        mai atrăgător primăvara şi toamna. E mai bine
        să mergi vara la Mamaia, de exemplu, sau la
        Sinaia — să înoţi în Marea Neagră sau să
        mergi pe munţi. Fă aşa cum fac bucureştenii!

Lesson 26

Ex. 2 aş avea; am cumpărat; ne vom întoarce; se ducea
        ('he is on his way'); m-aţi fi invitat; vino; vă va
        da; au primit.

Ex. 3 România e o ţară pe coasta Mării Negre, în
sud-estul Europei. Ţările vecine cu România sînt:
la est şi nord Uniunea Sovietică, la vest Iugoslavia
şi Ungaria iar la sud Bulgaria. Prin România
trece fluviul Dunărea, al doilea fluviu din Europa.
Dunărea izvorăşte din centrul Europei, din
Germania, şi trece prin opt ţări: Germania,
Austria, Cehoslovacia, Ungaria, Iugoslavia, Bul-
garia, România şi Uniunea Sovietică. În România
sînt munţi înalţi şi rîuri şi păduri mari. Pe coasta
mării, Mamaia, la nord de Constanţa, şi Eforie,
la sud (de Constanţa), sînt vestite în toată Europa
pentru plaja, soarele şi marea lor.

Lesson 27

Ex. 3 Îmi ceru; îi dădui; ne întrebă; nu ne răspunse;
nu le plăcu; citiră; ne văzură; veniră.

Ex. 4 — Cine bate la poartă?
— Eu, Ştefan.
— Care Ştefan?
— Ştefan, domnitorul. Am fost învins de Turci.
Deschideţi-mi poarta.
— Tu nu poţi fi Ştefan. Ştefan nu se întoarce
niciodată învins din luptă.
— Mamă, sînt eu fiul tău Ştefan. Sînt rănit.
— Tu nu mai eşti fiul meu dacă te laşi învins. Mai
bine e să mori în luptă decît să-ţi pierzi ţara.
— Te ascult, mamă. Plec iar la luptă.

Lesson 28

Ex. 2 (*a*) mă duceam ...
se întorcea ...
mergeam ...
vă rugam ...
îşi cumpărau ...
veneam ...

(*b*) m-am dus . . .
    s-a întors . . .
    am mers . . .
    v-am rugat . . .
    şi-au cumpărat . . .
    am venit . . .

(*c*) mă dusei . . .
    se întoarse . . .
    merserăm . . .
    vă rugai . . .
    îşi cumpărară . . .
    venirăm . . .

(*d*) mă voi duce . . .
    se va întoarce . . .
    vom merge . . .
    vă voi ruga . . .
    îşi vor cumpăra . . .
    vom veni . . .

(*e*) Am să mă duc
    are să se întoarcă . . .
    avem să mergem . . .
    Am să vă rog . . .
    au să-şi cumpere . . .
    avem să venim . . .

(*f*) m-aş duce . . .
    s-ar întoarce . . .
    am merge . . .
    v-aş ruga . . .
    şi-ar cumpăra . . .
    am veni . . .

Ex. 3 (1) Cum vă (mai) simţiţi? (2) Nu (am să) am
nevoie de doctor. (3) Mă doare capul şi (mă dor)
dinţii. (4) Trebuie să vă schimbaţi costumul de
baie. (5) Să beţi un ceai fierbinte cu rom. (6) Are
să trebuiască să vă vadă un doctor. (7) Dacă vreţi
să ştiţi, vă spun (vă voi spune, am să vă spun).

(8) Nu aveţi nevoie de doctorii (*or* de nici o doctorie). (9) Ingrijiţi-vă sănătatea! (10) Nici *eu* nu m-am simţit bine acum cîteva zile. (11) Pînă mîine vă trece (v-a trecut) durerea de spate. (12) Lăsaţi că n-au nimic. (13) Aveţi să răciţi dacă nu sînteţi atent (atentă, atenţi, atente).

Ex. 4 Intr-o zi Patricia nu s-a simţit (se simţea) prea bine. O durea puţin capul şi o durea şi în gît. Ea voia să se ducă la doctor dar Ana o opri. Ana îi spuse să ia o aspirină şi să bea unul sau două ceaiuri cu rom şi lămîie. Patricia o ascultă şi se simţi îndată bine. Seara cele două prietene s-au dus (se duseră) cu soţii lor la teatrul de operetă.

Lesson 29

Ex. 2 Sample answers:

un + stilou, caiet, dicţionar, ziar	(*M, N*)
o + carte, casă, maşină, revistă	(*F*)
nişte + peşti, mititei, ochelari	(*M*)
nişte + caiete, ziare, cărţi, reviste	(*N, F*)

Ex. 4 E al dvs. Sînt ale lor. Sînt ai ei (*or*: ai săi). E al lor. Sînt ale voastre. Sînt ale lui (*or*: ale sale). E al tău. E a ei.
(*Note*: a sa *is rare*.)

Ex. 5 — Ce faci cînd eşti bolnav?
— Mă duc la doctor.
— Şi doctorul ce-ţi dă?
— Îmi dă o reţetă.
— Ce faci cu reţeta?
— Mă duc cu ea la farmacie.
— Dar dacă n-ai fost la doctor, ce faci?
— Mă duc la farmacie şi cumpăr doctorii care se pot cumpăra fără reţetă.
— Ce fel de medicamente poţi cumpăra la farmacie?

— De pildă: aspirină, pilule, . . . altele nu mai
  ştiu.
— Să-ţi faci o listă ca să ştii cum se cheamă pe
  româneşte diferitele feluri de medicamente şi
  doctorii. Poate să ai nevoie de ele odată.
— N-am să am nevoie de ele. Eu nu mă îmbol-
  năvesc niciodată.
— Eşti *chiar* aşa de sigur?
— Da. Am o sănătate de fier.
— Bravo! Dar atunci de ce am mai avut dialogul
  ăsta?
— Ca să facem puţină conversaţie în limba
  română. Ştii că am nevoie de aşa ceva.

Lesson 30

Ex. 1 (*a*) Ne culcam . . . ne sculam . . .
             Ploua şi ningea . . .
             Era frumoasă . . .
             Mă gîndeam . . .
             . . . se plimbau . . .
             Vă era foame şi sete . . .

         (*b*) Ne-am culcat . . . ne-am sculat
             A plouat şi nins.
             A fost frumoasă . . .
             M-am gîndit . . .
             . . . s-au plimbat . . .
             V-a fost foame şi sete . . .

         (*c*) Ne vom culca . . . ne vom scula
             Va ploua şi va ninge.
             Va fi frumoasă . . .
             Mă voi gîndi . . .
             . . . se vor plimba . . .
             Vă va fi foame şi sete . . .

         (*d*) Avem să ne culcăm . . . avem să ne sculăm . . .
             Are să plouă şi are să ningă.
             Are să fie frumoasă . . .
             Am să mă gîndesc . . .

... au să se plimbe ...
Are să vă fie foame şi sete ...

Ex. 2 Sample answers:

(a) plouă, ninge, e ger, bate vîntul, e prea cald, e frig

(b) oraş, parc, grădină, pădure, ţară, Bucureşti, Sinaia

(c) mergem, plecăm, pornim, ne ducem, ne întoarcem, ne oprim, stăm, venim.

Ex. 3 Ne-a trebuit mult pînă cînd ne-am hotărît unde să ne ducem mai întîi. Unii dintre noi voiau să meargă la munte, alţii la mare. Unii voiau să urce pe munţi, alţii voiau să stea jos în vale. Unii dintre noi voiau să doarmă la cabane alţii voiau la hotel unde sînt camere mari, baie şi apă caldă toată ziua şi nu trebuie să se spele adesea cu apă rece. Apoi sus pe vîrfuri şi creste bate vîntul foarte tare şi plouă mult, uneori chiar ninge.

Cum vedeţi nu a fost prea uşor să ne hotărîm ce să facem, dar în cele din urmă a trebuit să ne înţelegem, fiindcă altfel nu mai plecam la munte.

Lesson 31

Ex. 1 Sample answers:

(a) albastră, albă, galbenă, gri, maro, neagră, roşie, verde

(b) înalt, mare, bătrîn, harnic, obosit, slab, gras, bogat, atent, curios, distrat

(c) frumoasă, drăguţă, înaltă, harnică, optimistă

(d) lung, scurt, uşor, greu, frumos, urît

(e) interesant, nou, plăcut, neplăcut, drăguţ

(f) N spectacol, restaurant, teatru, film, concert, cinema

　　F piesă, revistă, tragedie, comedie, operetă

Ex. 2 neagră; roşii; albi; gri; albastră; albastru; negri; verde; frumoasă; moderne; înalte; mici; noii; drăguţe.

Ex. 3 Cînd mergem într-o ţară străină e bine să putem vorbi puţin limba acelei ţări. Numai aşa putem găsi uşor un hotel. Ne putem înţelege în privinţa camerii: dacă are un pat sau două, dacă are baie sau nu, dacă ne costă mult sau puţin. Apoi cînd mergem la restaurant trebuie să putem înţelege cel puţin cîteva din numele mîncărurilor de pe listă.

Cînd mergem prin prăvălii trebuie să ştim ce să cerem, să înţelegem care e preţul lucrurilor şi articolelor şi unde plătim. Trebuie să putem întreba unde e gara, unde e aeropotul, unde găsim un taxi sau ce autobuze sau troleibuze ne duc la gară sau la aeroport. Şi mai sînt încă multe lucruri de menţionat dar nu le putem menţiona acum pe toate aici.

Lesson 32

Ex. 2 Sample answers:
  (*a*) mama, sora mea, fratele meu, fiul meu, fiica mea, prietena mea, Sandu, Ana, profesorul, doamna Ionescu
  (*b*) fusese, călătorise, mersese, se plimbase, se dusese

Ex. 3 terminasem; ne duseserăm; crezusem *or* crezuserăm că nu avuseseşi; nu se văzuseră; mama primise; nimeni nu o ajutase; copiii nu veniseră.

Ex. 5 acest, acesta, aceştia, aceasta, această, acestui, acestora.

Ex. 6 acea, aceea, acela, aceia, acel, acelui, acelor.

Ex. 7
Bucureşti,
11 septembrie

Dragă Patricia şi William,

Am primit frumoasa voastră scrisoare care ne-a reamintit şi nouă de plăcutele zile (*or* zilele plăcute) pe care le-am petrecut împreună aici, luna trecută.

Sîntem bucuroşi că vizita voastră în România v-a ajutat foarte mult în învăţarea limbii române, dar tot ceea ce trebuie să faceţi acum este să citiţi mult româneşte şi să vorbiţi româneşte unul cu altul, acasă. Ascultaţi de asemeni radio Bucureşti şi scrieţi-ne scrisori lungi în limba română. La anul, cînd vă vom întoarce vizita şi vom veni în Anglia, vrem să vă găsim vorbind limba noastră ca noi.

Vă vom scrie o altă scrisoare mai lungă, în curînd, deoarece plecăm din Bucureşti pentru cîteva zile, chiar azi.

Cu toată dragostea
Ana şi Sandu

ROMANIAN WORD LIST

This is an alphabetical list of the items in the Vocabularies and/or in examples and Exercises. The numbers refer to the Lessons in which the item in question appears first and, sometimes, subsequently. Many grammatical forms, including the numerals and most geographical names, are omitted, and meanings are not distinguished (e.g. *mai* 4 = 'more', *mai* 21 = 'May'). For grammatical items dealt with in the Lessons under Grammar, references can be found in the Index.

A

a 3
abia 30
acasă 8
acel(a) 24, 25
acelaşi 23
acest(a) 3, 9, 20, 24, 25
acolo 5
acoperit 30
a se acoperi 32
activitate 32
acum 5, 28
adăpost 27
a adăuga 26
adesea 18
adevărat 19, 25
adică 18
adînc 30
a se adresa 17
a aduce 16
a-şi aduce aminte 21
aer 23
aeroport 13
afectuos 16
a afla 31
a(h) 18

aici 5
a ajunge 16, 25
a ajuta 15
ajutor 26
al 9, 20, 24, 26, 29
alb 16
albastru 31
alcool 29
a alege 31
aliment 17
alimentară 17
alt 6, 21, 28
altădată 21
altceva 29
altfel 25
amabilitate 25
a ameninţa 25
amiază 21
a(-şi) aminti 21
an 14
Anglia 3
antinevralgic 29
anume 14, 29
a (se) anunţa 13, 32
apă 1, 4, 17

apartament 8
apărător 27
a apărea 25
a aplica 24
apoi 17
aprilie 21
a aprinde 30
aproape 19
a se apropia 16, 22
apropiere 19
apropo (de) 20, 22
apus 20
a (se) arăta 9, 24
arhitectură 25
artă 25
articol 24
a arunca 32
ascensiune 30
a asculta 28
a ascunde 30
aspirină 28
asta 9, 12, 16
astă-seară 30
aşa 12, 18, 25
aşa că 15, 23
aşadar 26
a aştepta 13
atent 18
atenţie 21
atît(a) 15
a atrage 21
atrăgător 25
atunci 9
august 21
autobuz 25
autoservire 17
a auzi 24
a avea 5

avion 13
azi 5

B

ba 21
bagaj 13
baie 8, 20
balcon 23
bancă 29
bancnotă 29
bani 9
bar 20
a bate 27
bazin de înot 32
băiat 5
bărbat 23
bătrîn 31
băutură 22
a bea 28
bere 2, 4
biftec 22
bilet 13
bine 6, 11, 21, 26
bineînţeles 10
birou 5, 29
biserică 27
bloc 8
bogat 26
bolnav 28
bomboană 10
borcan 17
braţ 15
bravo 26
brichetă 30
bridge 31
bucătărie 8

E

englez 3, 6
englezesc 7, 19
englezeşte 6
enorm 26
est 26
etaj 20
etc. 18
eu 3
exact 10
excelent 22
excursie 14
exemplu 31
exerciţiu 7
a exista 32
expresie 29

F

a (se) face 6, 7, 12, 13, 26, 29
familie 8
farmacie 29
fată 1, 5
faţă 16
făină 17
fără 10, 21
februarie 21
fel 7, 10, 13
femeie 29
fereastră 27
fericit 32
fetiţă 9
a fi 3
ficat 28
fie 29
fiecare 20
fier 28
fierbinte 21

fiindcă 13
film 23
fiu 27
floare 25
fluviu 26
foame 30
foarte 6
a folosi 31
folositor 10
a forma 26
fotbal 31
fotografie 9
fotoliu 5, 23
franţuzesc 7
franţuzeşte 6
frate 9
frig 21
friptură 22
frizer 29
frizerie 29
frumos 14
a fuma 19
fumător 19
furnică 16
furtună 32

G

galben 31
galerie 25
gară 16
gata 15
a (se) găsi 19
geamantan 15
general 24
geografie 8
ger 30
a ghici 10

a muri 27
muşchi 22, 26
muzeu 25
muzical 23
muzică 23

N

natural 25
naţional 25
nămol 20
neamţ 27
necăjit 18
nefolositor 19
negru 20
nemţeşte 6
neplăcut 31
nepot 9
nepoată 9
nerăbdare 32
nevoie 8
nicăieri 16
nici 12, 14, 16
niciodată 16
nimeni 16, 27
nimic 4, 16
a ninge 30
nisip 20
nişte 6
noapte 21
noi 5, 17
noiembrie 21
nor 25
nord 20
a nota 24
notă 8

nou 19, 24
nu 4, 14, 16
nu-i aşa 19
numai 4
număr 16
a număra 18
nume 26
numeral 18
nuvelă 7

O

o 1, 15, 16
oameni 25
oară 19
oare 14
oarecum 24
obicei 23
obiect 24, 29
obiectiv 25
obişnuit 23, 25
obosit 31
ochelari 19
octombrie 21
ocupat 24
odată 16
om 1, 5
a omite 31
operetă 28
a (se) opri 16
optimist 21
oraş 10
oră 13, 21
orchestră 22
ordine 21
orez 17
ori de cîte ori 30

a speria 30
spital 28
splendid 30
sport 30
spre 24
a (se) spune 10, 18
a sta 4, 13
stal 23
statuie 25
staţie 25
staţiune 30
sticlă 2
a stinge 30
stilou 5
stîngă 19, 32
stomac 28
stradă 2
străin 12, 24
a se strica 25
student(ă) 3
stuf 26
sub 1
sud 26
sud-est 26
sufragerie 8
a suna 24
supă 22
sus 20
sută 18

Ş

şcoală 24
şi 3, 5, 14, 16, 18, 19, 20
şosea 25
a şti 7, 14, 21
ştiinţă 26
ştrand 28

T

tare 18, 19, 26
taxi 25
teatru 23
telefon 23
a telefona 23
telegramă 13
televiziune 21
televizor 31
a termina 13
text 1, 2
timbru poştal 19
timp 6, 14, 21
timp de 14
tine 16
tînăr 32
tîrziu 15
toaletă 8
toamnă 21, 30
toc 1, 2
tocmai 26
tort 22
tot 7, 14, 18, 19, 20, 23, 24
totdeauna 24
totodată 19
totuşi 10
a traduce 31
tragedie 23
a trebui 12
a trece 21
trecut 16, 21
tren 1, 4
a trimite 13
troleibuz 25
tu 4
a (se) tunde 29

ENGLISH-ROMANIAN VOCABULARY

As in the preceding Word List the meanings of Romanian items under the same entry are not distinguished. There are many 'synonyms' in both languages. Attention is concentrated on those words and meanings used in the Texts, and recourse must be had to the Lesson Vocabularies for details of the various uses and related forms. The preceding Romanian Word List provides the necessary Lesson references. Numerals are listed in Lessons 18 and 20, Geographical Names in Lesson 26.

The majority of entries appear in the Lesson Vocabularies. A few occur only in the Exercises. A small number of 'new' items has been added, and these are accompanied by a minimum of detail. In this connection the following points are worth noting:

(1) unless otherwise stated, all new nouns ending in -ă, -a and -ie are F-nouns;

(2) all other new nouns are of N-gender, unless marked M or F;

(3) the plural ending or the whole plural form of new nouns is given in round brackets, where appropriate, except for F-nouns in -ie (plural ending -ii), and for M-nouns (plural ending -i).

Stress is shown only on new words and phrases. Items in square brackets are to be ignored from the point of view of alphabetical order but *only* from this point of view.

Grammatical forms not occurring in the following list may be located by consulting the Index.

This Vocabulary is followed by a Tourist Restaurant Aid, which is merely a check-list of words you may want to use, may see or hear, in cafés and restaurants (see also Lessons 4 and 22).

A

a(n) un, o, vreun, vreo
to [be] able to a putea
about despre, prin, privitor la, cam
abroad în străinătate
absent-minded distrat
to accept a primi
accident accident (-e)
according to după
accustomed(to) obişnuit (cu, să)
ache durere
to ache a durea
across peste
activity activitate
actually de fapt
to add a adăuga
address adresă (-e)
to address a se adresa
aeroplane avion
affectionate(ly) afectuos
after după (ce), peste, în urma
after that pe urmă, după aceea, mai departe
afternoon după-masă, după-amiază
[this] afternoon azi după-masă
again iar, iarăşi, mai, din nou
against împotriva
ago acum
agreed s-a făcut, de acord
air aer
airport aeroport
alcohol alcool
to alight a coborî
alighting coborîre
all tot(ul), toţi, cîţi
all right bine, s-a făcut
[that's] all right pentru nimic, cu plăcere
all round în jur
almost aproape
alone singur
already şi, deja
also şi, mai (şi), tot, totodată, de asemeni

although deşi
altogether în total, cu totul
always (în)totdeauna
among printre
and şi, iar
and so on şi aşa mai departe
to announce a anunţa
annoyed necăjit, supărat
another (un) alt, altul, încă un(ul)
another time altădată
answer a răspunde
ant furnică
any nişte, oricare, orice
anyhow, in any case în orice caz
anyone cineva, oricine
anyone else altcineva
anything ceva, orice
anything else altceva, mai ceva
anywhere undeva, oriunde
apartment apartament
apartment block bloc
to apologise a-şi cere scuze, a-şi cere iertare
apparently parcă
to appear a apărea, a se vedea, a arăta
appetite poftă de mîncare
apple măr
to approach a se apropia (de)
April aprilie
arm braţ
armchair fotoliu
to arrive a sosi, a ajunge
arrival sosire
art artă
article articol
as ca, cum, deoarece, după cum, pe cînd, pe măsură ce
as ... as tot aşa de ... ca, tot atît de ... ca, le fel de ... ca
as ... as possible cît mai ...
as well şi, mai (şi)
ashamed ruşinat
to ask a cere, a întreba, a ruga

to ask a question a pune o
   întrebare
aspirin aspirină
assistance ajutor
assistant ajutor
astonished uim*it*
astonishing uimit*or*
at la, în, din, de la, pe
at home acasă
at last în sfîrşit, în fine
attention atenţie
attentive(ly) atent
to attract a atrage
attractive(ly) atrăgător
August august
autumn toamnă
avenue bulevard
to await a aştepta

B

back spate, înapoi
bad rău, prost
to bake a coace, a prăji
balcony balcon
ball minge
bandage band*aj* (-e), pansa-
   ment
bank bancă
(bank) note bancnotă
bar bar
barber frizer
barber's shop frizerie
basket coş
bath(-room) baie
bathing costume costum de
   baie
battle luptă
to be a fi, a se afla, a se găsi
to be able to a putea
beach plajă
to beat a bate
beautiful frumos
because deoarece, fiindcă,
   pentru că
because of din cauza
to beckon a face semn cu mîna

to become a deveni, a se face
bed pat
to [go to] bed a se culca
bedroom dormitor
beef carne de vacă
beer bere
before înainte (de, de a), pînă
   cînd
to begin a începe, a porni
beginning început
to believe a crede
below jos
bench bancă
[(the)] best cel mai bun, cel
   mai bine
better mai bun, mai bine
between între, dintre
big mare
bill notă de plată
bird *pas*ăre (*păs*ări) *F*
black negru
blade lamă
block (of flats) bloc
blouse bl*uz*ă (-e)
to blow a bate, a sufla
blue albastru
boat vas (-e), b*ar*că (b*ăr*cĭ)
book carte
to book a reţine, a rezerva
bookshop librăr*ie*
bordering vecin
both amîndoi, cîţi
both . . . and şi . . . (ca) şi,
   atît . . . cît şi
bottle sticlă
boulevard bulevard
box ladă, cutie, lojă
boy băiat
bravo bravo
bread pîine
to break a (se) strica
breast sîn *M*, piept (-urĭ)
bridge pod (-urĭ), bridge
to bring a aduce
British englez, brit*anic* (-ă, -ĭ
   -e)

broken stricat
brother frate
brush perie
Bucharest Bucureşti
Bucharestian bucureştean
to build a construi, a înălţa
building clădire
bus autobuz
bus-stop staţie
busy ocupat, activ (-ă, -ĭ, -e)
but dar, ci, iar, însă
butter unt N
button buton, nasture M
to buy a cumpăra
by cu, de, (de) la, lîngă, prin,
  pînă
by the way apropo

C

cabin cabană, cabină (-e)
cable telegramă
café cofetărie
cake prăjitură, tort
['phone] call telefon
to call a chema
to [be] called a se chema, a se
  spune
to call on a vizita, a trece pe la
can a putea
car maşină
care grijă
to [take] care of a îngriji
careful atent
carefully atent, cu grijă
carp crap
to carry a duce
to carry on a continua, a duce
to carry out a îndeplini
case caz, geamantan
cash-desk casă
cat pisică
category categorie
cause cauză
caviar icre negre
centre centru

century secol
certain sigur
certainly desigur, bineînţeles
chair scaun
chance prilej (-uri), întîmplare
[by] chance din întîmplare
change rest, banĭ mărunţĭ,
  schimb(are)
to change a (se) schimba
cheap ieftin
cheerio la revedere, cu bine
cheers noroc
chemist's drogherie, farmacie
chest ladă, piept
child copil
chips cartofi pai, cartofi prăjiţi
chocolate ciocolată
to choose a alege
Christmas Crăciun (-urĭ)
church biserică
cigar ţigară de foi
cigarette ţigară
cinema cinema(tograf)
circle cerc (-uri)
[dress-, upper-]circle balcon
to circulate a circula
citadel cetate
city oraş, cetate
class clasă
class-room (sală de) clasă
clear(ly) clar
client client
climb ascensiune
to climb a (se) urca
clinic policlinică
clock ceas
to close a închide
close to lîngă, aproape de
clothes haine
cloud nor
coast litoral, coastă
coat haină
coffee cafea
cold frig, rece, răceală
to [catch (a)] cold a răci
colleague coleg (-i) M

colour culoare
comb pieptene
to come a veni
comedy comedie
concerning privitor la, apropo de
concert concert
to confuse a încurca
to conquer a învinge
consent voie
to consider a (se) gîndi
to construct a construi
to continue a continua
conversation conversație
cook a găti
cool răcoros (-oasă, -oși, -oase), răcoare
copy exemplar (-e)
corner colț
[round the] corner după colț
correct(ly) corect, exact
to cost a costa
costume costum
[swimming] costume costum de baie
cotton bumbac N, ață (-e)
cotton-wool vată
to count a număra
country țară
courage curaj
course curs, decurs, fel de mîncare
court(yard) curte
to cover a acoperi
covered acoperit
cow vacă
crowd mulțime
cup ceașcă (ceștí)
curious(ly) curios
custom obicei, datină (-i)
customer client, cumpărător
customs vamă
to cut a tăia

D

daily zilnic

to dare a îndrăzni
date dată
daughter fată, fiică (-e)
day zi
[the] day after tomorrow poimîine
[in three] days' time răspoimîine
dear drag, scump
December decembrie
to decide a decide, a (se) hotărî
deep adînc
to defeat a învinge
defender apărător
delta deltă
dentist dentist
to depart a pleca
departure plecare
to depend a depinde
to deserve a merita
desk birou
dessert desert
dialogue dialog
dictionary dicționar
to die a muri
different diferit
difficult greu
dimension dimensiune
to dine a lua masa, a se ospăta
dining-room sufragerie
direct direct
directly îndată
dish (fel de) mîncare, farfurie
distance distanță (-e)
[in the] distance departe
district regiune
to divide a despărți
to do a face
doctor doctor(iță), medic (-i) M
dog cîine
done gata
to [be] done a se face, a fi gata
door ușă
down (în) jos

to draw a trage, a atrage, a desena

drawing-room salon

dress rochie

to dress a (se) îmbrăca

to [get] dressed a se îmbrăca

dressing pansament

drink băutură

to drink a bea

to drive a conduce

drug doctorie

dry sec (sea*că*, sec*ĭ*)

to dry a (se) usca

dye a vopsi

E

each fiecare, toţi, cîţi

ear ur*e*che (-ĭ) *F*

early devreme

to earn a cîştiga

earth păm*î*nt (-urĭ)

easily uşor

east est

Easter Paştĭ *M sg.*

easy uşor

to eat a mînca

egg ou

either . . . or fie . . . fie

else mai, alt-, altfel

embassy ambas*ad*ă (-e)

to embrace a se îmbrăţişa

empty gol

encouragement încurajare

end sfîrşit

to end a (se) sfîrşi, a termina

[in the] end în cele din urmă, în sfîrşit

English englez (esc),englezeşte, limba engleză

English woman englez*o*a*ică* (-e)

Englishman englez

to enjoy oneself a petrece bine

enormous enorm

enough destul (de), de ajuns, sufici*e*nt (-tă, -ţĭ, -te)

to [have] enough (of) a se sătura (de)

to enrich a îmbogăţi

to enter a intra

envelope plic

equipment echipament

to erect a înălţa

error greşeală

especially mai cu seamă, mai al*e*s

even chiar

evening seară

[in the] evening seara, după-masă

[this] evening astă-seară

event întîmplare

every fiecare, toţi, cîţi

every time ori de cîte ori

everyone fiecare, toţi, toată lumea

everything tot(ul), toate

everywhere peste tot

exactly exact

example exemplu, pildă

[for] example de exemplu, de pildă

excellent excelent

except (for) în afară de

excursion excursie

excuse scuză

to excuse a scuza

excuse me please perm*i*teţĭ vă rog, vă rog să mă scuz*aţ*ĭ, pard*o*n

exercise exerciţiu

exercise-book caiet

expensive scump

expression expresie

eye ochĭ (ochĭ) *M*

F

face faţă

fact fapt

[in] fact de fapt

to fall a cădea

family familie, soţii

famous celebru (-ă, -i, -e),
  vestit
far (away) departe
[as] far as pînă la
[as] far as I know pe cît ştiu
fast repede
fat gras
father tată (taţĭ) M
[my] father tatăl meu, tata
February februarie
to feel a se simţi
to feel like a avea chef (de, să)
[(a)] few puţini, cîţiva
film film
to find a găsi
to find out a constata
to finish a termina
finished gata, terminat
first (mai) întîi
[the] first primul, întîiul
fish peşte
flat apartament, plat (-tă, -ţĭ,
  -te)
floor etaj, duşumea (-le), par-
  doseală (-selĭ)
flour făină
to flow a se vărsa, a curge
flower floare
to follow a urma
food aliment(e), mîncare,
  bucate F pl.
food-shop alimentară
fool(ish) prost, idiot (-oată,
  -oţĭ, -oate)
foot picior (picioare)
football fotbal, minge de fotbal
for pentru, de, timp de, căci,
  fiindcă
foreign(er) străin
to forget a uita
fork furculiţă (-e)
to form a forma
fountain-pen stilou
free liber
French francez, franţuzesc,
  franţuzeşte

fresh proaspăt
Friday vineri
friend prieten(ă)
to frighten a speria
from din, de, de la
front faţă
[in] front în faţă
frost ger
to fry a prăji
full plin
further (on, away) mai departe
future viitor
[in (the)] future pe viitor

G

to gain a cîştiga
gallery galerie
game joc (-urĭ), meci
garden grădină
gate poartă
general general
generally de obicei, în general
gentleman domn
geography geografie
German nemţesc, nemţeşte,
  neamţ
to get a primi, a găsi, a ajunge,
  a deveni
[how do I] get to X? care e
  drumul la X?
to get down, out a coborî
to get in, on a se urca (în)
to get on (with) a continua, a
  se înţelege (cu)
to get up a se scula
gift cadou (-rĭ)
girl fată, fetiţă
to give a da
glad bucuros
glass pahar, sticlă
glasses ochelari
glory slavă
glove mănuşă
to go a merge, a se duce
to go away a trece, a se duce,
  a pleca

to go down   a coborî
to go in   a intra
to go inside   a intra înăuntru
to go out   a ieşi, a se stinge
God   Dumnezeu
gold   *a*ur
good   bun, bine
good afternoon   bună ziua
good at   tare la
good evening   bună seara
good morning   bună dimineaţa
good night   bună seara, noapte bună (*intimate*)
to [have a] good time   a petrece bine
good-will   bunăvoinţă
goodbye   la revedere, ad*i*o, răm*a*s b*u*n
grammar   gramatică
gram   gram
granddaughter   nepoată
grandparent   bun*i*c (-*i*) *M*, bun*i*că (-*i*) *F*
grandson   nepot
grass   iarbă
gratitude   mulţumire
green   verde
grey   gri
grill   grătar
grilled   la grătar
grocer's   alimentară
ground   păm*i*nt (-ur*i*)
guard   apărător, g*a*rdă (gărz*i*)
to guess   a ghici
guest   o*a*spete (-ţi) *M*, musaf*i*r *M*, -ă (-e) *F*

H
habit   obicei
hair   păr
to [have a] haircut   a se tunde
to [have one's] hair done   a se coafa
haircut   tuns
hairdo   coafură
[ladies'] hairdresser   coafor

[ladies'] hairdresser's   salon de coafură
[men's] hairdresser   frizer
[men's] hairdresser's   frizerie
hairdressing   coafat
half   jumătate
hall   sală
hall(way)   hol
hand   mînă
[on the other] hand   pe de altă parte, în schimb
handbag   poşetă (-e)
to happen   a se întîmpla
happening   întîmplare
happy   fericit
happy birthday, New Year   la mulţi an*i*!
hard   greu, tare
hard-working   harnic
hardly   abia
hat   pălăr*i*e
to have   a avea, a lua
to have to   a trebu*i* să
he   el, dumnealui
head   cap
headache   durere de cap
headache pill   antinevralgic
health   sănătate
healthy   sănătos
to hear   a auzi
to hear (about)   a afla
heart   inimă
[by] heart   pe dinafară
heat   căldură
heaven   cer
heavy   greu
help   ajutor
to help   a ajuta
her(s)   (al) ei, (al) său
here   aici
here is, are   iată
to hide   a ascunde
high   înalt
high (up)   sus
high-road   şosea
hike   plimbare

hill deal
his (al) lui, (al) său
historic(al) istoric
history istorie
to hold a ţine
holiday concediu, sărbătoare (-torĭ) *F*
home casă, acasă
[at] home acasă
to hope a spera
horse cal (cai) *M*
hospital spital
hospitality ospitalitate
hospodar domnitor
hot cald, fierbinte
hotel hotel
hour oră
house casă
how cum, ce, cît (de)
how are you? ce mai fac(eţ)i?
how many cîţi
how much cît
however totuşi, însă, de altfel
hundred sută
[I'm] hungry mi-e foame
hurray ura
to hurry a se grăbi
[in a] hurry grăbit
to hurt a durea
husband soţ

I
I eu
ice gheaţă (gheţĭ-)
ice-cream îngheţată
idea idee
if dacă
ill bolnav
to [become] ill a se îmbolnăvi
immediately imediat, îndată
impatience nerăbdare
important important
to impress a impresiona
impression impresie
impressive impresionant

in în, într-, la, din, de la, pe, peste, prin
in front în faţa
in order to ca să, pentru a
incidentally apropo
indeed chiar
industrious harnic
to inform a înştiinţa, a anunţa
ink cerneală
inquisitive curios
inside înăuntru
instance exemplu, caz
[for] instance de exemplu, de pildă
instead (of) în loc (de, să)
instead of me în locul meu
interesting interesant
international internaţional, universal
invitation invitaţie
to invite a invita
iron fier
item articol, număr
its lui, ei, său

J
jam marmeladă, gem (-urĭ), dulceaţă (dulceţurĭ)
January ianuarie
jar borcan
to join a (se) uni
joke glumă
journal revistă
journey călătorie
jug cană
July iulie
to jump a sări
June iunie
just drept, chiar, tocmai, cam, abia, tot, exact

K
to keep a ţine
key cheie (chei) *F*
kidney rinichi

kilo(gram) kilogram
kilometre kilometru
kind bun, amabil (-ă, -ĭ, -e), fel
kindness bunăvoinţă, bunătate (-tăţĭ), amabilitate
to kiss a (se) săruta
kit echipament
kitchen bucătărie
knife cuţit (-e)
to knock a bate
to know a şti, a cunoaşte
to [get to] know a se învăţa cu
knowledge ştiinţă

L

lady doamnă
[young] lady domnişoară
lake lac, ghiol
lamp lampă
land ţară, pămînt (-urĭ)
language limbă
large mare
last trecut
[at] last în sfîrşit
[the] last ultimul
last year anul trecut
late tîrziu
to laugh a rîde
lavatory toaletă, closet (-e)
law lege
to learn a învăţa
learning învăţare
[at] least cel puţin
[the] least cel mai puţin
leave concediu
to leave a pleca, a lăsa
to leave behind a uita, a lăsa (în urmă)
to leave out a omite
left stîngă
to [be] left out a lipsi
leg picior
legend legendă
lemon lămîie

less mai puţin, fără
lesson lecţie
letter scrisoare
liar mincinos
library bibliotecă (-ĭ)
to lie a sta, a fi, a minţi
to lie down a se culca
life viaţă
lift lift
light uşor, lumină (-ĭ)
to light a aprinde
lighter brichetă
to like a plăcea, a vrea
like ca, la fel ca
like that, this aşa, astfel, în modul acesta
likewise tot, de asemeni
lion leu
list listă
to listen (to) a asculta
literature literatură
little mic
[a] little puţin, cam, oarecum
litre litru (litri) M, kilogram
to live a locui, a trăi
[long] live trăiască
liver ficat
London Londra
long lung, de mult, mult (timp)
[as] long as (atîta vreme) cît, cu condiţia ca
look! uite
to look a privi, a se uita
to look after a îngriji
to look for a căuta
to lose a pierde
lost pierdut
[the] lost-property office biroul obiectelor pierdute
[a] lot (of) o mulţime (de), mult, mulţi
love dragoste, amor (-urĭ)
to love a iubi
lovely frumos, atrăgător
luck noroc (noroace)
luggage bagaj(e)

M

machine maşină
mackintosh pardesiu de ploaie
to [be] made a se face
made of de, făcut din
magazine revistă
to make a face
man om, bărbat
manner fel, mod
many mulţi
[(very)] many a mulţime de
March martie
mark notă, semn
market piaţă, tîrg (-urĭ)
market-place piaţă
marmalade marmeladă
to [get] married a se căsători
marvellous minunat
match chibrit, meci
mathematics matematică
matter chestiune (-ĭ) F, pro-
   blemă (-e)
[it doesn't] matter nu face
   nimic
[what's the] matter? ce este?
May mai
may a (se) putea, a avea voie,
   a fi posibil
maybe poate
to mean a însemna
meanwhile între timp
means mijloc
[by] means of prin
meat carne (cărnurĭ) F
mediaeval medieval
medicine doctorie, medica-
   ment
to meet a (se) întîlni (cu)
meeting întîlnire (-ĭ) F
to mend a repara
to mention a menţiona
menu listă (de bucate, de
   mîncare), meniu (meniurĭ)
method mijloc, metodă (-e)
middle mijloc, centru
milk lapte

million milion
mine al meu, mină (-e)
mineral water apă minerală
minute minut
Miss domnişoara
to miss the train a pierde
   trenul
to [be] missed a lipsi
mistake greşeală
to mix up a (se) încurca
modern modern
moment moment
monastery mănăstire
Monday luni
money bani
month lună
monument monument
moon lună
more mai (mult, mulţi)
more and more tot mai
moreover de altfel, în plus, pe
   deasupra
morning dimineaţă
mother mamă
mountain munte
mouth gură (-ĭ)
[river] mouth vărsare
to move a (se) mişca, a circula
to move (house) a se muta
Mr domnul
Mrs doamna
much mult
mud nămol
mud bath baie de nămol
to muddle a (se) încurca
muscle muşchi
museum muzeu
music muzică
musical muzical
must a trebui să
mustard muştar
my meu

N

name nume
namely anume, adică

nasty neplăcut, urît

national naţional

natural natural

near (to) lîngă, aproape de

nearby aproape, prin apropiere

nearly aproape

neck gît

need nevoie

to need a avea nevoie de, a trebui

needle ac (-e)

neighbour vecin

neighbouring vecin

neither nici

nephew nepot

never niciodată

nevertheless totuşi

new nou

newspaper ziar

news-stand debit de ziare

next viitor, mai departe, pe urmă

next year la anul

nice frumos, plăcut, drăguţ, atrăgător

niece nepoată

night noapte

[last] night aseară, noaptea trecută

night-club bar (de noapte), cabaret (-e)

nil zero

no nu, ba

no one, nobody nimeni

nor nici

north nord

nose nas (-urï)

not nu

not at all de loc, pentru nimic, cu plăcere

not to worry n-avea grijă

to note a nota

note notă, bancnotă

note-book carnet

nothing nimic

to notice a constata, a observa

to notify a anunţa, a înştiinţa

novel roman

November noiembrie

now acum

[from] now on de-acuma, pe viitor

number număr, numeral

O

to obey a asculta de

object obiect, lucru, articol

to observe a observa, a constata

occasion oară, prilej (-urï)

occupied ocupat

to occur a se întîmpla

October octombrie

odd(ly) curios, ciudat (-tă, -ţi, -te)

of cu, de, din, de la, lui, al, dintre

of course bineînţeles

office birou, oficiu (oficii)

often adesea, des

oh o(h), a(h), vai

oil ulei (-urï)

old vechi, bătrîn

[how] old are you? cîţi ani aveţi?

old man bătrîn

old woman bătrînă

olive măslină (-e)

olive oil untdelemn

to omit a omite

on pe, în, la

once odată

once more iar, din nou, încă o dată

one un(ul), o, una, vreunul, vreuna

[the] one unul, cel

one's own propriu (-ie, -ii, -ii)

[on] one's own, by oneself singur

only numai, nu . . . decît, abia

to open a deschide

open deschis, liber

[in the] open air   în aer liber
open-air theatre   grădină
operetta   operetă
optimist   optimist
or   sau
orchestra   orchestră
to order   a comanda, a cere
order   ordine
[in] order that   ca să
[in] order to   pentru a
ordinary   obişnuit
other   alt, alţi
[the] other   celălalt
[the] other day   deunăzi
otherwise   altfel
ought to   ar trebui să, a se
   cuveni să
our(s)   (al) nostru
outside   afară, pe dinafară
over   peste, terminat, gata
over here   (pe) aici
over there   (pe) acolo
to [become] overcast   a se
   acoperi
overcoat   pardesiu
to owe   a datora
[one's] own   propriu (-ie, -ii, -ii)
to own   a poseda

P
to pack   a face bagajele
page   pagină (-ǐ)
pain   durere
to paint   a vopsi, a picta
painting   pictură, tablou (-rǐ)
pantry   cămară
paper   hîrtie
pardon?   poftim, cum?
park   parc
to park   a parca
parking-place   loc de parcare
part   parte, rol (-uri)
to part   a se despărţi
to pass   a trece
past   trecut
paste   pastă

pay(ment)   plată
to pay   a plăti
to pay the bill   a face plata
peak   vîrf
pen   toc, stilou
pencil   creion
people   lume, oameni
pepper   piper N
perfect   perfect
perhaps   poate
periodical   revistă
permission   voie
person   persoană
pessimist   pesimist
petrol   benzină (-e)
pharmacy   drogherie, farmacie
photograph   fotografie
phrase   expresie
picture   film, ilustraţie, pictură,
   tablou (-rǐ)
piece   bucată (bucăţi)
pig   porc
pill   pilulă
pity   milă (-e)
[it's a] pity   păcat
place   loc
plain   simplu, clar, cîmpie
plan   plan
plane   avion
plateau   platou (-rǐ), podiş
platform   peron
play   piesă
to play   a se juca, a cînta
pleasant   plăcut, frumos,
   atrăgător
please   vă rog, poftiţi
pleasure   plăcere
plum   prună (-e)
plum brandy   ţuică
pocket   buzunar
police   miliţie
polite   politicos (-oasă, -oşǐ,
   -oase)
poor   sărac, prost
pork   carne de porc
port   port

possible posibil (-ă, -i, -e)
possibly (se) poate, eventual
to post a expedia (prin poştă)
post-office poştă, oficiu poştal
postage stamp timbru poştal
postal poştal
pot borcan, vas (-e)
to pour a (se) vărsa
powder pudră
practical(ly) practic
practice practică
precisely tocmai, exact, precis
to prefer a prefera
to prepare (oneself) a se pregăti
prescription reţetă
present cadou (-ri)
price preţ
priest preot (-ţi) M, popă (-i) M
prince prinţ M, domnitor
programme program
to promise a promite
to propose a propune
to pull a trage
pupil elev M, elevă (-e)
purchase cumpărătură
to purchase a cumpăra
purse pungă (-i)
to push a împinge
to put a pune
to put on a pune, a aprinde
to put out a stinge

Q

quantity număr, mărime, cantitate (-ăţi)
quarter sfert
question întrebare, problemă (-e)
queue coadă (cozi)
quick iute, repede, rapid (-dă, -zi, -de)
quiet liniştit (-tă, -ţi, -te)
quite destul de, cam, chiar

R

radio radio

railway cale ferată
railway station gară
to rain a ploua
rain ploaie
raincoat pardesiu de ploaie
to raise a înălţa, a ridica
rare(ly) rar
rather mai bine, mai degrabă, cam
[I'd] rather aş prefera să
razor aparat (-e) de ras
razor-blade lamă de ras
to reach a ajunge la, a atinge
to read a citi
reader cititor
ready gata
to [get] ready a se pregăti
to realize a constata, a înţelege, a-şi da seama
really de fapt, chiar, cu adevărat
receipt recipisă (-e), chitanţă (-e), primire (-i) F
to receive a primi
recently de curînd, recent, mai deunăzi
recipe reţetă
red roşu
to reduce a reduce
reduced redus
reed stuf
regarding privitor la, apropo de
region regiune
to remain a rămîne, a sta
remainder rest
to remember a ţine minte, a-şi aduce aminte, a-şi aminti
to remind a aminti
[that] reminds me apropo
to repair a repara
reply răspuns
to reply a răspunde
request a cere
reserve a rezerva, a reţine
resort staţiune

rest rest, pauză (-e)
restaurant restaurant
result rezultat
[as a] result of în urma
to resume a relua
to retain a reţine
return înapoiere
to return a (se) întoarce, a
  pleca înapoi
review revistă, recenzie
revue revistă
rice orez
rich bogat
ridge creastă
right dreaptă, aşa
to [be] right a avea dreptate
ring inel
to ring a suna
to ring (up) a telefona
to rise a răsări, a se scula, a
  izvorî
river rîu, fluviu
road cale (căi) F, drum, şosea
to roast a frige, a prăji
roe icre
roll chiflă
Romanian român(că),
  românesc, româneşte
room cameră
round în jurul, rotund (-dă,
  -zi, -de)
ruin ruină
rum rom
Russian rus(esc), ruseşte

S
sad trist (tristă, trişti, triste)
to [be] said a se spune
salad salată
salami salam
salt sare F
[the] same (as) acelaşi (ca, cu)
[the] same (kind) (as) la fel
  (ca)
[the] same (thing) acelaşi lucru

[at the] same time totodată, în
  acelaşi timp
[in the] same way la fel
sand nisip
Saturday sîmbătă
to say a spune, a zice
to say goodbye a se despărţi
scarcely abia
scenery decor, peisaj (-e)
school şcoală
science ştiinţă
sea mare
seaside litoral
seat loc, scaun
to see a vedea
to see again a revedea
to see each other a se vedea
to seek a căuta
to seem a se părea
[it] seems (that) parcă, se pare
  (că)
seldom rar
to select a alege
self-service autoservire
semolina gris
to send a trimite
sentence frază (-e)
to separate a separa, a (se)
  despărţi
September septembrie
serious serios
to serve a servi
to set off a pleca
setting decor
several mai mulţi
[I] shall voi, am să
shave ras
to shave a (se) rade
she ea, dumneaei
shelter adăpost
shirt cămaşă (-i)
shoe pantof
shoemaker cizmar M
shop magazin, prăvălie
shop-assistant vînzător,
  vînzătoare

to [go] shopping a se duce la
   cumpărături
short scurt
show revistă, spectacol
to show a arăta
to [be] shown a se arăta
to shut a închide
sick bolnav
side parte
sight obiectiv turistic, ved*e*re
   (-i) *F*
sign semn
to signify a însemna
silver arg*i*nt
simple simplu
sin păcat
since de, de cînd, deoarece
to sing a cînta
sister soră
to sit a sta, a şedea
sitting-room salon
size mărime, număr
skating patinaj
ski(ing) schi
to skim (through) a răsfoi
skirt f*u*stă (-e)
sky cer
to sleep a dormi
sleep somn
[I'm] sleepy mi-e somn
slope coastă
slow(ly) încet
small mic
to smoke a fuma
smoker fumător
snack-bar buf*e*t-expr*e*s (buf*e*te-
   expr*e*se, l*a*ctob*a*r (-ur*i*)
to snow a ninge
so (chiar) aşa (de), prea
[(and)] so aşa că, aşadar, deci
so (as to) ca să
so many atîţia
so much atît(a)
so (that) aşa că, ca să
soap săpun
so*d*a-water sifon

some n*i*şte, unii, cîţiva
some (or other) vreun, cîte un
somehow oarecum
someone cineva
someone else altcineva
something (else) (alt)ceva,
   (mai) ceva
sometimes uneori
somewhat cam, oarecum, puţin
son fiu, băiat
song c*i*ntec (-e)
soon (în) curînd, îndată
[as] soon as de îndată ce
sorry scuzaţi-mă
[I'm] sorry îmi pare rău
sort fel
soup supă, bor*ş* (-ur*i*), ci*o*rbă
   (-e)
south sud
south-east sud-est
to speak a vorbi
to speak to a vorbi cu, a
   adresa
to spend a cheltui, a petrece
splendid splendid
spoken vorbit
spoon l*i*ngură (-*i*)
sport sport
spring primăvară
square pătr*a*t (-e), piaţă
stale vechi
stalls staluri, fotolii
stamp timbru (poştal)
to stand a sta
start început
to start a începe, a pleca, a
   porni
station gară
stationer's papetărie
statue statuie
to stay a sta, a rămîne
steak biftec, muşchi de vacă
to steal a fura
steel o*ţ*el
stewed fruit compot
still încă, tot (mai), linişt*i*t

stocking   ciorap M
stomach   stomac
to stop   a opri, a sta
[bus-, tram-]stop   stație
store   magazin
storey   etaj
storm   furtună
story   nuvelă, povestire
straight   drept, direct
straight on   drept înainte
strange(ly)   ciudat (-tă, -ți, -te),
    curios, străin
street   stradă
strong   tare
[collar] stud   buton (de guler)
student   student(ă)
study   birou
to study   a studia
stupid   prost, tîmpit (-tă, -ți,
    -te)
sturgeon   morun
to succeed (in)   a reuși (să)
such   astfel de
sufficient   destul (de), suficient
    (-tă, -ți, -te)
sugar   zahăr
[castor] sugar   zahăr tos
[powder] sugar   zahăr pudră
to suggest   a propune
suit   costum
suitcase   geamantan
summer   vară
summit   vîrf
sun   soare
Sunday   duminică
sunrise   răsărit (de soare)
sunset   apus (de soare)
sure   sigur
sweet   bomboană, desert, dulce
    (-e, -i, -i)
to swim   a înota
swimming costume   costum de
    baie
swimming pool   bazin de înot,
    ștrand
to switch off   a stinge

to switch on   a aprinde
syphon   sifon
system   sistem

T

table   masă
to take   a duce, a lua
talk   conversație, convorbire
to talk   a vorbi
tall   înalt, mare
taxi   taxi
tea   ceai
to teach   a învăța
teacher   profesor, profesoară
teaspoon   linguriță (-e)
telegram   telegramă
to telephone   a telefona
telephone   telefon
telephone call   telefon
[by] telephone   prin telefon
[on, over the] telephone   la
    telefon
television   televiziune, televizor
to tell   a anunța, a povesti, a
    spune
text   text
textbook   manual
than   ca, decît, de
to thank   a mulțumi
thank you very much   vă
    mulțumesc foarte mult
thanks!   mulțumesc, mersi
thanks   mulțumire
that   acest(a), acel(a), asta, că,
    (pe) care
that is (to say)   adică
that's the way   așa
that's why   de aceea, iată de ce
the   -(u)l, -le, -(u)a, -i, cel
theatre   teatru
their(s)   (al) lor
then   (pe) atunci, apoi, așa dar,
    pe urmă
there   acolo
there is   este, se află

therefore aşadar, deci, de aceea

they ei, ele, dumnealor

thin subţire (-e, -ĭ, -ĭ), slab

thing lucru, obiect

to think a crede, a (se) gîndi

[I] think (that) cred că, parcă

[I'm] thirsty mi-e sete

this acest(a), asta

thoroughly complet, absolut (-tă, -ţĭ, -te)

thoroughfare arteră (-e), şosea

though deşi, totuşi, însă

thought gînd

thousand mie

thread aţă (-e)

to threaten a ameninţa

throat gît

through prin

to throw a arunca

Thursday joi

thus aşa, astfel, în modul acesta

ticket bilet

time timp, vreme, oră, oară

[from] time to time din cînd în cînd

to [have a good] time a petrece bine, a se amuza

[in] time la timp

[three] times de trei ori

tired obosit

to la, pe, (pentru) a, lui

tobacco tutun

tobacconist's tutungerie

today azi, astăzi

together împreună

toilet toaletă

token semn

to [be] told a se spune

tomato roşie

tomorrow mîine

tomorrow evening mîine seară

tongue limbă

tonight astă-seară, deseară, la noapte

too şi, mai (şi), de asemeni, prea

tooth dinte

top vîrf, parte de sus

[on] top deasupra, sus

tourist turist, turistic

towards spre, către

towel prosop (prosoape)

tower turn

town oraş

tragedy tragedie

train tren

tram tramvai (-e)

to translate a traduce

to travel a călători, a merge

tree pom

trip excursie, călătorie

trolleybus troleibuz

trousers pantaloni M pl.

true adevărat

truly cu adevărat

to try a încerca

Tuesday marţi

Turk turc

twice de două ori

U

ugly urît

umbrella umbrelă

under sub

to understand a înţelege

to undress a (se) dezbrăca

unfortunately din păcate

universal universal

university universitate (-tăţĭ) F

unpleasant neplăcut

until pînă la, pînă (cînd)

up (în) sus

up to pînă la

upset necăjit

to use a folosi

used (to) obişnuit (cu, să)

to [get] used to a se învăţa cu

useful folositor

useless nefolositor

usual obişnuit

[as] usual ca de obicei

usually de obicei

V

valley vale
vermouth vermut
very foarte, tare, prea
via prin, via
vicinity apropiere
view vedere (-ĭ) F
village sat
vinegar oţet
visit vizită
to visit a vizita
vocabulary vocabular
volume volum
to vote a vota

W

to wait a aştepta, a sta
to wait for a aştepta
waiter chelner
waitress chelneriţă (-e)
to wake a (se) trezi
walk plimbare
to walk a merge, a se plimba
wall perete (-ţi) M
wallet portofel (-e)
to want a vrea, a dori
warm cald
to warm (up) a (se) încălzi
to wash a (se) spăla
watch ceas
to watch a privi la, a se uita
la
water apă
wave a face semn cu mîna, a
saluta
way drum, fel, metodă
[by the] way apropo
[this] way pe aici
we noi
weak slab
weather timp, vreme
Wednesday miercuri
week săptămînă
well bine, sănătos, ei, vai
well-known cunoscut

west vest
wet ud
what ce
when cînd
whenever orĭcĭnd, ori de cîte
ori
where unde
wherever oriunde
whether dacă
which (pe) care, al cîtelea
while în timp ce, pe cînd, cît
white alb
who (pe) cine, (pe) care
whom pe cine, pe care
whose al cui
why de ce
wife soţie
[I] will voi, am să, vreau
to win a cîştiga
wind vînt
window fereastră
wine vin
winter iarnă
wish dorinţă
to wish a vrea, a dori
with cu
without fără
woman femeie
to wonder a se întreba
[I] wonder oare, mă întreb
wonderful minunat
wood lemn, pădure
word vorbă, cuvînt
work lucrare (-ărĭ) F
to work a lucra, a merge
[it] works merge
worried necăjit
[don't] worry n-avea grijă
worse mai rău, mai prost
worst cel mai rău, cel mai
prost
to [be] worth a merita
wounded rănit
to write a scrie
to write down a nota
writer scriitor

Y

yard curte
year an
yellow galben
yes da
yesterday ieri

yet încă, însă, totuşi
you tu, voi, dumneata (d-ta),
 dumneavoastră (dvs.)
young tînăr
your(s) (al) tău, (al) vostru,
 (al) dumitale, (al) dvs.

TOURIST RESTAURANT AID

A. Miscellaneous Items (English-Romanian)

1. a cover   un tacîm
   a cup   o ceaşcă
   a fork   o furculiţă
   a glass   un pahar
   a knife   un cuţit
   a napkin, a serviette   un şervet
   a plate   o farfurie
   a saucer   o farfurioară
   a spoon   o lingură
   a table-cloth   o faţă de masă
   a teaspoon   o linguriţă

2. mustard   muştar
   oil   untdelemn
   pepper   piper N
   salt   sare F
   vinegar   oţet

3. [brown] bread   pîine neagră
   [white] bread   pîine albă
   butter   unt
   [sour] cream (smetana)
     smîntînă

[sweet, whipped] cream   frişcă
honey   miere F
ice-cream   îngheţată
jam   gem, dulceaţă,
   marmeladă
milk   lapte N
rolls   chifle F pl.
[castor] sugar   zahăr tos
[lump] sugar   zahăr cubic
[powder] sugar   zahăr pudră
yoghurt   iaurt

4. bitter   amar
   clean   curat
   delicious   delicios
   dirty   murdar
   fresh   proaspăt
   savoury   sărat
   sour   acru
   stale   vechĭ
   sweet   dulce
   tender   fraged
   tough   tare

B. Romanian Food List

Note: only those items are listed which commonly appear on Romanian menus and can be bought in shops. It is a check-list only.

1 *Ouă—Eggs*
jumărĭ   scrambled eggs
ochiurĭ   poached eggs
omletă   omelette
ouă fierte, moi   soft-boiled eggs
ouă fierte, tarĭ   hard-boiled eggs
ouă prăjite   fried eggs

2 *Borşuri, Ciorbe, Supe—*
   Examples of Soups
borş de iepure   hare soup

borş de miel   lamb soup
ciorbă de crap   carp soup
ciorbă de pasăre   chicken soup
ciorbă de perişoare   meat-ball
   soup
ciorbă de peşte   fish soup
ciorbă ţărănească   'peasant
   soup' (with meat)
supă de carne   meat soup
supă de legume   vegetable soup
supă de roşii   tomato soup

(*Borşuri* and *ciorbe* look rather like stews. They are sour soups containing a generous helping of beans, meat, fish, or whatever.)

3 *Peşte—Fish*

batog smoked and salted
   sturgeon or other fish
crap carp
homar lobster
icre negre caviar
morun sturgeon
păstrăv trout
peşte afumat smoked fish
raci crayfish
sardele sardines
scrumbie herring, mackerel
somn sheat-fish
şalău pike-perch
ştiucă pike

4 *Carne—Meat*

antricot entrecôte steak
biftec steak
carne de berbec mutton
carne de miel lamb
carne de porc pork
carne de vacă beef
carne de viţel veal
cîrnaţi pork sausages
cotlet cutlet, chop
curcan turkey
ficat liver
friptură de porc roast pork
gîscă goose
[la] grătar grilled
lebărvurşt liver-sausage
mezeluri sausages
mici, mititei rolled mincemeat,
   richly spiced
musaca mincemeat pie
muşchi de porc fillet of pork
muşchi de vacă fillet steak
pui, pasăre chicken
rasol boiled meat
raţă duck
rinichi kidney
salam salami
slănină bacon
şniţel schnitzel
şuncă ham

tocană goulash
vînat venison (or other game)

5 *Legume—Vegetables*

ardei red or green peppers
cartofi fierţi boiled potatoes
cartofi pai chips (small, thin
   variety)
cartofi prăjiţi fried potatoes,
   chips (French fried)
castraveţi cucumber
castraveţi mici gherkins
ceapă onion
ciuperci mushrooms
dovlecei marrow
fasole beans
mămăligă maize polenta
măsline olives
mazăre peas
morcovi carrots
orez rice
pireu de cartofi mashed
   potatoes
ridichi radishes
roşii tomatoes
salată de roşii tomato salad
salată verde lettuce, green
   salad
sarmale stuffed cabbage or
   vine leaves
sfeclă beetroot
spanac spinach
varză cabbage
vinete aubergines

6 *Fructe—Fruit*

alune prăjite, arahide peanuts
banane bananas
caise apricots
căpşuni strawberries
cireşe (sweet) cherries
compot stewed fruit, compot
conserve de fructe canned fruit
curmale dates
fragi wild strawberries

grepfrut grapefruit
lămîi lemons
mere apples
nucĭ walnuts
pepene galben melon
pepene verde water-melon
pere pears
piersici peaches
portocale oranges
prune plums
smochine figs
struguri grapes
vişine (sour) cherries
zmeură raspberries

7 *Brînză—Cheese*
brînză de Olanda Dutch cheese
caşcaval ewe's-milk cheese
pateurĭ cu brînză cheese
  pastries
plăcintă cu brînză cheese pie
şvaiţer Emmental-type cheese

8 *Băuturĭ—Drinks*
apă (minerală) (mineral) water

aperitiv apéritif
băutură alcoolică alcoholic
  drink
băutură nealcoolică non-
  alcoholic drink
bere beer
cacao cocoa
cafea filtru filter coffee
cafea turcească Turkish coffee
ceai tea
cocteil, cocteil cocktail
gheaţă ice
lapte milk
lichior liqueur
limonadă, citronadă, sitronadă
  lemonade
oranjadă orangeade
rachiu, coniac brandy, cognac
sifon soda-water
sirop (diluted) fruit juice
  syrup
şampanie champagne
ţuică plum brandy
vin spumos sparkling wine
vinurĭ wines

(With your coffee you may like *biscuiţĭ* or *prăjiturĭ* —
perhaps a cool chocolate *joffre*, a large slice of *tort de
ciocolată*, or one or two *gogoşĭ* 'doughnuts'. Note that
Turkish coffee is always sweetened in the pan. If you
prefer it bitter or less sweet, say *fără zahăr* or *zahăr
separat*; to be on the safe side, it is best to use *both*
phrases!)

FOR FURTHER READING

There are few courses in English for beginners. The following are useful, though the first one may be difficult to obtain:

A. Cartianu, L. Leviţchi and V. Ştefănescu-Drăgăneşti, *A Course in Modern Rumanian*, Bucharest, 1958

—— *An Advanced Course in Modern Rumanian*, Bucharest, 1964

B. Cazacu, C. G. Chiosa, M. C. Marioţeanu and V. G. Romalo, *A Course in Contemporary Romanian*, Bucharest, 1969 (the English version, by V. Ştefănescu-Drăgăneşti and A. Nicolescu, of a course published in French in 1967)

G. Nandriş, *Colloquial Rumanian*, London, 1961

G. O. Seiver, *Introduction to Romanian*, London, 1953

The largest modern English–Romanian dictionary is by C. Sadeanu *et al.*, Bucharest, 1953, and Romanian–English by L. Leviţchi and A. Bantaş, Bucharest, revised 1965. A slim pocket dictionary by Ş. Andronescu is also in two parts, called *Dicţionar de buzunar englez-român* and *Dicţionar de buzunar român-englez*, Bucharest, revised 1966. A tiny, but fatter, work is by A. Bantaş, *Mic dicţionar englez-român* and *Mic dicţionar român-englez*, Bucharest, 1965. The phrasebook currently available is by M. Miroiu, *English–Romanian Conversation Book*, Bucharest, 1966. The handiest all-Romanian dictionary is *Dicţionarul limbii romîne moderne*, published by the Romanian Academy, Bucharest, 1958. The Academy also publishes the most comprehensive grammar of the written language, *Gramatica limbii române*, Bucharest, latest edition 1966. There is no grammar of contemporary spoken Romanian.

For those who know French or German, the choice is somewhat wider. A good short introduction both to the nature of the language and to Romanian literature is a German work, containing very full bibliographies, by

K.-H. Schroeder, *Einführung in das Studium des Rumänischen*, Berlin, 1967. For those who would like to begin reading original works of literature, the following can be recommended:

E. Tappe, *Rumanian Prose and Verse*, London, 1956

The Romanians publish a large number of little books in English about the country for tourists and businessmen. A larger work for tourists is entitled *Romania, A Guidebook*, Bucharest, 1967. Useful British works are:

T. Appleton, *Your Guide to Rumania*, London, 1965
P. Latham, *Romania: A Complete Guide*, London, 1967
W. Forward, *Romanian Invitation*, London, 1968

CLASSIFIED INDEX

A number of grammatical words listed in the Lesson Vocabularies are not discussed in Grammar sections and therefore do not appear in this Index. They can be located by referring to the Romanian Word List.

Some of the items can be labelled in a number of different ways, depending on their function, but they are classified in the Index only according to their (apparently) central use.

The references are to paragraphs.

TEACH YOURSELF BOOKS

GERMAN

J. Adams

Intended essentially for the beginner, this complete course in contemporary German has been specially designed to enable the student to learn the language as quickly and effectively as possible.

Both the German alphabet and pronunciation are thoroughly covered in separate sections, while a course of thirty carefully graded lessons leads the student through the various points of the grammar. At the same time the vocabulary is gradually built up in conjunction with the exercises to be found in each lesson.

Having thoroughly worked his way through this book, the student should emerge with a sound practical knowledge of written and spoken German.

TEACH YOURSELF BOOKS

RUSSIAN

Russian is always thought to be a very difficult language but, in fact, it is not so much difficult as different. Only half the population of the Soviet Union speaks Russian as their mother tongue – the other hundred million learn it as a foreign language and accept this as natural.

This book aims to give a good working knowledge of the language. It consists of twenty lessons, each containing a reading passage, a section to explain new grammatical points, and exercises which practise the new material in many different ways. A key to the exercises is included and, as well as the grammar notes in each lesson, a summary of all the main forms is given in the appendix.

At the end of the book, a selection of reading passages is provided which are all derived from contemporary Soviet sources and are completely unabridged. They are thus a real guide to the progress the student is making and hence a particularly valuable feature of the book.

TEACH YOURSELF BOOKS

SANSKRIT

This course in Sanskrit has been devised to enable the student to read Indian classics in the original. The carefully-graded chapters explain Sanskrit grammar and style with exceptional clarity. Exercises, most of which use only sentences taken directly from Sanskrit authors, enable the student to check his progress.

This is not only a primer, but also a work of scholarship, for the book contains much new material on Sanskrit syntax and usage. Its explanation of how to use Sanskrit commentaries is especially useful. The text also includes an appendix on prosody, extensive vocabularies both into and out of Sanskrit, and full keys to the main exercises.

Michael Coulson was head of the Department of Sanskrit at Edinburgh University.

TEACH YOURSELF BOOKS

CZECH

W. R. and Z. Lee

A specially devised course which provides a systematic approach to Czech, tailored to overcome the particular difficulties of the English-speaking student.

The orderly progression of thirty-nine lessons introduces each point separately which together build up a thorough knowledge of the language. These are followed by a carefully chosen collection of reading passages, a substantial vocabulary list and a bibliography for further study. Working through this comprehensive volume, alone or with the aid of a teacher, will result in a practical grasp of Czech and the ability to cope with the current written language.

TEACH YOURSELF BOOKS

ITALIAN

Kathleen Speight

A working knowledge of Italian is not difficult to acquire, and the pronunciation of the language is relatively simple and consistent.

This book offers a complete course in modern conversational Italian for beginners studying at home. Pronunciation, grammar and syntax are fully explained in easy stages illustrated by examples, and a basic grounding in the everyday vocabulary is provided.

TEACH YOURSELF BOOKS

SERBO-CROAT

V. Javarek and M. Sudjic

This book is a complete course for beginners in Serbo-Croat, the language spoken over the greater part of Yugoslavia.

The course is divided into a series of twenty-five carefully graded lessons, each complete with translation pieces and exercises. Keys to these are to be found at the end of the book, along with an extensive general vocabulary, the course having been devised with the student working on his own in mind.

'Undoubtedly the best work of its kind . . . will certainly be welcomed by the increasing number of travellers and students who desire to learn the principal language of Yugoslavia.'

Slavonic and East European Review

'A direct, compact, up-to-date and reliable text-book of Serbo-Croat.'

Novin (British Yugoslav Society)

TEACH YOURSELF BOOKS

SPANISH

N. Scarlyn Wilson

As a language of world importance, Spanish rivals French and German. There are over 115 million speakers of the language in the world, both in South America and Spain, and obviously a knowledge of Spanish is useful – not only to the student but also to the tourist and the business-man.

Because of its phonetic simplicity and the basic regu-larity of its grammatical forms, Spanish is a relatively easy language to learn. This book takes the reader through a series of graded lessons which have been designed both for use in the classroom and for study at home. Each lesson comes complete with exercises and translation pieces, and the aim is that the reader, having worked his way through the course, should have a sound command of Spanish.